Bestsell

KEN FOLLETT

UN LETTO DI LEONI

Traduzione di Roberta Rambelli

OSCAR MONDADORI

I edizione Omnibus novembre 1985
I edizione Bestsellers Oscar Mondadori ottobre 1989

ISBN 88-04-32690-5

Questo volume è stato stampato
presso Mondadori Printing S.p.A.
Stabilimento NSM - Cles (TN)
Stampato in Italia - Printed in Italy

Ristampe:

17   18   19   20   21   22   23

2001   2002   2003   2004

http://www.mondadori.com/libri

Un letto di leoni

A Barbara

Esistono nella realtà diverse organizzazioni che inviano in Afghanistan medici volontari; ma "Médecins pour la Liberté" è immaginaria. Tutte le località descritte nel romanzo sono autentiche a eccezione dei villaggi di Banda e Darg, che sono inventati. Tutti i personaggi sono fittizi, escluso Masud.

Per quanto mi sia sforzato di dare allo sfondo un carattere di autenticità, questo romanzo è un'opera di fantasia, e non deve essere considerato una fonte di informazioni attendibili per quanto riguarda l'Afghanistan o altro. I lettori che desiderino sapere qualcosa di più sull'argomento troveranno al termine del volume un elenco delle letture consigliate.

Parte prima

1981

1

Gli uomini che intendevano uccidere Ahmet Yilmaz facevano sul serio. Erano studenti turchi in esilio che vivevano a Parigi, e avevano già assassinato un addetto diplomatico dell'ambasciata di Turchia, e distrutto con una bomba incendiaria la casa di un dirigente della compagnia di bandiera turca. Avevano scelto Yilmaz come prossimo bersaglio perché era un ricco sostenitore della dittatura militare e perché abitava a Parigi.

La casa e l'ufficio di Yilmaz erano ben protetti e la sua Mercedes era blindata; tuttavia ogni uomo ha il suo punto debole, pensavano gli studenti, e di solito il punto debole è il sesso. Nel caso di Yilmaz non sbagliavano affatto. Furono sufficienti un paio di settimane di sorveglianza neppure troppo rigorosa per scoprire che due o tre sere la settimana Yilmaz usciva di casa al volante della Renault *station wagon* usata abitualmente dai domestici per andare a fare la spesa, e si recava in una strada secondaria del XVème Arrondissement per far visita a una turca giovane e bella e innamorata di lui.

Gli studenti decisero di piazzare una bomba nella Renault mentre Yilmaz era a letto con l'amica.

Sapevano dove procurarsi l'esplosivo: da Pepe Gozzi, uno dei tanti figli del "padrino" corso Meme Gozzi. Pepe era un trafficante d'armi. Le vendeva a chiunque, ma preferiva i clienti politici perché, come ammetteva allegramente, «gli idealisti pagavano di più». Aveva già aiutato gli studenti turchi a realizzare gli altri due attentati terroristici.

Il piano della bomba piazzata nella macchina presentava un inconveniente. Spesso Yilmaz se ne andava da solo con la Renault, dopo aver fatto visita alla ragazza. Ma non sempre. Qualche volta uscivano insieme per andare a cena. Qualche volta era lei che prendeva la macchina per tornare mezz'ora dopo con pane, frutta, formaggio e vini per una festicciola intima. In alcune occasioni Yilmaz era rientrato a casa in taxi e aveva lasciato la Renault alla ragazza per un paio di giorni. Gli studenti erano romantici, come tutti i terroristi, e non volevano rischiare di uccidere una donna giovane e bella la cui unica colpa, facilmente perdonabile, era quella di amare un uomo indegno di lei.

Discussero democraticamente il problema. Mettevano ai voti tutte le decisioni e non avevano un capo riconosciuto; c'era comunque tra loro uno che predominava per la forza della personalità. Si chiamava Rahmi Coskun ed era un bel giovane passionale con un paio di baffi folti e una luce intensa negli occhi. Erano state la sua energia e la sua volontà inflessibile a portare alla realizzazione delle due azioni precedenti nonostante i rischi e i problemi. Rahmi propose di consultare un esperto di esplosivi.

All'inizio gli altri non furono molto soddisfatti dell'idea. Di chi potevano fidarsi? chiesero. Rahmi suggerì il nome di Ellis Thaler. Era un americano che diceva d'essere poeta ma in realtà viveva dando lezioni di inglese. Aveva imparato a conoscere gli esplosivi quando era stato arruolato e inviato in Vietnam. Rahmi lo conosceva da circa un anno; entrambi avevano lavorato per un giornale rivoluzionario, "Chaos", che aveva avuto una vita molto breve, e avevano organizzato insieme una lettura di poesie allo scopo di raccogliere fondi per l'OLP. Ellis Thaler sembrava comprendere l'indignazione di Rahmi per ciò che accadeva in Turchia e il suo odio per i barbari responsabili. Alcuni degli altri studenti conoscevano superficialmente Ellis; l'avevano visto partecipare a parecchie dimostrazioni e avevano pensato che fosse uno studente laureato o un giovane professore. Comunque, esitavano a rivolgersi a qualcuno che non era turco come loro; ma Rahmi insistette fino a che ottenne il loro assenso.

Ellis trovò immediatamente la soluzione del problema. La bomba, disse, doveva avere un telecomando. Rahmi avrebbe atteso alla finestra, in una casa di fronte a quella dove abitava la ragazza, oppure in una macchina parcheggiata lungo la via, e avrebbe sorvegliato la Renault. Avrebbe tenuto in mano una minuscola ricetrasmittente non più grande di un pacchetto di sigarette, del tipo che veniva usato per aprire le porte automatiche dei garage senza uscire dall'automobile. Se Yilmaz fosse salito da solo a bordo della Renault, come del resto avveniva spesso, Rahmi avrebbe premuto il tasto della trasmittente, e l'impulso radio avrebbe attivato un interruttore nella bomba, che così sarebbe stata armata e sarebbe esplosa non appena Yilmaz avesse acceso il motore. Se invece fosse salita in macchina la ragazza, Rahmi non sarebbe intervenuto, e lei se ne sarebbe andata senza che accadesse nulla. La bomba non era pericolosa, se non veniva armata. «Finché non premi quel pulsante, non può scoppiare» disse Ellis.

Rahmi approvò l'idea, e chiese a Ellis se era disposto a collaborare con Pepe Gozzi alla fabbricazione della bomba.

«Certamente» rispose Ellis.

Ma c'era un altro intoppo.

«Ho un amico» disse Rahmi «che vuole conoscervi tutti e due, Ellis e Pepe. Per la precisione *deve* conoscervi, altrimenti non ci sarà nulla da fare; perché è lui che fornisce il denaro per gli esplosivi e le macchine e le bustarelle e le armi e tutto il resto.»

«Perché ci tiene tanto a conoscerci?» domandarono Ellis e Pepe.

Vuol essere sicuro che la bomba funzionerà, e vuole anche incontrarvi per capire se può fidarsi di voi, rispose Rahmi con l'aria di scusarsi. Non dovrete far altro che portargli la bomba, spiegargli come funziona, stringergli la mano e lasciare che vi guardi in faccia. Vi sembra che sia una pretesa eccessiva, da parte dell'uomo che renderà possibile l'operazione?

Per me, sta bene, disse Ellis.

Pepe esitò. Voleva il denaro che gli avrebbe reso quella faccenda (il denaro esercitava su di lui un fascino irresistibile) ma non gli andava di conoscere gente nuova.

Ellis cercò di farlo ragionare. Senti, gli disse, queste organizzazioni studentesche sbocciano e muoiono come mimose in primavera, e senza dubbio Rahmi andrà molto presto a finire chissà dove; ma se tu conosci il suo amico, allora potrai continuare a fare buoni affari con lui anche dopo che Rahmi non ci sarà più.

Hai ragione, rispose Pepe, il quale non era affatto un genio ma era in grado di afferrare i principi fondamentali degli affari, se qualcuno glieli spiegava in modo chiaro e semplice.

Ellis riferì a Rahmi che Pepe era d'accordo, e Rahmi fissò un appuntamento per tutti e tre, la domenica seguente.

Quella mattina Ellis si svegliò nel letto di Jane. Si svegliò all'improvviso assillato dalla paura, come se uscisse da un incubo. Un attimo dopo ricordò perfettamente il motivo di quella tensione.

Diede un'occhiata all'orologio. Era presto. Ripassò mentalmente il piano. Se tutto fosse andato bene, quel giorno ci sarebbe stata la conclusione trionfale di un anno e più di lavoro paziente e meticoloso. E lui avrebbe potuto condividere il trionfo con Jane. Se fosse stato ancora vivo al termine della giornata.

Girò la testa per guardarla, in un movimento leggero, per non svegliarla. Il cuore gli diede un guizzo, come sempre quando vedeva il suo viso. Jane era sdraiata supina, con il piccolo naso all'insù rivolto al soffitto e i capelli scuri sparsi sul cuscino come l'ala aperta di un uccello. Guardò la bocca grande, le labbra carnose che sapevano baciarlo con tanta sensualità. La luce del sole primaverile rivelava la fitta lanugine bionda sulle guance... la barba, come diceva Ellis quando voleva prenderla in giro.

Era una gioia rara vederla così, in riposo, con il volto rilassato e privo d'espressione. Normalmente era molto animata: rideva, si accigliava, feceva smorfie, mostrava sorpresa o scetticismo o compassione. La sua espressione più comune era un sorrisetto malizioso, come quello d'un bambino dispettoso che ha appena combinato uno scherzo particolarmente diabolico. Solo quando era addormentata o pensierosa Jane appariva così; eppure era così che Ellis l'amava di più perché allora, quando era inconsapevole e indifesa, lasciava affiorare la languida sensualità che ardeva appena al di sotto della superficie come un fuoco lento, sotterraneo. Quando la vedeva così, si sentiva nelle dita la smania di toccarla.

All'inizio, questo l'aveva sorpreso. Quando l'aveva conosciuta poco dopo l'arrivo a Parigi, gli aveva dato l'impressione della solita attivista che s'incontra sempre fra i giovani radicali e estremisti delle capitali, il tipo che presiede comitati e organizza campagne contro l'*apartheid* e in favore del disarmo nucleare, partecipa a marce di protesta contro El Salvador e l'inquinamento delle acque, promuove collette per gli affamati del Ciad e cerca di contribuire al lancio di un giovane regista di talento. La gente veniva attratta dal suo aspetto piacente, e poi si lasciava conquistare dal suo fascino e contagiare dal suo entusiasmo. Ellis era uscito un paio di volte con lei, solo per il piacere di vedere una bella ragazza che divorava una bistecca; e poi... non ricordava con precisione come fosse accaduto, ma aveva scoperto che quella ragazza eccitabile era anche una donna appassionata, e s'era innamorato di lei.

Ellis girò lo sguardo intorno a sé, nel piccolo appartamento-studio, e riconobbe con un senso di gioia gli oggetti personali che rivelavano l'appartenenza di quel luogo a Jane: una graziosa lampada ricavata da un vasetto cinese; uno scaffale carico di testi sull'economia e la fame nel mondo; un grande divano soffice dove si sprofondava; una fotografia del padre, un bell'uomo in doppiopetto, probabilmente ritratto all'inizio degli anni Sessanta; una piccola coppa d'argento vinta da Jane sul pony Dandelion... la coppa portava la data del 1971, dieci anni prima. Allora Jane aveva tredici anni, pensò Ellis, e io ne avevo ventitré; e mentre lei vinceva le gare d'equitazione nell'Hampshire io ero nel Laos, a posare mine antiuomo lungo il sentiero di Ho Chi-minh.

La prima volta che Ellis aveva visto quell'appartamento quasi un anno addietro, Jane vi aveva appena traslocato dai sobborghi, ed era piuttosto spoglio: una piccola stanza mansardata con un cucinino in un angolo, una doccia in uno sgabuzzino, e un gabinetto in fondo al corridoio. A poco a poco, Jane aveva trasformato la soffitta sporca e tetra in un nido gaio e simpatico. Guadagnava bene come interprete dal francese e dal russo; ma l'affitto era alto perché l'appartamentino era nei pressi di boulevard Saint-Michel, e quindi lei aveva fatto gli acquisti con prudenza, risparmiando fino a quando aveva potuto permettersi quel tavolo di mogano, la testata del letto antica, quel tappeto di Tabriz. Il padre di Ellis l'avrebbe definita una donna di classe. La troverai simpatica, papà, pensò Ellis: sarai pazzo di lei.

Si girò sul fianco, verso Jane, e quel movimento la svegliò, come Ellis aveva immaginato. I grandi occhi azzurri fissarono il soffitto per una frazione di secondo, poi Jane lo guardò, sorrise, si spostò per venirgli tra le braccia. «Ciao» bisbigliò, ed Ellis la baciò.

Immediatamente ebbe un'erezione. Per un po' rimasero così, semiaddormentati, baciandosi ogni tanto; poi Jane gli passò una gamba sui fianchi e incominciarono a fare l'amore languidamente, senza parlare.

Quand'erano diventati amanti e avevano fatto l'amore la mattina e la notte e spesso anche nel pomeriggio, Ellis aveva immaginato che quell'ardore non sarebbe durato, e che dopo qualche giorno o un paio di settimane al massimo il fascino della novità sarebbe passato, e si sarebbero assestati nella media statistica di due volte e mezzo la settimana, o quel che era. Ma si era sbagliato. Un anno dopo facevano ancora l'amore come se fossero in luna di miele.

Jane gli venne addosso, abbandonandosi su di lui con tutto il suo corpo. La pelle madida aderiva alla sua. Ellis la cinse con le braccia, la strinse a sé mentre la penetrava profondamente. Quando Jane sentì che era vicino all'orgasmo, alzò la testa per guardarlo e lo baciò con la bocca aperta mentre Ellis veniva dentro di lei. Un attimo dopo proruppe in un gemito sommesso, ed Ellis la sentì venire, in un lungo, dolce orgasmo ondoso, un orgasmo da domenica mattina. Gli rimase addosso, ancora semiaddormentata. Lui le accarezzò i capelli.

Dopo un po' Jane si scosse. «Sai che giorno è?» mormorò.

«Domenica.»

«Questa domenica tocca a te preparare il pranzo.»

«Non l'avevo dimenticato.»

«Bene.» Un attimo di silenzio. «Che cosa mi prepari?»

«Bistecca, patate, piselli, formaggi di capra, fragole e crema chantilly.»

Jane alzò la testa ridendo. «Ma è il solito!»

«Non è vero. L'ultima volta abbiamo mangiato i fagiolini.»

«E la penultima volta t'eri dimenticato, e così abbiamo mangiato fuori. Cosa diresti d'introdurre un po' di varietà nella tua cucina?»

«Ehi, aspetta un momento. Il nostro accordo stabiliva che avremmo preparato il pranzo a turno, la domenica. Nessuno ha detto che ogni volta il pranzo debba essere diverso.»

Jane gli si abbandonò di nuovo addosso, con un gesto di simulata rassegnazione.

Ellis aveva continuato a pensare a ciò che doveva fare quel giorno. Avrebbe avuto bisogno dell'aiuto inconsapevole di lei, e quello era il momento migliore per chiederlo. «Stamattina devo vedere Rahmi» esordì.

«Bene. Verrò più tardi a casa tua.»

«Potresti farmi un favore? Se non ti dispiace arrivare un po' prima.»

«Cosa devo fare?»

«Preparare il pranzo. No! No! Scherzavo. Voglio che mi aiuti a organizzare un piccolo complotto.»

«Sentiamo» disse Jane.

«Oggi è il compleanno di Rahmi, e suo fratello Mustafà è in città, ma Rahmi non lo sa ancora.» Se andrà tutto bene, pensò Ellis, non dovrò più mentirti, mai più. «Voglio che Mustafà compaia all'improvviso mentre Rahmi è a pranzo. Per fargli una sorpresa. Ma ho bisogno di un complice.»

«Ci sto» disse lei. Si staccò e si sollevò a sedere, incrociando le gambe. Aveva i seni simili a mele, levigati e torniti e sodi. I capelli lunghi le sfioravano i capezzoli. «Che cosa devo fare?»

«È molto semplice. Io dovrò spiegare a Mustafà dove andare, ma Rahmi non ha ancora deciso dove intende mangiare. Quindi devo fargli arrivare il messaggio all'ultimo momento. E con ogni probabilità avrò a fianco Rahmi, quando chiamerò.»

«E come pensi di risolvere il problema?»

«Telefonerò a te. Ti dirò frasi senza senso. Non badare a nulla, tranne l'indirizzo. Poi dovrai chiamare Mustafà, per dargli l'indirizzo e spiegare come dovrà fare per arrivarci.» Gli era sembrato così perfetto, quando aveva escogitato quel sistema: ma adesso gli pareva assurdo, incredibile.

Jane, comunque, non s'insospettì. «Direi che è una cosa semplicissima» osservò.

«Bene» disse Ellis, sforzandosi di nascondere il sollievo.

«E dopo che avrai telefonato, tarderai molto a arrivare a casa?»

«Meno di un'ora. Voglio aspettare per assistere alla scena, ma non mi fermerò a pranzo.»

Jane assunse di colpo un'espressione pensierosa. «Hanno invitato te, e me no.»

Ellis alzò le spalle. «Immagino sia una festa per soli uomini.» Quindi prese la rubrica dal comodino e vi scrisse "Mustafà" e un numero di telefono.

Jane si alzò, andò nello sgabuzzino della doccia. Aprì la porta e girò il rubinetto. Aveva cambiato umore e non sorrideva più. Ellis chiese: «Perché sei arrabbiata?».

«Non sono arrabbiata» rispose lei. «Però qualche volta non mi piace come mi trattano i tuoi amici.»

«Lo sai come sono i turchi, con le ragazze.»

«Appunto... con le ragazze. Tutto bene, finché si tratta di donne rispettabili, ma io sono "una ragazza".»

Ellis sospirò: «Non è da te prendertela per la mentalità

preistorica d'un paio di maschi sciovinisti. Che cosa stai cercando di farmi capire, veramente?»

Jane si fermò a riflettere per un momento, nuda accanto alla doccia. Era così incantevole che Ellis avrebbe voluto ricominciare a far l'amore. «Forse sto cercando di dire che questa situazione non mi piace. Sono legata a te, e questo lo sanno tutti... non vado a letto con nessun altro, non esco neppure con altri uomini... ma tu non sei legato a me. Non viviamo insieme, il più delle volte non so neppure dove vai e che cosa fai, non ho mai conosciuto i tuoi genitori e tu non hai mai conosciuto i miei... e la gente lo sa, e quindi mi tratta come se fossi una sgualdrina.»

«Per me stai esagerando.»

«Dici sempre così.» Jane entrò nella doccia e sbatté la porta. Ellis prese il rasoio dal cassetto dove teneva il *nécessaire* e andò a radersi al lavello del cucinino. Non era la prima volta che scoppiava quella discussione, e anzi altre volte era durata più a lungo; e lui sapeva qual era la causa. Jane voleva che vivessero insieme.

Anche lui l'avrebbe desiderato, certo; voleva sposarla e vivere con lei per il resto della sua vita. Ma doveva attendere fino a quando avesse portato a termine quell'incarico, e non poteva dirlo a Jane, e perciò ripeteva frasi come "Non mi sento pronto" oppure "Ho bisogno di tempo", e Jane s'irritava per quel fare evasivo e sfuggente. Era convinta che un anno fosse un periodo molto lungo per amare un uomo senza ottenere il minimo impegno. Aveva ragione, naturalmente. Ma se quel giorno fosse andato tutto bene, Ellis avrebbe potuto risolvere anche quel problema.

Finì di farsi la barba, avvolse il rasoio in un piccolo asciugamani e lo mise nel cassetto. Jane uscì dalla doccia e gli lasciò il posto. Ora non ci parliamo, pensò Ellis. È ridicolo.

Andò sotto la doccia, mentre Jane preparava il caffè. Quando ebbe indossato i jeans scoloriti e una maglietta nera, sedette di fronte a lei, al piccolo tavolo di mogano. Jane gli versò il caffè. «Voglio parlare con te. Seriamente.»

«D'accordo» rispose Ellis, senza esitare. «All'ora di pranzo.»

«Perché non subito?»

«Non ho tempo.»

«Il compleanno di Rahmi è più importante del nostro rapporto?»

«No, naturalmente.» Ellis si accorse del proprio tono irritato; una voce interiore lo ammonì: Stai attento, potresti perderla. «Ma ho promesso, ed è importante che mantenga le promesse. Invece non cambia molto le cose se noi due parliamo adesso o più tardi.»

Il volto di Jane assunse quell'espressione ostinata che Ellis conosceva bene. L'assumeva sempre quando prendeva una decisione e qualcun altro cercava di dissuaderla. «Per me è importante parlarne adesso.»

Per un momento Ellis provò la tentazione di dirle tutta la verità. Ma non era così che aveva stabilito di fare. Non aveva molto tempo, pensava a altro, e non era preparato. Sarebbe stato molto meglio dopo, quando entrambi sarebbero stati più sereni, e lui avrebbe potuto dirle che aveva concluso il suo compito a Parigi. Perciò rispose: «Ti stai impuntando come una sciocca, e io non voglio lasciarmi mettere con le spalle al muro. Ti prego. Ne parleremo più tardi. Devo andare». E si alzò.

Mentre Ellis si avviava verso la porta, lei disse: «Jean-Pierre mi ha chiesto di andare in Afghanistan con lui».

L'annuncio era così inaspettato che Ellis fu costretto a riflettere un momento, prima di riuscire a assimilarlo. «Parli sul serio?» chiese, incredulo.

«Sì.»

Ellis sapeva che Jean-Pierre era innamorato di Jane. Come altri cinque o sei. Era inevitabile, con una donna come quella. Ma nessuno di loro era un rivale temibile... o almeno, lui non l'aveva mai creduto, fino a quel momento. Ritrovò la calma e ribatté: «Perché vorresti andare in zona di guerra con un individuo simile?».

«Non sto scherzando!» replicò Jane con forza. «Sto parlando della mia vita.»

Ellis scrollò la testa. «Non puoi andare in Afghanistan.»

«Perché?»

«Perché mi ami.»

«Ciò non significa che debba essere a tua disposizione.»

Almeno, Jane non aveva risposto "No, non ti amo". Ellis diede un'occhiata all'orologio. Era ridicolo, assurdo. Tra poche ore avrebbe potuto dirle tutto. «Non lo pretendo neppure» rispose. «Si tratta del nostro futuro, e non possiamo liquidarlo con una discussione affrettata.»

«Non ho intenzione di aspettare in eterno» disse Jane.

«Non ti ho chiesto di aspettare in eterno. Ti chiedo solo di aspettare qualche ora.» Ellis le sfiorò la guancia. «Non stiamo a litigare per così poco.»

Jane si alzò e lo baciò sulla bocca, di slancio.

«Non andrai in Afghanistan, vero?» disse lui.

«Non lo so» rispose Jane, freddamente.

Ellis si sforzò di sorridere. «Almeno, non ci andrai prima di pranzo.»

Lei ricambiò il sorriso e annuì. «No, non ci andrò prima di pranzo.»

Ellis le sorrise ancora per un momento, poi uscì.

Gli ampi boulevard che conducevano agli Champs Élysées erano affollati di turisti e parigini usciti per una passeggiata mattutina, come tante pecore che si aggirassero nell'ovile sotto il sole caldo della primavera, e tutti i caffè all'aperto erano pieni. Ellis si fermò vicino al punto concordato. Portava sulle spalle uno zaino che aveva acquistato in una modesta valigeria, e sembrava un americano venuto a girare l'Europa con l'autostop.

Era un peccato che Jane avesse scelto proprio quella mattina per un confronto decisivo. Adesso con ogni probabilità stava rimuginando, e al suo ritorno sarebbe stata di pessimo umore.

Be', avrebbe dovuto fare tutto il possibile per calmarla.

Ellis non pensò più a Jane e si concentrò sul compito che l'attendeva.

C'erano due possibilità, per quanto riguardava l'identità dell'"amico" di Rahmi, il finanziatore del piccolo gruppo terrorista. Poteva essere un turco ricco e amante della libertà il quale, per ragioni politiche o personali, aveva deciso che fosse giusto ricorrere alla violenza contro la dittatura militare e i suoi seguaci. Se era davvero così, per Ellis sarebbe stata una delusione.

Ma c'era la possibilità che fosse Boris.

"Boris" era un personaggio leggendario negli ambienti frequentati da Ellis... fra gli studenti rivoluzionari, i palestinesi in esilio, i conferenzieri politici *part-time*, i redattori dei giornali estremisti mal stampati, gli anarchici e i maoisti e gli armeni e i vegetariani militanti. Si diceva che fosse un russo, un uomo del KGB pronto a finanziare qualunque atto di violenza della sinistra in Occidente. Molti dubitavano della sua esistenza, soprattutto coloro che avevano cercato di ottenere fondi dai russi e non c'erano riusciti. Ma Ellis aveva notato, ogni tanto, che questo o quel gruppuscolo, dopo mesi passati a lamentarsi di non avere neppure il denaro per acquistare un ciclostile, smetteva improvvisamente di parlare di denaro e praticava la segretezza più rigorosa; e poi, qualche tempo dopo, ecco un sequestro di persona, un conflitto a fuoco, una bomba.

Era un fatto certo, pensava Ellis, che i russi fornivano denaro a gruppi come quelli dei dissidenti turchi: difficilmente avrebbero potuto rifiutare quella possibilità poco dispendiosa e pochissimo rischiosa di causare guai e disordini. D'altra parte, gli Stati Uniti finanziavano sequestri e uccisioni nell'America Centrale, e Ellis non poteva credere che l'Unione Sovietica si facesse più scrupoli del suo paese. E poiché in quel genere di attività il denaro era custodito nelle banche e non veniva trasferito per mezzo di telex, doveva esserci qualcuno che consegnava le banconote. Quindi doveva esserci un Boris.

Ellis era molto, molto ansioso di conoscerlo.

Rahmi arrivò alle dieci e mezzo in punto. Portava una maglietta Lacoste rosa e un paio di calzoni nocciola perfettamente stirati. Sembrava molto nervoso. Lanciò a Ellis un'occhiata intensa, poi girò la testa.

Ellis lo seguì. Si teneva a dieci, quindici metri di distanza, come erano d'accordo.

In un caffè all'aperto stava seduto Pepe Gozzi. Massiccio e muscoloso, indossava un vestito di shantung nero, come se fosse appena stato a Messa. Probabilmente c'era stato davvero. Teneva sulle ginocchia una grossa borsa. Quando Ellis gli passò davanti, si alzò e gli si affiancò con fare disinvolto. Un osservatore casuale non avrebbe saputo dire con certezza se i due erano insieme o no.

Rahmi s'incamminò verso l'Arc de Triomphe.

Ellis scrutava Pepe con la coda dell'occhio. Il corso aveva l'istinto d'autoconservazione di un animale selvatico; senza farsi notare, controllava di continuo se qualcuno lo seguiva... quando attraversava la strada e poteva guardarsi intorno con naturalezza mentre attendeva che il semaforo scattasse, e quando passava davanti a un negozio d'angolo e scorgeva i passanti, dietro di lui, riflessi nella vetrina.

Ellis provava simpatia per Rahmi, ma non per Pepe. Rahmi era un idealista sincero, e probabilmente quelli che uccideva meritavano davvero la morte. Pepe era molto diverso. Quel che faceva lo faceva per denaro, e perché era troppo stupido e volgare per poter sopravvivere in un mondo di commerci leciti.

Tre isolati più a est dell'Arc de Triomphe, Rahmi svoltò in una via laterale. Ellis e Pepe lo seguirono. Rahmi attraversò la strada ed entrò nell'Hôtel Lancaster.

Dunque, il luogo dell'appuntamento era quello. Ellis si augurava che l'incontro dovesse svolgersi nel bar o nel ristorante dell'albergo: in un locale pubblico si sarebbe sentito più al sicuro.

Nell'atrio di marmo faceva quasi freddo, dopo il caldo della strada. Ellis fu scosso da un brivido. Un cameriere in giacca bianca lanciò un'occhiata sprezzante ai suoi jeans. Rahmi, intanto, stava entrando in un piccolo ascensore in fondo all'atrio. L'appuntamento era in una stanza dell'albergo, quindi. Ma ormai era fatta. Ellis seguì il turco nell'ascensore e Pepe s'infilò dietro di loro. Ellis aveva i nervi tesi come corde di violino, mentre salivano. Uscirono al quarto piano. Rahmi si avviò alla porta della stanza 41 e bussò.

Ellis si sforzò di restare calmo, impassibile.

La porta si aprì lentamente.

Era Boris. Ellis lo capì non appena lo vide, e provò un fremito di trionfo e, nel contempo, un brivido diaccio di paura. Sembrava che portasse addosso il marchio di fabbrica moscovita, dal taglio dozzinale dei capelli alle scarpe robuste; e gli occhi duri e la linea brutale della bocca tradivano inequivocabilmente l'appartenenza al KGB. Quello non era un individuo come Rahmi o Pepe; non era un idealista fanatico e neppure un delinquente comune. Boris era un professionista del terrorismo, che non avrebbe esitato a far saltare le cervella ai tre che adesso gli stavano davanti.

Ti ho cercato per tanto tempo, pensò Ellis.

Boris tenne l'uscio semiaperto per un momento, restando parzialmente nascosto mentre li scrutava. Poi arretrò e disse in francese: «Entrate».

Entrarono nel salotto dell'appartamento. Era di un'eleganza squisita, arredato con seggiole, tavolini e un *trumeau* che sembravano autentici pezzi d'antiquariato del Settecento. Su una *console* dalle gambe delicate e curvilinee stavano una stecca di Marlboro e una bottiglia di cognac acquistata in un *duty-free shop*. Nell'angolo in fondo, una porta semiaperta lasciava intravedere la camera da letto.

Rahmi fece le presentazioni in modo sbrigativo, nervoso. «Pepe. Ellis. Il mio amico.»

Boris aveva le spalle larghe. La camicia bianca dalle maniche rimboccate metteva in mostra gli avambracci tozzi e villosi. I calzoni di saia blu erano troppo pesanti per quel clima. Alla spalliera d'una sedia era appesa una giacca a quadretti neri e nocciola che avrebbe stonato clamorosamente con i calzoni blu.

Ellis posò lo zaino sul tappeto e sedette.

Boris indicò la bottiglia di cognac. «Bevete qualcosa?»

Ellis non aveva intenzione di bere cognac alle undici del mattino. «Sì, grazie» disse. «Un caffè.»

Boris gli rivolse un'occhiata ostile, poi disse: «Caffè per tutti». Andò al telefono. È abituato a incutere paura alla gente, pensò Ellis; non gli va che io lo tratti alla pari.

Rahmi, senza il minimo dubbio, aveva una tremenda soggezione di Boris e si agitava ansioso. Continuava a allacciare e a slacciare il primo bottone della maglietta mentre il russo telefonava.

Boris posò il ricevitore e si rivolse a Pepe. «Lieto di conoscerti» disse in francese. «Credo che potremmo essere utili l'uno all'altro.»

Pepe annuì e non disse nulla. Era seduto sull'orlo della poltroncina di velluto. Nonostante la figura massiccia insaccata nell'abito nero, appariva stranamente vulnerabile tra quei mobili aggraziati, come se fosse lui a correre il rischio di spezzarsi. Pepe ha molto in comune con Boris, pensò Ellis: sono due uomini forti e crudeli, senza scrupoli e senza pietà. Se Pepe fosse russo, sarebbe nel KGB; e se Boris fosse francese, apparterrebbe al *milieu*.

«Vediamo la bomba» disse Boris.

Pepe aprì la borsa. Era piena di blocchetti di una sostanza giallastra, lunghi una trentina di centimetri e piuttosto sottili. Boris s'inginocchiò sul tappeto e premette l'indice su uno dei blocchetti. La sostanza cedette, come se fosse stucco. Boris la annusò. «Immagino che sia C3» disse a Pepe.

Il corso annuì.

«Dov'è il meccanismo?»

«Ce l'ha Ellis. Nello zaino» disse Rahmi.

«No» disse Ellis. «Non ce l'ho.»

Per un momento, nel salotto scese un grande silenzio. La

bella faccia giovane di Rahmi era stravolta dal panico. «Come?» chiese, agitato. Girò lo sguardo impaurito da Ellis a Boris e poi di nuovo a Ellis. «Avevi detto... gli avevo assicurato che tu...»

«Taci» ordinò bruscamente Boris. Rahmi ammutolì. Boris fissò Ellis con aria d'attesa.

Ellis si sforzò di simulare una indifferenza che non provava. «Temevo che potesse essere una trappola, e quindi ho lasciato il meccanismo a casa. Posso farlo portare subito. Basta che telefoni alla mia ragazza.»

Boris continuò a fissarlo per alcuni secondi. Ellis ricambiò lo sguardo con tutta la freddezza di cui era capace. Finalmente il russo chiese: «Perché pensavi che potesse essere una trappola?».

Ellis si disse che sarebbe stato un errore tentare di giustificarsi. E comunque era una domanda stupida. Lanciò a Boris un'occhiata arrogante, scrollò le spalle e non rispose.

Boris continuò a scrutarlo. Poi disse: «Telefonerò io».

Una protesta istintiva salì alle labbra di Ellis, ma la represse. Era uno sviluppo imprevisto. Conservò l'atteggiamento disinvolto; e intanto rifletteva affannosamente. Come avrebbe reagito Jane, nel sentire la voce d'uno sconosciuto? E se non fosse stata in casa, se avesse deciso di non mantenere la promessa? Era pentito di aver pensato di servirsi di lei. Ma oramai era troppo tardi.

«Sei un tipo prudente» disse a Boris.

«Anche tu. Il tuo numero telefonico?»

Ellis glielo disse. Boris l'annotò sulla rubrica accanto all'apparecchio e incominciò a comporlo.

Gli altri attesero in silenzio.

«Pronto?» disse Boris. «Parlo a nome di Ellis.»

Forse la voce ignota non l'avrebbe sorpresa troppo, pensò Ellis; Jane si aspettava una telefonata un po' pazza, in ogni caso. *Non badare a nulla, tranne l'indirizzo*, le aveva raccomandato.

«Come?» disse Boris in tono irritato, e Ellis pensò: Oh, merda, cosa gli sta dicendo, adesso? «Sì, è vero, ma non importa» continuò il russo. «Ellis vuole che porti il meccanismo nella stanza 41 dell'Hôtel Lancaster, in rue de Berry.»

Un altro silenzio.

Stai al gioco, Jane, pensò Ellis.

«Sì, un bellissimo albergo.»

Smettila di perdere tempo! Digli che farai quel che ti chiede... ti prego!

«Grazie» disse Boris. Poi soggiunse in tono sarcastico: «È molto gentile». E riattaccò.

Ellis cercò di darsi l'aria di aver sempre saputo che non ci sarebbero stati problemi.

Boris disse: «La ragazza sapeva che sono russo. Come l'ha scoperto?».

Ellis rimase sconcertato per un momento. Poi capì. «È un'interprete» disse. «Riconosce gli accenti.»

Pepe parlò per la prima volta. «Intanto che aspettiamo, vediamo il malloppo.»

«D'accordo.» Boris andò in camera da letto.

Rahmi ne approfittò per sibilare a Ellis: «Non sapevo che avessi in mente questo trucco!».

«È naturale» replicò Ellis in tono di fastidio simulato. «Se tu avessi saputo quel che avevo intenzione di fare, che garanzia sarebbe stata?»

Boris tornò con una grossa busta marrone e la porse a Pepe. Il corso l'aprì e incominciò a contare i biglietti da 100 franchi.

Boris tolse l'incarto dalla stecca di Marlboro e accese una sigaretta.

Ellis pensò: Spero che Jane non aspetti prima di telefonare a "Mustafà". Avrei dovuto dirle che era importantissimo inoltrare subito il messaggio.

Dopo qualche istante, Pepe disse: «Ci sono tutti». Rimise il denaro nella busta, umettò la colla con la lingua, la chiuse e la mise su un tavolo.

I quattro rimasero in silenzio per alcuni minuti.

«Casa tua è molto lontana?» chiese Boris a Ellis.

«Un quarto d'ora, in motorino.»

Bussarono alla porta. Ellis si tese.

«Ha fatto molto presto» disse Boris. Andò a aprire la porta. «Il caffè» annunciò in tono disgustato, e tornò a sedere.

I due camerieri in giacca bianca sospinsero il carrello nel salotto. Poi si raddrizzarono e si voltarono di scatto. Ognuno di loro impugnava una pistola MAB modello D, l'arma d'ordinanza della polizia francese. Uno dei due intimò: «Nessuno si muova».

Ellis sentì che Boris si preparava a scattare. Perché avevano mandato due soli agenti? Se Rahmi avesse compiuto un gesto avventato e quelli gli avessero sparato, la diversione sarebbe stata sufficiente perché Pepe e Boris, insieme, potessero sopraffare gli uomini armati...

La porta della stanza da letto si spalancò. Sulla soglia c'erano altri due agenti travestiti da camerieri.

Boris si rilassò. Aveva un'aria rassegnata.

Ellis si accorse che fino a quel momento aveva trattenuto il fiato. Lo esalò in un lungo sospiro.

Era fatta.

Entrò un ufficiale della polizia, in uniforme.

«Una trappola!» urlò Rahmi. «È una trappola!»

«Taci» disse Boris. Anche questa volta la voce aspra ridusse al silenzio il turco. Si rivolse all'ufficiale. «Protesto energicamente per questo comportamento oltraggioso» esclamò. «La prego di osservare che...»

L'ufficiale lo colpì alla bocca con il pugno inguantato.

Boris si toccò le labbra, poi si guardò le dita sporche di sangue. Cambiò completamente atteggiamento quando si rese conto che non sarebbe riuscito a cavarsela con un bluff. «Cerchi di ricordarsi la mia faccia» disse all'ufficiale in tono gelido. «Ci rivedremo.»

«Ma chi è il traditore?» gridò Rahmi. «Chi ci ha venduti?»

«Lui» disse Boris, e indicò Ellis.

«Ellis?» balbettò Rahmi, incredulo.

«La telefonata» disse Boris. «L'indirizzo.»

Rahmi girò la testa verso Ellis. Aveva un'aria profondamente ferita.

Entrarono altri agenti in uniforme. L'ufficiale additò Pepe. «Quello è Gozzi» disse. Due uomini ammanettarono il corso e lo portarono via. L'ufficiale squadrò Boris. «Lei chi è?»

Boris fece una smorfia seccata. «Mi chiamo Jan Hocht» disse. «Sono cittadino argentino...»

«Lasci stare» l'interruppe l'ufficiale con aria disgustata. «Portatelo via.» Si girò verso Rahmi. «Dunque?»

«Non ho niente da dire!» esclamò Rahmi. Aveva un atteggiamento quasi eroico.

L'ufficiale fece un cenno secco con la testa. Anche Rahmi venne ammanettato. Continuò a guardare Ellis con odio mentre lo portavano via.

Gli arrestati furono condotti giù in ascensore uno alla volta.

La borsa di Pepe e la busta piena di banconote finirono nei sacchetti di politene. Arrivò un fotografo della polizia che piazzò subito il treppiede.

L'ufficiale si rivolse a Ellis. «C'è una Citroën DS nera parcheggiata davanti all'albergo.» Esitò un attimo poi soggiunse: «Signore».

Eccomi ritornato dalla parte della legge, pensò Ellis. È un peccato che, come uomo, Rahmi sia molto più simpatico di questo poliziotto.

Scese con l'ascensore. Nell'atrio, il direttore in giacca nera e calzoni a righe guardava con aria addolorata l'arrivo di altri agenti.

Ellis uscì sotto il sole. La Citroën nera stava dall'altra parte della strada. C'era un autista al volante e un passeggero sul sedile posteriore. Ellis salì dietro. La macchina partì subito.

Il passeggero si girò verso Ellis e disse: «Salve, John».

Ellis sorrise. Era strano sentire il suo vero nome dopo più di un anno. «Come va, Bill?»

«Mi sento molto sollevato» rispose Bill. «Per tredici mesi non abbiamo ricevuto da te altro che richieste di denaro. Poi ci arriva una telefonata perentoria e ci avverte che abbiamo ventiquattr'ore di tempo per organizzare un arresto. Immagina quello che abbiamo dovuto fare per convincere i francesi senza spiegargli il perché! La squadra doveva tenersi pronta nelle vicinanze degli Champs Élysées, ma per conoscere l'indirizzo esatto dovevano attendere la chiamata d'una sconosciuta che chiedeva di Mustafà. Ed è tutto ciò che sappiamo!»

«Era l'unico sistema» disse Ellis in tono di scusa.

«Be', ce n'è voluto… e adesso sono in debito di alcuni grossi favori, qui in città. Ma ce l'abbiamo fatta. Dimmi se ne valeva la pena. Chi abbiamo messo nel sacco?»

«Il russo è Boris» disse Ellis.

Il volto di Bill si schiuse in un gran sorriso. «Che mi venga un colpo» disse. «Hai beccato Boris. Senza scherzi?»

«Senza scherzi.»

«Gesù, sarà meglio che me lo faccia consegnare dai francesi prima che fiutino la sua vera identità.»

Ellis scrollò le spalle. «Comunque, nessuno riuscirà a ottenere molte informazioni da lui. È il tipo del fanatico. L'importante è che lo abbiamo tolto dalla circolazione. Adesso avranno bisogno d'un paio d'anni per piazzare un sostituto al suo posto e perché il nuovo Boris stabilisca i contatti. Per il momento, abbiamo rallentato la loro attività.»

«Ci puoi scommettere. È sensazionale.»

«Il corso è Pepe Gozzi, un trafficante d'armi» continuò Ellis. «Ha fornito il materiale per quasi tutte le azioni terroristiche degli ultimi due anni, in Francia e in diversi altri paesi. È lui, quello da interrogare. Manda un investigatore francese a Marsiglia a fare quattro chiacchiere con il padre, Meme Gozzi. Secondo me, scoprirai che al vecchio non è mai andata a genio l'idea che la famiglia s'impegolasse con la delinquenza politica. Offrigli un patto: l'immunità per Pepe, se Pepe testimonierà contro tutti i politici ai quali ha venduto armi e esplosivi... escludendo i criminali comuni. Meme ci starà, perché non sarà un tradimento verso gli amici. E se ci starà Meme, Pepe obbedirà. I francesi verranno a saperne quanto basta per imbastire processi per anni e anni.»

«Incredibile.» Bill era sbalordito. «In un giorno hai inchiodato due dei più grossi istigatori del terrorismo mondiale.»

«Un giorno?» Ellis sorrise. «C'è voluto un anno.»

«Ne valeva la pena.»

«Il giovane è Rahmi Coskun» disse Ellis. Proseguì in fretta, perché c'era un'altra persona cui era ansioso di raccontare tutto. «Sono stati Rahmi e il suo gruppo a far scoppiare la bomba incendiaria negli uffici della compagnia aerea turca un paio di mesi fa e a uccidere un addetto all'ambasciata qualche tempo prima. Se farete una retata, sicuramente troverete qualche prova interessante.»

«Oppure la polizia francese li convincerà a confessare.»

«Sì. Dammi una matita e scriverò nomi e indirizzi.»

«Lascia stare» disse Bill. «Mi farai un rapporto di missione completo all'ambasciata.»

«Ma io non vengo all'ambasciata.»

«John, non incominciamo.»

«Io ti darò i nomi e così avrai tutti i dati essenziali, anche nell'eventualità che io venga arrotato questo pomeriggio da un taxista pazzo. Se sopravvivrò, ci vedremo domattina e ti fornirò i dettagli.»

«Perché questo rinvio?»

«Ho un appuntamento a pranzo.»

Bill alzò gli occhi al cielo. «Be', in fondo te lo dobbiamo» disse controvoglia.

«L'immaginavo.»

«Chi è la ragazza?»

«Jane Lambert. Il suo era uno dei nomi che mi hai fornito con le istruzioni iniziali.»

«Lo ricordo benissimo. Ti dissi che se tu fossi entrato nelle sue grazie, lei ti avrebbe fatto conoscere tutti i pazzi di sinistra, i terroristi arabi, i superstiti della banda Baader-Meinhof e i poeti d'avanguardia di Parigi.»

«È andata così. Però mi sono innamorato di lei.»

Bill aveva l'aria di un banchiere del Connecticut che si sente annunciare il matrimonio tra suo figlio e la figlia di un milionario negro: non sapeva se compiacersi o inorridire. «Oh... Com'è, esattamente?»

«Non è pazza, anche se parecchi suoi amici lo sono. Che cosa posso dirti? È carina, sveglia, ardente. Meravigliosa. È la donna che ho cercato per tutta la vita.»

«Allora capisco perché preferisci festeggiare con lei anziché in mia compagnia. Cosa farai?»

Ellis sorrise. «Stapperò una bottiglia di vino, cuocerò un paio di bistecche, le dirò che per vivere do la caccia ai terroristi e le chiederò di sposarmi.»

2

Jean-Pierre si sporse verso la brunetta seduta di fronte a lui al tavolo della mensa e la guardò con aria comprensiva. «Credo di sapere quel che provi» disse in tono cordiale. «Ricordo che mi sentivo anch'io molto depresso, verso la fine del mio primo anno alla facoltà di medicina. Si ha l'impressione di dover assorbire più nozioni di quante possa assimilarne una mente umana e di non fare in tempo per gli esami.»

«Proprio così» disse la ragazza annuendo energicamente. Stava per scoppiare in lacrime.

«È un buon segno» la rassicurò Jean-Pierre. «Significa che ti andrà bene. Quelli che non si preoccupano sono quelli che finiscono per fare una figuraccia.»

Gli occhi castani si velarono di gratitudine. «Lo pensi davvero?»

«Ne sono sicuro.»

La ragazza lo guardò con adorazione. Preferiresti mangiare me, piuttosto che il pranzo, vero? pensò Jean-Pierre. Lei si spostò leggermente, e lo scollo del maglioncino si aprì, rivelando l'orlo di pizzo del reggiseno. Per un momento, Jean-Pierre si sentì tentato. Nell'ala est dell'ospedale c'era un ripostiglio della biancheria che non veniva mai usato dopo le nove e mezzo del mattino. Lui ne aveva approfittato più d'una volta. Bastava chiudere la porta dall'interno e adagiarsi su un morbido mucchio di lenzuola pulite...

La brunetta sospirò, si portò alla bocca un pezzetto di bistecca. Non appena incominciò a masticare, Jean-Pierre perse ogni interesse per lei. Detestava vedere la gente mangiare. Comunque, non aveva fatto altro che tentare un collaudo, per accertarsi che poteva ancora riuscirci. Non aveva intenzione di sedurre la ragazza. Era molto carina, con quei capelli ricci e quel caldo colorito mediterraneo, e aveva un bel corpo; ma da un po' di tempo Jean-Pierre aveva perso il gusto delle conquiste passeggere. L'unica ragazza che riusciva a affascinarlo per più di qualche minuto era Jane Lambert... e lei non voleva neppure lasciarsi baciare.

Distolse gli occhi dalla brunetta e scrutò, irrequieto, la mensa dell'ospedale. Non vide nessuno che conosceva. Il locale era quasi deserto. Era venuto a pranzare presto perché aveva il primo turno.

Erano passati ormai sei mesi da quando aveva notato per la prima volta il visetto delizioso di Jane in una sala affollata, in occasione di un cocktail per il lancio di un nuovo libro di ginecologia femminista. Jean-Pierre le aveva detto che la medicina femminista non esisteva: esistevano due soli tipi di medicina, quella buona e quella cattiva. Lei aveva ribattuto che non esisteva neppure la matematica cristiana, e tuttavia c'era voluto un eretico come Galileo per provare che la terra gira intorno al sole. Jean-Pierre aveva esclamato «Hai ragione!» con il suo fare più disarmante ed erano diventati amici.

Eppure Jane sembrava inaccessibile al suo fascino. Lo trattava con simpatia, ma sembrava che fosse legatissima a quell'americano, anche se Ellis Thaler era più vecchio di lei. Questo la rendeva ancora più desiderabile agli occhi di Jean-Pierre. Se Ellis fosse sparito dalla scena... se fosse finito sotto un autobus o qualcosa di simile... Negli ultimi tempi gli era sembrato che la resistenza di Jane si andasse indebolendo... oppure era un'illusione?

La brunetta chiese: «È vero che andrai in Afghanistan per due anni?».

«È verissimo.»

«Perché?»

«Perché credo nella libertà. E perché non ho studiato tanto solo per fare i *by-pass* coronarici ai ricchi industriali.» Quelle menzogne gli salivano automaticamente alle labbra.

«Ma perché proprio due anni? Quelli che ci vanno, di solito stanno via da tre a sei mesi, un anno al massimo. Due anni mi sembrano un'eternità.»

«Davvero?» Jean-Pierre sorrise ironicamente. «Vedi, è difficile ottenere risultati concreti in minor tempo. L'idea di mandare là i dottori per una breve visita è sbagliata. I ribelli hanno bisogno di un'organizzazione medica permanente, un ospedale che rimanga fisso nello stesso posto e conservi almeno una parte dello stesso personale da un anno all'altro. Così come stanno le cose, quasi sempre non sanno dove portare i malati e i feriti, non seguono le istruzioni del medico perché non arrivano mai a conoscerlo abbastanza per potersi fidare di lui e nessuno ha il tempo di imparare le nozioni sanitarie più rudimentali. E le spese per trasportare là i volontari e poi riportarli qui rendono piuttosto dispendiosi i loro servizi "gratuiti".» Jean-Pierre aveva messo tanta convinzione nel suo discorsetto che quasi finiva per crederci. Ricordò a se stesso la vera ragione per cui sarebbe andato in Afghanistan e vi sarebbe rimasto per due anni.

Una voce dietro di lui chiese: «Chi è che fornisce gratis i suoi servizi?».

Jean-Pierre si voltò e vide una donna e un uomo che stavano arrivando con i vassoi. Valérie era un'interna, come lui; e il suo amico era radiologo. Sedettero al loro tavolo.

La brunetta rispose alla domanda di Valérie: «Jean-Pierre andrà in Afghanistan a lavorare per i ribelli».

«Davvero?» Valérie si voltò, sorpresa. «Avevo sentito dire che ti hanno offerto un posto meraviglioso a Houston.»

«Ho rifiutato.»

Valérie spalancò gli occhi. «Ma perché?»

«Penso che valga la pena di salvare la vita ai combattenti per la libertà, mentre qualche milionario texano in più o in meno non farà nessuna differenza.»

Il radiologo era assai meno incantato di Valérie. Tranguigiò un boccone e disse: «Non temere. Quando tornerai, non avrai difficoltà a ricevere la stessa offerta di lavoro... sarai un eroe, oltre che un medico».

«La pensi così?» chiese freddamente Jean-Pierre. Non gli piaceva affatto la piega assunta dalla conversazione.

«L'anno scorso due di questo ospedale sono andati in Afghanistan» continuò il radiologo. «E al ritorno hanno trovato ottimi posti che li aspettavano.»

Jean-Pierre sorrise con aria tollerante. «È bello sapere che se sopravvivrò ci sarà un lavoro per me.»

«Lo spero!» esclamò la brunetta, accalorandosi. «Dopo tanti sacrifici!»

«E i tuoi genitori cosa dicono?» chiese Valérie.

«Mia madre approva» rispose Jean-Pierre. Era logico che approvasse: l'idea che suo figlio facesse l'eroe le sorrideva. Jean-Pierre immaginava ciò che avrebbe detto suo padre dei giovani medici idealisti che andavano a lavorare per i ribelli afgani. *Il socialismo non significa che ognuno possa fare quel che vuole!* avrebbe esclamato con voce rauca, avvampando per la rabbia. *Cosa credi che siano, quei ribelli? Sono banditi che depredano i poveri contadini. È necessario annientare le istituzioni feudali prima di poter instaurare il socialismo.* Avrebbe battuto il pugno sul tavolo. *Non si può fare una frittata senza rompere le uova, non si può fare il socialismo senza rompere le teste!* Non temere, papà, lo so. «Mio padre è morto» disse Jean-Pierre. «Ma anche lui avrebbe combattuto per la libertà. Era nella Resistenza, durante la guerra.»

«E che cosa faceva?» chiese il radiologo, ancora più scettico. Ma Jean-Pierre non gli rispose perché aveva visto entrare nella mensa Raoul Clermont, il direttore di "La Révolte", grondante di sudore nell'abito della domenica. Cosa diavolo era venuto a fare il giornalista nella mensa dell'ospedale?

«Devo parlarti» disse Raoul, senza preamboli. Ansimava.

Jean-Pierre indicò una sedia. «Raoul...»

«È urgente» l'interruppe Raoul, come se non volesse che gli altri sentissero il suo nome.

«Perché non ti fermi a mangiare con noi? Potremo parlare con calma.»

«Non posso.»

Jean-Pierre sentì una nota di panico nella voce del grassone. Lo guardava negli occhi come se lo implorasse di non perdere altro tempo. Si alzò, sorpreso. «Bene.» Per non allarmare gli altri disse, scherzosamente: «Non mangiate il mio pranzo... torno subito». Prese il braccio di Raoul. Uscirono insieme dalla mensa.

Jean-Pierre aveva pensato di fermarsi a parlare appena oltre la soglia, ma Raoul continuò a camminare lungo il corridoio. «Mi ha mandato Monsieur Leblond» disse.

«Cominciavo a immaginare che sotto ci fosse lui» disse Jean-Pierre. Un mese prima Raoul l'aveva accompagnato a conoscere Leblond, e Leblond gli aveva chiesto di andare in Afghanistan, ufficialmente per aiutare i ribelli come tanti altri giovani medici francesi, ma in realtà per spiare per conto dei russi. Jean-Pierre aveva provato orgoglio, apprensione, e soprattutto euforia alla prospettiva di poter fare per la causa qualcosa di veramente straordinario. L'unico suo timore era stato che le organizzazioni impegnate a inviare i medici nell'Afghanistan lo rifiutassero perché era comunista. Non potevano sapere che era regolarmente iscritto al partito, e di certo non sarebbe stato lui a informarli... ma potevano conoscerlo come simpatizzante. D'altra parte, c'erano parecchi comunisti francesi contrari all'invasione dell'Afghanistan. Esisteva comunque la remota possibilità che l'organizzazione suggerisse a Jean-Pierre che si sarebbe trovato meglio se fosse andato a lavorare per qualche altro gruppo di combattenti per la libertà... loro, per esempio, mandavano personale medico ad aiutare i ribelli del Salvador. Ma alla fine non era andata così: Jean-Pierre era stato accettato dai "Médecins pour la Liberté". Aveva riferito la notizia a Raoul, e Raoul aveva detto che ci sarebbe stato un altro incontro con Leblond. Forse per questo era venuto a cercarlo. «Ma perché tanta fretta?»

«Vuole vederti subito.»

«Subito?» Jean-Pierre s'irritò. «Sono di turno. I pazienti...»

«Se ne occuperà qualcun altro.»

«Ma perché tutta questa urgenza? Partirò solo fra due mesi.»

«Non si tratta dell'Afghanistan.»

«E allora, di che si tratta?»

«Non lo so.»

Se non lo sai, perché sei così spaventato? pensò Jean-Pierre. «Non ne hai un'idea?»

«So che Rahmi Coskun è stato arrestato.»

«Lo studente turco?»

«Sì.»

«Perché?»

«Non lo so.»

«E io che cosa c'entro? Lo conosco appena.»

«Monsieur Leblond ti spiegherà.»

Jean-Pierre allargò le braccia. «Non posso piantare tutto e venire via così.»

«E se ti sentissi male?» chiese Raoul.

«Lo direi alla capoinfermiera, e lei chiamerebbe qualcuno per sostituirmi. Ma...»

«Allora diglielo.» Erano arrivati nell'atrio dell'ospedale, e c'era una fila di telefoni interni.

Potrebbe essere una prova, pensò Jean-Pierre, una prova per vedere se sono abbastanza devoto perché mi affidino la missione. Decise di sfidare le ire della direzione dell'ospedale. Prese il telefono.

«Devo andarmene subito. Motivi di famiglia» disse quando la capoinfermiera rispose. «Avverta il dottor Roche.»

«Sì, dottore» disse con calma la capoinfermiera. «Spero non si tratti di brutte notizie.»

«Glielo dirò più tardi. Arrivederci. Oh... un momento.» Jean-Pierre aveva una paziente operata da poco che aveva avuto un'emorragia durante la notte. «Come sta Madame Ferier?»

«Bene. L'emorragia non si è ripetuta.»

«Meglio così. La tenga d'occhio.»

«Sì, dottore.»

Jean-Pierre riattaccò. «Tutto sistemato» disse a Raoul. «Andiamo.»

Uscirono nel parcheggio e salirono sulla Renault 5 del giornalista. L'interno della macchina era arroventato dal sole del mezzogiorno. Raoul cominciò a correre per le vie secondarie. Jean-Pierre era nervoso. Non sapeva esattamente chi fosse Leblond, ma presumeva che fosse un personaggio d'un certo peso nel KGB. Jean-Pierre si chiese se aveva fatto qualcosa per offendere quella temutissima organizzazione; e se era così, quali sarebbero state le conseguenze?

Senza dubbio, non potevano aver saputo di Jane.

Il fatto che le avesse chiesto di andare in Afghanistan con lui non li riguardava. Nel gruppo, comunque, ci sarebbero stati altri, inclusa probabilmente un'infermiera che avrebbe dovuto aiutarlo, e magari altri medici destinati a zone diverse del paese: perché Jane non avrebbe dovuto andare con loro? Non era un'infermiera, ma avrebbe potuto seguire un corso accelerato, e la cosa importante era che conosceva il farsi, il persiano... e nell'area dove sarebbe andato Jean-Pierre si parlava un dialetto farsi.

Si augurava che Jane sarebbe andata con lui, per idealismo e per spirito d'avventura. Sperava che, una volta arrivata là, avrebbe dimenticato Ellis e si sarebbe innamorata dell'europeo che le stava più vicino... ovviamente, lui.

E si augurava anche che il partito non scoprisse mai che l'aveva incoraggiata a partire per motivi personali. Non c'era motivo perché venissero a saperlo... o almeno così aveva pensato. Ma forse aveva sbagliato. Forse erano indignati.

È assurdo, si disse. Non ho fatto niente di male, in realtà; e in ogni caso, perché dovrebbero punirmi? Questo è il vero KGB, non l'organizzazione mitica che ispira tanta paura agli abbonati del "Reader's Digest".

Raoul parcheggiò la macchina. S'erano fermati davanti a un elegante palazzo in rue de l'Université. Era lì che Jean-Pierre aveva incontrato Leblond, la volta precedente. Lasciarono la macchina ed entrarono.

L'atrio era in penombra. Salirono la scalinata curvilinea, arrivarono al primo piano e suonarono il campanello. Com'è cambiata la mia vita, pensò Jean-Pierre, dall'ultima volta che ho atteso davanti a questa porta!

Monsieur Leblond venne ad aprire. Era basso e magro, quasi calvo, portava gli occhiali, e con quell'abito grigio antracite e la cravatta argentea sembrava un maggiordomo. Li condusse nella stessa stanza sul retro dove aveva ricevuto Jean-Pierre la prima volta. Le grandi finestre e le modanature elaborate indicavano che un tempo era stato un salotto elegante; ma adesso c'erano una moquette sintetica, una modesta scrivania da ufficio e qualche sedia di plastica arancione.

«Aspettate un momento» disse Leblond. La voce era bassa, recisa e secca. Un accento, leggero ma inconfondibile, lasciava capire che il vero nome non era Leblond. Uscì da un'altra porta.

Jean-Pierre sedette su una sedia di plastica. Raoul restò in piedi. Qui, in questa stanza, pensò Jean-Pierre, quella voce secca mi ha detto: *Lei è sempre stato fedele al partito fin dall'infanzia. Il suo carattere e i precedenti familiari ci fanno pensare che potrebbe essere utile al partito in un ruolo clandestino.*

Spero di non aver rovinato tutto a causa di Jane, pensò.

Leblond tornò con un altro uomo. Si fermarono sulla soglia, e Leblond indicò Jean-Pierre. L'altro lo fissò, come se volesse imprimersi la sua faccia nella memoria. Jean-Pierre ricambiò lo sguardo. L'uomo era un colosso, e aveva le spalle poderose d'un giocatore di football americano. I capelli erano lunghi, ma già radi alla sommità della testa, e aveva un paio di baffi spioventi. La giacca di velluto a coste verde aveva uno strappo in una manica. Dopo qualche secondo, l'uomo annuì e se ne andò.

Leblond chiuse la porta e andò a sedere alla scrivania. «C'è stato un disastro» disse.

Allora non si tratta di Jane, pensò Jean-Pierre. Grazie a Dio.

Leblond continuò: «C'è un agente della CIA nel giro dei suoi amici».

«Mio Dio!» esclamò Jean-Pierre.

«Non è questo, il disastro» continuò Leblond in tono irritato. «Non è sorprendente che tra i suoi amici ci sia una spia americana. Senza dubbio ci sono anche spie israeliane, sudafricane e francesi. Cosa farebbero, se non infiltrassero i gruppi dei giovani attivisti politici? E anche noi abbiamo una nostra spia, naturalmente.»

«Chi?»

«Lei.»

«Oh!» Jean-Pierre si sentì colto alla sprovvista. Non si era mai considerato esattamente una "spia". Ma che altro poteva significare "essere utile al partito in un ruolo clandestino"? «Chi è l'agente della CIA?» chiese, incuriosito.

«Un certo Ellis Thaler.»

Jean-Pierre si alzò di scatto, sbalordito. «Ellis?»

«Allora lo conosce. Bene.»

«Ellis è una spia della CIA?»

«Si sieda» disse freddamente Leblond. «Il problema non è la sua identità, ma ciò che ha fatto.»

Jean-Pierre si mise a pensare: Se Jane viene a saperlo mollerà Ellis come una patata bollente. Mi permetteranno di dirglielo? Se no, lo scoprirà in qualche altro modo? Lo crederà? Ellis lo negherà?

Leblond continuava a parlare, e Jean-Pierre s'impose di concentrarsi su ciò che diceva. «Il disastro è che Ellis ha preparato una trappola, e ha preso qualcuno che per noi è piuttosto importante.»

Jean-Pierre ricordò che Raoul gli aveva parlato dell'arresto di Rahmi Coskun. «Rahmi è importante per noi?»

«Non si tratta di Rahmi.»

«E allora di chi?»

«Non è necessario che lo sappia.»

«Perché mi ha fatto venir qui?»

«Taccia e ascolti» intimò Leblond. Per la prima volta, Jean-Pierre ebbe paura di lui. «Non ho mai conosciuto il suo amico Ellis, naturalmente. E purtroppo non lo conosce neppure Raoul. Quindi nessuno di noi due sa che aspetto abbia. Ma lei lo sa. Perciò l'ho fatta venir qui. Sa anche dove abita Ellis?»

«Sì. Ha una camera sopra un ristorante, in rue de l'Ancienne Comédie.»

«La stanza guarda sulla strada?»

Jean-Pierre aggrottò la fronte. C'era andato una volta sola; Ellis non invitava spesso gente in casa sua. «Mi pare di sì.»

«Non è sicuro?»

«Mi lasci pensare.» C'era andato una sera tardi, con Jane e un gruppo di altri, dopo che erano stati a una proiezione alla Sorbonne. Ellis aveva preparato il caffè. Era una stanzetta piuttosto piccola. Jane si era seduta sul pavimento, vicino alla finestra... «Sì. La finestra guarda sulla strada. Perché è importante?»

«Vuol dire che potrà fare un segnale.»

«Io? Perché? A chi?»

Leblond gli lanciò un'occhiata minacciosa.

«Mi scusi» mormorò Jean-Pierre.

Leblond esitò. Quando riprese a parlare, la sua voce era un po' più bassa, anche se l'espressione era immutata. «Sarà il suo battesimo del fuoco. Mi dispiace di dovermi servire di lei in una... in "un'azione" come questa, dato che finora non ha mai fatto niente per noi. Ma conosce Ellis, è qui, e al momento non abbiamo nessun altro che lo conosca; e ciò che intendiamo fare non otterrà più lo stesso effetto se non lo faremo immediatamente. Quindi ascolti con attenzione, perché è importante. Vada a casa sua. Se Ellis c'è, entri... inventi qualche pretesto. Vada alla finestra, si sporga e si faccia vedere da Raoul, che aspetterà sulla strada.»

Raoul si agitò leggermente, come un cane che sente i padroni fare il suo nome mentre parlano tra loro.

Jean-Pierre chiese: «E se Ellis non c'è?».

«Parli con i vicini. Cerchi di sapere dov'è andato e quando tornerà. Se risulta che è uscito per pochi minuti o anche per un'ora o due, lo aspetti. Quando rientrerà, proceda come ho già detto: entri, vada alla finestra, si faccia vedere da Raoul. La sua apparizione sarà il segnale che Ellis è in casa... perciò non si avvicini alla finestra se lui non c'è. Ha capito bene?»

«Ho capito cosa vuole che faccia» disse Jean-Pierre. «Ma non capisco a che scopo.»

«Identificare Ellis.»

«E quando l'avrò indentificato?»

Leblond diede la risposta che Jean-Pierre non aveva osato sperare, e che fu per lui come una piacevole scossa: «Lo uccideremo, naturalmente».

3

Jane stese una tovaglia bianca rammendata sul minuscolo tavolo e apparecchiò due coperti con un assortimento di posate malconce. Trovò una bottiglia di Fleurie nell'armadietto sotto il lavello, e la stappò. Pensò di assaggiare il vino, poi decise di aspettare Ellis. Mise sul tavolo i bicchieri, il sale e il pepe, la senape e i tovaglioli di carta. Si chiese se doveva cominciare a cucinare. No, era meglio lasciar fare a Ellis.

Quella stanza non le piaceva. Era spoglia, piccola, impersonale. C'era rimasta male, la prima volta che l'aveva vista. Usciva da qualche tempo con quell'uomo maturo e sereno e pieno di calore umano, e si aspettava che la sua casa rispecchiasse la sua personalità: un appartamento comodo e simpatico, popolato di ricordi d'un passato ricco d'esperienza. Ma era impossibile capire se l'uomo che viveva lì era stato sposato, aveva combattuto in una guerra, aveva preso l'LSD o era stato capitano della squadra di football della sua scuola. Le fredde pareti bianche erano decorate da pochi poster scelti affrettatamente. Il servizio di piatti proveniva da un grande magazzino e gli utensili da cucina erano scadenti. I volumi tascabili di poesia allineati sugli scaffali non avevano dediche. I jeans e i maglioni stavano in una valigia di plastica sotto il letto scricchiolante. Dov'erano le vecchie pagelle di scuola, le fotografie dei nipotini, la copia di *Casa Cuorinfranto* conservata con cura, il temperino-souvenir di Boulogne o delle Cascate del Niagara, l'insalatiera di teak che tutti, prima o poi, ricevono in regalo da qualcuno? Nella stanza non c'era nulla di veramente importante, non c'era nessuna di quelle cose che si conservano non per ciò che sono ma per ciò che rappresentano. Non c'era nulla che fosse una parte della sùa anima.

Era la stanza di un uomo chiuso in se stesso, riservato, un uomo che non avrebbe mai confidato a nessuno i suoi pensieri più intimi. A poco a poco, dolorosamente, Jane aveva finito per prenderne atto: Ellis era così, come la sua stanza, freddo e misterioso.

Era incredibile. Era un uomo così sicuro di sé. Camminava a testa alta, come se non avesse mai avuto paura di nessuno in tutta la sua vita. A letto era completamente disinibito, disinvolto nella sua sessualità. Era pronto a fare e a dire qualunque cosa, senza ansie, esitazioni o vergogna. Jane non aveva mai conosciuto un uomo come lui. Ma c'erano state troppe volte – a letto o al ristorante o quando camminavano per la strada – quando aveva riso con lui, o lo aveva ascoltato, o aveva guardato come socchiudeva gli occhi nel riflettere, o lo aveva abbracciato... e aveva scoperto che, all'improvviso, era come se si fosse spento. In quei momenti Ellis non era più affettuoso e divertente, non era più premuroso e gentile, corretto e generoso. La faceva sentire esclusa, come un'estranea, un'intrusa nel suo mondo personale. Era come se il sole si nascondesse dietro una nube.

Jane sapeva che avrebbe dovuto lasciarlo. Lo amava disperatamente, ma sembrava che Ellis non fosse capace di amarla allo stesso modo. Aveva trentatré anni, e se non aveva ancora imparato l'arte dell'intimità, non l'avrebbe imparata mai più.

Sedette sul divano e incominciò a leggere "The Observer", che aveva comprato a un'edicola internazionale in boulevard Raspail mentre veniva lì. In prima pagina c'era un servizio sull'Afghanistan. Sembrava il posto più adatto per dimenticare Ellis.

L'idea l'aveva affascinata immediatamente. Sebbene amasse Parigi e avesse un lavoro abbastanza interessante e vario, voleva qualcosa di più: esperienze, avventure, e la possibilità di fare qualcosa per la causa della libertà. Non aveva paura, Jean-Pierre aveva detto che i medici erano considerati troppo preziosi per mandarli nella zona dei combattimenti. C'era un certo rischio di essere colpiti da una bomba o di venire coinvolti in una scaramuccia, ma probabilmente non era più grave del pericolo di venire investiti da un automobilista parigino. Jane era curiosa di conoscere il modo di vivere dei ribelli afgani. «Che cosa mangiano?» aveva chiesto a Jean-Pierre. «Come vestono? Vivono sotto le tende? Hanno i gabinetti?»

«Niente gabinetti» aveva risposto lui. «Né elettricità, né strade, né vino, né automobili, né riscaldamento centrale, né dentisti, né portalettere, né telefoni, né ristoranti, né pubblicità, né Coca-Cola, né previsioni meteorologiche, né bollettini di Borsa, né arredatori, né assistenti sociali, né rossetti, né assorbenti, né case di moda, né pranzi, né posteggi di taxi, né file per gli autobus…»

«Un momento!» l'aveva interrotto Jane, prima che continuasse così per ore. «Avranno pure autobus e taxi.»

«In campagna no. Io andrò in una zona chiamata Valle dei Cinque Leoni, una roccaforte dei ribelli ai piedi dell'Himalaya. Era già primitiva prima ancora che la bombardassero i russi.»

Jane era sicura che avrebbe potuto vivere felice anche senza impianti igienici, rossetto e previsioni meteorologiche. Sospettava che Jean-Pierre sottovalutasse il pericolo, anche al di fuori delle zone dei combattimenti; ma questo non la spaventava. Sua madre, naturalmente, si sarebbe fatta venire una crisi isterica. Suo padre, se fosse stato ancora vivo, avrebbe detto: "Buona fortuna, Janey". Avrebbe capito quanto era importante fare qualcosa di degno nella propria vita. Sebbene fosse stato un bravo medico, non s'era mai arricchito, perché dovunque vivessero, a Nassau, al Cairo, a Singapore ma soprattutto in Rhodesia, aveva sempre curato gratuitamente i poveri; e quelli erano accorsi in folla, mettendo in fuga i pazienti che potevano pagare.

I pensieri di Jane furono interrotti da un suono di passi sulla scala. Si accorse che aveva letto solo poche righe dell'articolo. Inclinò la testa e ascoltò. Non sembrava il passo di Ellis. Sentì bussare alla porta.

Posò il giornale e aprì. Era Jean-Pierre, e sembrava sorpreso quasi quanto lei. Per un momento si guardarono in silenzio. Jane disse: «Hai l'aria colpevole. Ce l'ho anch'io?».

«Sì» disse lui, e sorrise.

«Stavo appunto pensando a te. Entra.»

Jean-Pierre entrò e si guardò intorno. «Ellis non c'è?»

«Lo aspetto da un momento all'altro. Siedi.»

Jean-Pierre sedette sul divano. Jane pensò, e non per la prima volta, che era probabilmente l'uomo più bello che avesse mai conosciuto. Il viso era perfettamente regolare, con la fronte alta, il naso forte e aristocratico, gli occhi marrone limpidi, e una bocca sensuale nascosta in parte dalla folta barba scura che aveva qualche riflesso rossiccio nei baffi. Gli abiti erano da poco prezzo ma scelti con cura, e li portava con un'eleganza noncurante che persino Jane gli invidiava..

Lo trovava molto simpatico. Il suo difetto peggiore stava nel fatto che aveva un'opinione troppo grande di se stesso; ma anche in questo era ingenuo fino al punto di apparire disarmante, come un ragazzino che si vanta. A Jane piacevano il suo idealismo e la sua dedizione alla medicina. Aveva un fascino enorme, e possedeva anche un'immaginazione scatenata che a volte riusciva a essere divertentissima: bastava che venisse ispirato da un'assurdità, magari da un lapsus, per lanciarsi in un monologo fantasioso che poteva durare per dieci o quindici minuti. Quando qualcuno aveva citato un'osservazione di Jean-Paul Sartre sul gioco del calcio, Jean-Pierre aveva improvvisato una cronaca di una partita così come l'avrebbe fatta un filosofo esistenzialista. Jane aveva riso fino a star male. Tutti dicevano che l'allegria di Jean-Pierre aveva anche un rovescio della medaglia nei momenti di depressione nerissima, ma Jane non aveva mai avuto modo di constatarlo.

«Bevi un po' del vino di Ellis?» gli disse, prendendo la bottiglia dal tavolo.

«No, grazie.»

«Ti stai allenando per vivere in un paese musulmano?»

«Non proprio.»

Jean-Pierre aveva un'aria solenne. «Cosa c'è?» chiese Jane.

«Devo parlarti» disse lui.

«Abbiamo già parlato tre giorni fa, non ricordi?» ribatté Jane, scherzosa. «Mi hai chiesto di lasciare il mio amico per venire con te in Afghanistan... una proposta alla quale poche ragazze saprebbero resistere.»

«Sii seria.»

«E va bene. Non ho ancora deciso.»

«Jane. Ho scoperto una cosa terribile sul conto di Ellis.»

Lei lo guardò con aria interrogativa. Cosa stava per dirle? Avrebbe inventato una menzogna per convincerla a partire? No, non le sembrava possibile. «Dunque, che cos'è?»

«Non è quello che finge di essere» disse Jean-Pierre.

Era un po' troppo melodrammatico. «Non c'è bisogno di parlare con il tono di un impresario di pompe funebri. Spiegati.»

«Non è un poeta squattrinato. Lavora per il governo americano.»

Jane aggrottò la fronte. «Per il governo americano?» Il suo primo pensiero fu che Jean-Pierre avesse equivocato. «Dà lezioni d'inglese a qualche francese che lavora per il governo americano...»

«Non è questo che intendevo. Spia i gruppi rivoluzionari. È un agente. Lavora per la CIA.»

Jane scoppiò a ridere. «Non dire assurdità! Credevi che mi avresti convinta a scaricarlo raccontandomi una balla simile?»

«È vero, Jane.»

«Non è vero. Ellis non può essere una spia. Non pensi che lo saprei? In pratica sto con lui da un anno.»

«Ma in realtà non vivi con lui, no?»

«Non fa differenza. Lo conosco.» Ma già mentre parlava, Jane stava pensando: Questo potrebbe spiegare tante cose. Non conosceva realmente Ellis. Ma almeno lo conosceva abbastanza per essere sicura che non era vile, meschino, infido, malvagio.

«Lo sanno tutti» commentò Jean-Pierre. «Rahmi Coskun è stato arrestato stamattina e tutti dicono che il responsabile è Ellis.»

«Perché hanno arrestato Rahmi?»

Jean-Pierre alzò le spalle. «Sovversione, senza dubbio. Comunque, Raoul Clermont sta girando per Parigi in cerca di Ellis, e qualcuno vuole vendicarsi.»

«Oh, Jean-Pierre, è ridicolo» disse Jane. All'improvviso si sentì soffocare. Andò alla finestra e la spalancò. Diede un'occhiata per la strada e vide Ellis che entrava dal portone. «Bene» disse a Jean-Pierre. «Sta arrivando. Adesso dovrai ripetere di fronte a lui questa storia ridicola.» Si sentiva già il passo di Ellis sulla scala.

«È ciò che intendo fare» disse Jean-Pierre. «Perché credi che sia venuto? Sono qui per avvertirlo che gli danno la caccia.»

Jane si rese conto che Jean-Pierre era sincero: credeva veramente a quello che raccontava. Bene, tra poco Ellis gli avrebbe chiarito le idee.

La porta si aprì e entrò Ellis.

Sembrava felice, come se fosse ansioso di dare una buona notizia, e quando Jane scorse quel volto sorridente dal naso spezzato e dai penetranti occhi azzurri, provò un senso di rimorso al pensiero che fino a un attimo prima aveva flirtato con Jean-Pierre.

Ellis si fermò sulla soglia. La vista di Jean-Pierre appannò un po' il suo sorriso. «Ciao a tutti e due» disse. Chiuse la porta a chiave, come al solito. Jane aveva sempre pensato che fosse una stranezza, ma adesso si rendeva conto che poteva essere la precauzione di una spia. Scacciò quel pensiero dalla mente.

Jean-Pierre parlò per primo. «Ti stanno cercando, Ellis. Lo sanno. Verranno qui.»

Jane girò lo sguardo dall'uno all'altro. Jean-Pierre era più alto ma Ellis aveva le spalle più larghe, il torace più robusto. Si guardavano come due gatti rivali che si studiano.

Jane abbracciò Ellis, lo baciò con un po' di rimorso, e disse: «A Jean-Pierre hanno raccontato una storia assurda. Gli hanno detto che sei della CIA».

Jean-Pierre s'era sporto dalla finestra e scrutava la strada. Si voltò verso di loro. «Diglielo, Ellis.»

«Dove diavolo hai pescato un'idea simile?» domandò Ellis a Jean-Pierre.

«In città lo sanno tutti.»

«E tu da chi l'hai saputo, esattamente?» chiese Ellis con voce durissima.

«Raoul Clermont.»

Ellis annuì. Passò all'inglese e disse: «Jane, ti dispiace sederti?».

«Non voglio sedermi» disse lei, irritata.

«Ho qualcosa da dirti.»

Non poteva essere vero, non poteva. Jane sentì il panico serrarle la gola. «E allora parla!» esclamò. «E fai a meno di dirmi di sedere.»

Ellis lanciò un'occhiata a Jean-Pierre. «Vuoi lasciarci soli?» disse in francese.

Jane era sempre più esasperata. «Che cosa devi dirmi? Perché non mi rispondi semplicemente che Jean-Pierre sbaglia? Dimmi che non sei una spia, Ellis, prima che io impazzisca!»

«Non è tanto semplice» disse Ellis.

«È semplice, invece!» Lei non riusciva più a escludere una nota isterica dalla voce. «Jean-Pierre dice che sei una spia, che lavori per il governo americano, e che mi hai sempre mentito nel modo più vergognoso da quando ti ho conosciuto. È vero? È vero o no? Dunque?»

Ellis sospirò. «Credo che sia vero.»

Jane ebbe l'impressione di scoppiare. «Bastardo!» urlò. «Fottuto bastardo!»

La faccia di Ellis sembrava di pietra. «Te l'avrei detto oggi.»

Bussarono alla porta. Nessuno dei due vi badò. «Spiavi me e tutti i miei amici!» gridò Jane. «È una vergogna!»

«Il mio compito qui è finito» disse Ellis. «Non è necessario che continui a mentirti.»

«Non ne avrai la possibilità. Non voglio rivederti, mai più.»

Bussarono di nuovo, e Jean-Pierre disse in francese: «C'è qualcuno».

Ellis disse: «Jane, non puoi... non puoi dire che non vuoi più rivedermi».

«Non capisci che cosa mi hai fatto?» ribatté Jane.

Jean-Pierre disse: «Apri quella maledetta porta, per Dio».

Jane mormorò: «Gesù Cristo» e andò alla porta. Girò la chiave e l'aprì. Sul ballatoio c'era un colosso dalle spalle larghe. La giacca di velluto a coste verde aveva uno strappo in una manica. Jane non l'aveva mai visto. «Cosa diavolo vuole?» gridò. Poi vide che l'uomo impugnava una pistola.

I secondi parvero passare con estrema lentezza.

In un lampo, Jane capì che, se Jean-Pierre aveva detto la verità sul conto di Ellis, allora non aveva sbagliato quando aveva aggiunto che qualcuno voleva vendicarsi: e nel mondo segreto di Ellis, la vendetta poteva significare soltanto un uomo che bussava alla porta, armato di pistola.

Jane aprì la bocca per urlare.

L'uomo esitò per una frazione di secondo. Sembrava sorpreso, come se non avesse previsto di trovarsi davanti una donna. Girò lo sguardo da Jane a Jean-Pierre e poi di nuovo a Jane. Sapeva che Jean-Pierre non era il suo bersaglio. Ma era confuso perché non vedeva Ellis, nascosto dall'uscio semiaperto.

Jane non urlò. Tentò di sbattere la porta.

Nel momento in cui la spinse, il sicario intuì quello che intendeva fare e allungò il piede. La porta gli urtò contro la scarpa e si aprì di nuovo. Ma nell'attimo in cui s'era mosso aveva allargato le braccia per mantenere l'equilibrio, e adesso la pistola era puntata verso un angolo del soffitto.

È qui per uccidere Ellis, pensò Jane. È qui per uccidere Ellis.

Si avventò sul sicario, percuotendogli la faccia con i pugni. All'improvviso, anche se odiava Ellis, non voleva che morisse.

L'uomo si distrasse per una frazione di secondo, poi, con un movimento del braccio, gettò lontano Jane, che cadde con un tonfo e finì seduta. Una fitta le trapassò la base della spina dorsale.

E vide con terribile chiarezza ciò che accadde poi.

Il braccio che l'aveva spinta scattò di nuovo e spalancò la porta. Mentre l'uomo girava la pistola in quella direzione, Ellis si slanciò, brandendo sopra la testa la bottiglia di vino. L'arma sparò nell'attimo stesso in cui la bottiglia si abbatteva, e lo sparo coincise con il rumore del vetro che andava in pezzi.

Jane rimase a fissare i due uomini, inorridita.

Poi il sicario stramazzò e Ellis rimase in piedi, e Jane capì che il colpo l'aveva mancato.

Ellis si chinò, strappò l'arma dalla mano dell'uomo.

Jane si rialzò con uno sforzo.

«Tutto bene?» le chiese Ellis.

«Sono ancora viva» disse lei.

Ellis si rivolse a Jean-Pierre. «Quanti sono, per la strada?»

Jean-Pierre sbirciò dalla finestra. «Non c'è nessuno.»

Ellis aggrottò la fronte, sorpreso. «Devono essere nascosti.» Mise in tasca la pistola e si avvicinò alla libreria. «State indietro» disse, e la buttò sul pavimento.

Dietro la libreria c'era una porta.

Ellis l'aprì.

Guardò Jane per un lungo istante, come se volesse dire qualcosa ma non trovasse le parole. Poi varcò la soglia e sparì.

Dopo un momento, Jane si accostò lentamente alla porta nascosta e guardò. C'era un altro studio, con pochi mobili e molta polvere, che sembrava disabitato da un anno. E c'era un'apertura che dava su una scala.

Jane si voltò a guardare la stanza di Ellis. Il sicario era steso sul pavimento, svenuto in una pozza di vino. Aveva cercato di uccidere Ellis, lì, in quella camera. Sembrava già irreale. Tutto sembrava irreale: il fatto che Ellis era una spia e che Jean-Pierre lo sapeva, e che Rahmi era stato arrestato... e il passaggio segreto.

Ellis se n'era andato. *Non voglio rivederti, mai più* gli aveva detto pochi secondi prima. A quanto pareva, il suo desiderio si sarebbe realizzato.

Sentì i passi sulla scala.

Alzò lo sguardo dal sicario e guardò Jean-Pierre. Anche lui sembrava stordito. Dopo un momento, le venne vicino e la abbracciò. Jane gli si abbandonò contro la spalla e scoppiò in lacrime.

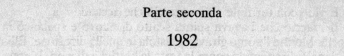

Parte seconda

1982

4

Il fiume scendeva dai ghiacciai, freddo e limpido e sempre tumultuoso, e riempiva la valle con il suo fragore mentre passava ribollendo tra le gole e fluiva davanti ai campi di grano per precipitarsi verso le pianure lontane. Da quasi un anno Jane aveva avuto continuamente quel suono negli orecchi: a volte era fortissimo, quando andava a fare il bagno o si avviava per i tortuosi sentieri sulle rupi, tra un villaggio e l'altro; a volte era smorzato, come adesso, quando si trovava piuttosto in alto, sul fianco della montagna, e il fiume dei Cinque Leoni era soltanto uno scintillio e un mormorio in distanza. Quando avesse lasciato la valle, il silenzio le sarebbe sembrato snervante: come accade agli abitanti delle grandi città che vanno a passare le vacanze in campagna e non riescono a dormire perché c'è troppo silenzio. Mentre stava in ascolto, udì qualcos'altro, e si rese conto che il suono nuovo aveva portato quello vecchio alla sua attenzione. Più forte del coro del fiume le giungeva la voce baritonale di un aereo a elica.

Jane aprì gli occhi. Era un Antonov, il lento ricognitore il cui ringhio incessante preannunciava di solito l'arrivo dei bombardieri a reazione, più veloci e rumorosi. Si sollevò a sedere, allarmata, e guardò il lato opposto della valle.

Era nel suo rifugio segreto, un ampio cornicione piatto a metà d'una rupe. La roccia sporgente la nascondeva senza impedire il passaggio del sole, e sarebbe bastata a togliere a chiunque non fosse uno scalatore esperto la tentazione di scendere fino a lei. Più in basso, l'accesso al rifugio era ripido e pietroso e completamente brullo: nessuno avrebbe potuto salire senza che Jane lo vedesse e lo udisse. E comunque, nessuno aveva un motivo per venire lì. Aveva trovato quel posto una volta che s'era sperduta, allontanandosi dai sentieri. L'isolamento che le offriva era importante, perché veniva lì a spogliarsi e sdraiarsi al sole, e gli afgani erano pudichi come suore di clausura; se l'avessero vista nuda l'avrebbero linciata.

Sulla destra, il fianco polveroso della collina digradava bruscamente; e in basso, dove il pendio incominciava a appiattirsi nei pressi del fiume, c'era il villaggio di Banda, cinquanta o sessanta case aggrappate a un tratto di terreno accidentato e sassoso che nessuno poteva coltivare. Le case erano di pietre grigie e di mattoni d'argilla, e i tetti piatti erano di terra pressata su stuoie. Accanto alla piccola moschea di legno c'era un gruppo di case distrutte: uno dei bombardieri russi le aveva centrate un paio di mesi prima. Jane poteva vedere chiaramente il villaggio, sebbene fosse lontano una ventina di minuti di difficile percorso. Scrutò i tetti e i cortili cintati e i sentieri di fango, per vedere se c'era qualche bambino sperduto: ma per fortuna non ce n'erano. Banda era deserta sotto il rovente cielo azzurro.

A sinistra, la valle si allargava. I campicelli sassosi erano costellati dai crateri delle bombe; e sulle pendici più basse delle montagne erano crollati alcuni degli antichi muretti delle terrazze. Il grano era maturo, ma nessuno lo mieteva.

Al di là dei campi, ai piedi della muraglia a strapiombo che formava il versante più lontano della valle, scorreva il fiume dei Cinque Leoni, profondo in alcuni tratti, basso in altri, ora ampio e ora stretto, ma sempre convulso e pietroso. Jane lo osservò, in tutta la parte visibile. Non c'erano donne che facevano il bagno o lavavano i panni, non c'erano bambini che giocavano nell'acqua, né uomini che conducevano i cavalli o gli asini attraverso il guado.

Jane pensò di rivestirsi e di lasciare il suo rifugio per salire più in alto sul fianco della montagna, fino alle grotte. Gli abitanti del villaggio erano là: gli uomini dormivano dopo una notte trascorsa a lavorare i campi, le donne cucinavano e cercavano di impedire ai bambini di andarsene in giro, le mucche erano chiuse nei recinti, le capre erano legate e i cani si disputavano gli avanzi. Probabilmente lì Jane era al sicuro perché i russi bombardavano i villaggi, non le pendici brulle dei monti: ma c'era sempre il pericolo che qualcuno sganciasse una bomba in un punto sbagliato e una grotta l'avrebbe protetta, a meno che non l'avessero centrata direttamente.

Non aveva ancora preso una decisione quando sentì il rombo dei jet. Socchiuse gli occhi controsole per guardarli. Il rombo dilagava nella valle, soffocando la voce tumultuosa del fiume, e

gli aerei passavano sopra di lei, diretti verso nord-est. Erano a
alta quota, ma si stavano abbassando... uno, due, tre, quattro
rapaci argentei, il culmine dell'ingegneria umana utilizzato per
colpire contadini analfabeti e abbattere case di mattoni d'argilla, prima di tornare alla base alla velocità di quasi mille chilometri orari.

Sparirono in un minuto. Per quel giorno, Banda sarebbe
stata risparmiata. Jane cominciò lentamente a rilassarsi. Gli
aerei a reazione l'atterrivano. Banda era completamente sfuggita ai bombardamenti, la scorsa estate, e tutta la valle aveva
avuto un po' di tregua durante l'inverno; ma poi in primavera
tutto era ricominciato, e Banda era stata colpita diverse volte,
una proprio nel centro dell'abitato. Da quel giorno, Jane aveva
odiato i reattori.

Il coraggio della gente del villaggio era sbalorditivo. Ogni
famiglia si era fatta una seconda casa lassù nelle grotte; e ogni
mattina saliva la collina per trascorrervi la giornata. Ritornava
all'imbrunire, perché la notte i bombardieri non venivano.
Lavorare di giorno nei campi era pericoloso, e perciò gli uomini
lo facevano di notte... o più esattamente lo facevano i vecchi,
perché i giovani erano quasi sempre via, a sparare ai russi
all'estremità meridionale della valle o ancora più lontano.
Quell'estate i bombardamenti erano più intensi che in tutte le
zone in mano ai ribelli, secondo quello che Jean-Pierre aveva
saputo dai guerriglieri. Se gli afgani delle altre parti del paese
erano come quelli della valle, sarebbero riusciti a adattarsi e a
sopravvivere: avrebbero recuperato i pochi oggetti di valore tra
le macerie delle case bombardate, ripiantato instancabilmente
gli orti sventrati, curato i feriti e seppellito i morti... e avrebbero mandato i ragazzi sempre più giovani a raggiungere i capi
guerriglieri. I russi non sarebbero mai riusciti a sconfiggere
quella gente, pensava Jane, a meno che trasformassero l'intero
territorio in un deserto radioattivo.

In quanto alla possibilità che i ribelli sconfiggessero i russi...
ecco, era un'altra questione. Erano coraggiosi e indomabili, e
controllavano la campagna: ma le tribù rivali si odiavano tra
loro quasi quanto odiavano gli invasori, e i loro fucili non
servivano molto contro i bombardieri a reazione e gli elicotteri
blindati.

Jane si sforzò di non pensare alla guerra. Era l'ora più calda
della giornata, il momento della siesta, quando era piacevole

starsene sola a rilassarsi. Immerse la mano in una sacca di pelle di capra piena di burro chiarificato, incominciò a ungersi la pelle tesa del ventre enorme, e si chiese per l'ennesima volta come aveva potuto essere tanto stupida da restare incinta in Afghanistan.

Era arrivata con una scorta di pillole contraccettive per due anni, un diaframma e una intera scatola di spermicida; eppure, dopo pochissime settimane, aveva dimenticato di ricominciare a prendere le pillole dopo il ciclo mestruale, e poi aveva dimenticato più volte di mettere il diaframma. «Come hai potuto fare un errore simile?» aveva urlato Jean-Pierre, e Jane non aveva saputo cosa rispondere.

Ma ora, mentre stava distesa al sole, radiosamente incinta, con i bei seni inturgiditi e un mal di schiena incessante, si rendeva conto che era stato un errore voluto, imposto dall'inconscio. Aveva voluto un figlio, e sapeva che Jean-Pierre non lo voleva. E così ne aveva avuto uno, per caso.

Perché desideravo tanto un figlio? si chiese. E la risposta le balzò alla mente. Perché mi sentivo sola.

«È vero?» si chiese a voce alta. Sarebbe stata un'ironia. Non aveva mai sentito il peso della solitudine, a Parigi, anche se viveva sola e faceva la spesa solo per sé e si parlava allo specchio per farsi compagnia: ma adesso che era sposata e trascorreva tutte le sere e tutte le notti con il marito, e lavorava al suo fianco per quasi tutto il giorno, si sentiva isolata, impaurita e sola.

S'erano sposati a Parigi, poco prima della partenza. Le era sembrata una parte integrante dell'avventura, in un certo senso: un'altra sfida, un altro rischio, un'altra emozione. Tutti avevano detto che erano felici e splendidi e coraggiosi e innamorati. Ed era vero.

Senza dubbio, Jane s'era aspettata troppo. Aveva atteso con ansia l'evolversi dell'amore e dell'intimità con Jean-Pierre. Aveva creduto che le avrebbe parlato del suo primo amore infantile, e di ciò che gli faceva veramente paura; e lei gli avrebbe confidato che suo padre era stato un alcolizzato, e che aveva una fantasia ricorrente in cui veniva violentata da un negro e a volte si succhiava il pollice quand'era in ansia. Ma Jean-Pierre sembrava convinto che i loro rapporti, dopo il matrimonio, dovessero continuare come prima. La trattava con gentilezza, la faceva ridere con i suoi scherzi, si abbandonava inerte fra le sue braccia quand'era depresso, discuteva di politica e di guerra, faceva l'amore con lei una volta alla settimana, in modo esperto, con quel suo giovane corpo agile e quelle mani forti e sensibili da chirurgo, e continuava a comportarsi come amante, anziché come marito. Jane si sentiva ancora incapace di parlargli di piccole cose sciocche e imbarazzanti: se un turbante avrebbe fatto sembrare più lungo il suo naso, e quanto si era indignata quando l'avevano sculacciata per aver rovesciato l'inchiostro rosso sul tappeto del salotto e invece la colpevole era stata sua sorella Pauline. Avrebbe voluto chiedere a qualcuno: *È così che deve essere, oppure in futuro andrà meglio?* Ma i suoi amici e la sua famiglia erano tanto lontani, e le donne afgane avrebbero giudicato scandalose le sue pretese. Aveva resistito alla tentazione di affrontare Jean-Pierre per dirgli quant'era delusa; non l'aveva fatto, un po' perché la sua insoddisfazione era così vaga, e un po' perché temeva la risposta.

Ora, ripensandoci, si rendeva conto che l'idea d'un figlio le era balenata addirittura prima, quando aveva una relazione con Ellis Thaler. Quell'anno era andata in aereo da Parigi a Londra per il battesimo del terzogenito di sua sorella Pauline. Normalmente non l'avrebbe mai fatto, perché detestava quel genere di cerimonie familiari. E aveva persino incominciato a fare la babysitter per una coppia che abitava nel suo palazzo, un antiquario isterico e la moglie aristocratica; e le piaceva quando il piccolo strillava e doveva prenderlo in braccio per vezzeggiarlo e calmarlo.

E poi, lì nella valle, dove il suo compito consisteva nel convincere le donne a lasciar passare più tempo tra una gravidanza e l'altra per avere figli più sani, si era scoperta a condividere la gioia con cui veniva accolta ogni nuova creatura, anche nelle famiglie più povere e numerose. E così la solitudine e l'istinto materno avevano congiurato contro il buon senso.

C'era stato un momento, sia pure un istante fuggevole, in cui si era accorta che inconsciamente voleva restare incinta? Aveva pensato *Potrei avere un figlio*, nel momento in cui Jean-Pierre la penetrava lentamente, mentre lei lo stringeva a sé? Oppure in quell'attimo di esitazione, immediatamente prima dell'orgasmo, quando lui chiudeva gli occhi e sembrava rinchiudersi in se stesso, come un'astronave che precipita al centro di un sole; o forse dopo, mentre si abbandonava felice al sonno, con lo sperma ancora caldo dentro il suo grembo? «Me ne sono accorta?» disse a voce alta; ma il pensiero di fare l'amore la eccitò e incominciò a accarezzarsi sensualmente con le mani unte di burro, e dimenticò l'interrogativo, lasciò che vaghe, turbinanti immagini di passione le invadessero la mente.

L'urlo dei reattori la ricondusse nel mondo della realtà. Spalancò gli occhi, spaventata, mentre altri quattro bombardieri sfrecciavano risalendo la valle e scomparivano. Quando il fragore cessò, Jane ricominciò a accarezzarsi, ma ormai non era più nello stato d'animo adatto. Restò immobile al sole e pensò al bambino.

Jean-Pierre aveva reagito alla gravidanza come se fosse premeditata. Era così furioso che avrebbe voluto farla abortire, immediatamente. A Jane quell'idea era parsa spaventosamente macabra, e all'improvviso Jean-Pierre le era sembrato un estraneo. Ma la cosa più dolorosa da sopportare era la sensazione di venire rifiutata. Il pensiero che suo marito non volesse il suo bambino la deprimeva. E lui aveva peggiorato la situazione rifiutandosi di toccarla. Non si era mai sentita tanto infelice in vita sua. Per la prima volta comprendeva perché a volte la gente tentava il suicidio. Il rifiuto del contatto fisico era la peggiore delle torture... avrebbe preferito che Jean-Pierre la picchiasse, tanto era grande il bisogno d'essere toccata. Quando ricordava quei giorni provava un moto di collera verso di lui, anche se sapeva che era stata lei a causare tutto.

Poi, una mattina, Jean-Pierre l'aveva abbracciata e si era scusato per il suo comportamento; anche se una parte della mente di Jane avrebbe voluto ribattere "Scusarti non basta, bastardo", sentiva il bisogno disperato del suo amore, e l'aveva perdonato immediatamente. Jean-Pierre le aveva spiegato che già così aveva paura di perderla; se fosse diventata la madre di suo figlio la paura avrebbe lasciato il posto al terrore, perché allora li avrebbe persi entrambi. La confessione l'aveva commossa fino alle lacrime; aveva capito che con quella gravidanza si era legata definitivamente a Jean-Pierre, e aveva deciso di fare in modo che il matrimonio riuscisse, a qualunque costo.

Da quel giorno, lui s'era mostrato molto più affettuoso. S'interessava al bambino, si preoccupava della salute e della sicurezza di Jane, come facevano di solito i futuri padri. Il loro matrimonio sarebbe stato un'unione imperfetta ma felice, pensava Jane: e immaginava un futuro ideale, quando Jean-Pierre sarebbe diventato ministro della Sanità in un governo socialista, e lei sarebbe stata eletta al Parlamento europeo, e i loro tre figli avrebbero studiato, uno alla Sorbonne, uno alla School of Economics di Londra, e uno alla School for the Performing Arts di New York.

In quella fantasia, la prima e più intelligente delle sue creature era una femmina. Jane si toccò il ventre e premette con delicatezza le punte delle dita per tastare la forma del bambino. Secondo Rabia Gul, la vecchia levatrice del villaggio, sarebbe stata una femmina, perché la si sentiva sulla sinistra, mentre i maschi erano sempre sulla destra. Perciò Rabia le aveva prescritto una dieta a base di verdure, soprattutto peperoni verdi. Per un maschio avrebbe raccomandato carne e pesce in abbondanza. In Afghanistan, i maschi venivano nutriti meglio prima ancora di nascere.

I pensieri di Jane furono interrotti da un'esplosione. Per un momento rimase sconcertata e associò lo scoppio ai reattori che erano passati nel cielo qualche minuto prima per andare a bombardare altri villaggi; e poi udì, vicino, l'urlo acutissimo e incessante di un bambino in preda alla sofferenza e al panico.

Comprese immediatamente che cos'era accaduto. I russi, adottando la tattica imparata dagli americani nel Vietnam, avevano cosparso la campagna di mine antiuomo. Ufficialmente lo scopo era di bloccare le linee di rifornimento dei guerriglieri; ma poiché le "linee di rifornimento dei guerriglieri" erano i sentieri di montagna percorsi ogni giorno da vecchi, donne, bambini e animali, il vero scopo era spargere il terrore. Quell'urlo voleva dire che il bambino aveva fatto esplodere una mina.

Jane balzò in piedi. Il grido sembrava provenire da un punto nei pressi della casa del mullah, circa ottocento metri fuori dal villaggio lungo il sentiero della collina. Jane l'intravedeva, lontano sulla sinistra e un po' più in basso. Infilò le scarpe, afferrò i vestiti e si mise a correre. Il primo urlo prolungato si spezzò in una serie di brevi grida di terrore: Jane pensò che il bambino avesse visto le ferite causate dalla mina e adesso sfogasse la sua paura. Mentre correva tra la vegetazione ispida, Jane si accorse che anche lei stava cedendo al panico: l'appello di un bambino sofferente era troppo perentorio. Calmati, si disse, ansimando. Se fosse caduta, allora sarebbero stati in due ad avere bisogno d'aiuto, senza che ci fosse nessuno a darglielo; e comunque la cosa peggiore, per un bambino spaventato, era un adulto spaventato quanto lui.

Ormai era vicina. Il bambino doveva essere nascosto tra i cespugli e non sul sentiero, perché gli uomini sgombravano tutti i sentieri dalle mine ogni volta che i russi li minavano. Ma era impossibile ripulire tutto il fianco della montagna.

Jane si fermò e rimase in ascolto. Ansimava troppo forte, e dovette trattenere il fiato. Le grida provenivano da una macchia di erba dei cammelli e di ginepri. Si fece largo tra gli arbusti e intravide una giacca d'un vivace color azzurro. Il bambino doveva essere Mousa, che aveva nove anni e era figlio di Mohammed Khan, uno dei capi guerriglieri. In un attimo gli fu accanto.

Il bambino era inginocchiato a terra. Evidentemente aveva cercato di raccogliere la mina, perché era esplosa tranciandogli la mano, e adesso fissava stravolto il moncherino sanguinante e urlava di terrore.

Jane aveva visto molte ferite, in quell'ultimo anno, ma questa ebbe ancora il potere di ispirarle pietà. «Oh, mio Dio» mormorò. «Povero piccolo.» Si inginocchiò davanti a Mousa, lo abbracciò, bisbigliò parole di conforto. Dopo un minuto, il bambino smise di gridare. Jane sperava che si mettesse a piangere: ma lo shock era troppo forte. Adesso taceva. Continuò a tenerlo stretto, cercò il punto di pressione sotto l'ascella, e arrestò il fiotto di sangue.

Ora avrebbe avuto bisogno della collaborazione del bambino. Doveva farlo parlare. «Mousa, che cos'è stato?» gli chiese in dari.

Lui non rispose. Jane ripeté la domanda.

«Credevo...» Mousa spalancò gli occhi al ricordo e la sua voce divenne un urlo. «Credevo che fosse una palla!»

«Calma, calma» mormorò lei. «Dimmi che cos'hai fatto.»

«L'ho presa! L'ho presa in mano!»

Jane lo tenne stretto a sé per rincuorarlo. «E cos'è successo?»

La voce di Mousa era tremante, ma non più isterica. «È scoppiata» disse. Si stava calmando in fretta.

Jane gli prese la mano sinistra e gliela mise sotto il braccio destro. «Premi dove premo io» disse. Guidò le dita del bambino nel punto giusto, poi ritrasse le sue. Il sangue ricominciò a sgorgare dal moncherino. «Premi forte» gli disse. Mousa obbedì. L'emorragia cessò. Jane gli baciò la fronte. Era madida e fredda.

Aveva lasciato cadere gli indumenti a terra, accanto al bambino. Erano gli abiti che portavano le donne afgane: un vestito a sacco sopra i calzoni di cotone. Prese il vestito e strappò la stoffa leggera riducendola a strisce, e incominciò a preparare un laccio. Mousa stava a guardarla, in silenzio, con gli occhi sgranati. Jane spezzò un rametto secco da un ginepro e lo usò per stringere il laccio.

Adesso Mousa aveva bisogno di una medicazione, un sedativo, antibiotici per evitare l'infezione. E aveva bisogno della madre, per evitare il trauma.

Jane infilò i calzoni e tirò il cordone per annodarlo in vita. Sarebbe stato meglio se non si fosse precipitata a strappare il vestito, se avesse conservato abbastanza stoffa per coprirsi almeno il seno. Ora doveva augurarsi di non incontrare un uomo, mentre andava alle grotte.

E come avrebbe fatto a condurvi Mousa? Non voleva neppure tentare di farlo camminare. Non poteva caricarselo sulla schiena, perché il bambino non era in grado di aggrapparsi. Sospirò: avrebbe dovuto portarlo in braccio. Si accovacciò, gli passò un braccio intorno alle spalle, un altro sotto le cosce, e lo sollevò facendo forza con le ginocchia anziché con la schiena, come aveva imparato nel corso di ginnastica femminista. Tenne il bambino contro il petto, in modo che stesse appoggiato con il dorso alla curva del suo ventre, e incominciò a salire lentamente il pendio. Ci riusciva solo perché il piccolo era denutrito: un bambino europeo di nove anni sarebbe stato troppo pesante.

Poco dopo uscì dagli arbusti e trovò il sentiero. Ma dopo una cinquantina di metri si sentì esausta. In quelle ultime settimane si era accorta che si stancava molto in fretta; questo la esasperava, ma aveva imparato a non cercare di sforzarsi. Posò a terra Mousa e gli restò accanto, abbracciandolo dolcemente. Si appoggiò alla parete di roccia che fiancheggiava da un lato il sentiero. Il bambino si era chiuso in un silenzio che le sembrava più preoccupante delle urla. Non appena si sentì un po' meglio lo riprese in braccio e si rimise in cammino.

Stava riposando di nuovo in cima alla collina, un quarto d'ora più tardi, quando un uomo apparve sul sentiero, davanti a lei. Jane lo riconobbe. «Oh, no» disse in inglese. «Doveva capitarmi proprio Abdullah.»

Era un uomo basso, sui cinquantacinque anni, e piuttosto grasso nonostante la carenza di viveri. Portava un turbante nocciola e un paio di ampi calzoni neri, ma aveva un maglione e una giacca blu gessata a doppio petto che un tempo doveva essere appartenuta a un agente di cambio londinese. La barba lussureggiante era tinta di rosso. Abdullah era il mullah di Banda.

Abdullah diffidava degli stranieri, disprezzava le donne, e odiava tutti coloro che praticavano la medicina forestiera. Jane, che apparteneva a tutte e tre le categorie, non aveva mai avuto alcuna speranza di conquistarsi la sua amicizia. E per aggravare le cose molti abitanti della valle avevano scoperto che gli antibiotici di Jane guarivano le infezioni assai più delle inalazioni del fumo di un pezzetto di carta bruciata su cui Abdullah aveva scritto con l'inchiostro di zafferano, e perciò il mullah perdeva clienti e denaro. D'abitudine chiamava Jane "quella puttana occidentale"; ma non poteva fare di più, perché lei e Jean-Pierre avevano la protezione di Ahmed Shah Masud, il leader dei guerriglieri, e persino un mullah esitava a scontrarsi con un eroe grande e famoso.

Quando vide Jane, Abdullah si fermò di colpo e un'espressione d'incredulità assoluta trasformò la faccia abitualmente solenne in una maschera comica. Era l'incontro peggiore che Jane potesse augurarsi: qualunque altro uomo del villaggio si sarebbe sentito imbarazzato, forse offeso, nel vederla seminuda. Ma Abdullah si sarebbe infuriato.

Jane decise di comportarsi come se nulla fosse. Disse in dari: «La pace sia con te». Era l'inizio di uno scambio formale di convenevoli che a volte poteva durare per cinque o dieci minuti. Ma Abdullah non rispose con la frase consueta "E con te". Spalancò la bocca e cominciò con voce acutissima a vomitare un torrente d'improperi che includevano le parole dari *prostituta, depravata* e *seduttrice di bambini*. Con il volto paonazzo per la furia, le venne incontro e alzò il bastone.

Era troppo. Jane indicò Mousa che le stava accanto in silenzio, stordito dalla sofferenza e dalla perdita di sangue. «Guarda!» gridò ad Abdullah. «Non vedi…?»

Ma il mullah era accecato dalla rabbia. Prima ancora che Jane finisse la frase, la colpì in testa. Jane gridò per il dolore e l'indignazione: la sorprendeva che il colpo le avesse fatto tanto male, ed era furiosa perché il mullah si era permesso un simile gesto.

Abdullah non aveva ancora notato la ferita di Mousa. Teneva gli occhi fissi sul seno di Jane; e in un lampo lei si rese conto che per il mullah vedere in pieno giorno il seno nudo di una occidentale incinta era uno spettacolo così sovraccarico di aspetti diversi di eccitazione sessuale da fargli perdere la ragione. Non intendeva castigarla con una percossa o due come avrebbe castigato la moglie per una disobbedienza. Era animato da una furia omicida.

All'improvviso, Jane ebbe paura... per sé, per Mousa, per il suo bambino. Indietreggiò barcollando per mettersi fuori portata, ma il mullah avanzò, alzò di nuovo il bastone. Con un'ispirazione improvvisa, Jane si avventò e gli piantò le dita negli occhi.

Abdullah muggì come un toro ferito. Non aveva subito una lesione seria, ma lo indignava l'idea che la donna che lui stava picchiando avesse la temerarietà di reagire. Jane approfittò di quel momento in cui era accecato dal dolore, gli afferrò la barba con entrambe le mani e tirò. Il mullah barcollò, inciampò, cadde. Rotolò per un paio di metri giù per il pendio e si arrestò contro un salice nano.

Jane pensò: Oh, Dio, che cosa ho fatto?

E mentre guardava quell'uomo maligno e pomposo che aveva umiliato, comprese che lui non avrebbe mai dimenticato ciò che gli aveva fatto. Avrebbe potuto lagnarsi con i "barbabianca", gli anziani del villaggio. Avrebbe potuto rivolgersi a Masud per chiedere che i dottori stranieri venissero rispediti in patria. Poteva addirittura cercare di aizzare gli uomini di Banda perché la lapidassero. Ma quasi nello stesso istante Jane si rese conto che, per poter reclamare, il mullah sarebbe stato costretto a raccontare l'episodio in tutti i suoi dettagli ignominiosi, e sarebbe diventato per sempre lo zimbello degli abitanti del villaggio... Gli afgani sapevano essere crudeli. E quindi, forse non sarebbe successo nulla.

Jane si voltò. Aveva qualcosa di più importante di cui preoccuparsi. Mousa era ancora dove l'aveva deposto, silenzioso e apatico, troppo sconvolto per capire cosa stava succedendo. Jane trasse un profondo respiro, lo sollevò tra le braccia e proseguì.

Dopo pochi passi raggiunse la cresta della collina, e poté affrettare il passo via via che il terreno si appianava. Attraversò il pianoro sassoso. Era stanca e le doleva la schiena, ma era quasi arrivata. Le grotte erano appena al di sotto del ciglio della montagna. Raggiunse l'estremità opposta del dosso e sentì le voci dei bambini mentre incominciava la discesa. Dopo un momento vide un gruppo di ragazzini sui sei anni che giocavano a Paradiso-e-Inferno. Uno di loro si teneva i piedi, e altri due lo portavano in Paradiso, se riusciva a non mollare la presa, oppure all'Inferno, che di solito era una discarica di rifiuti o una latrina, se si lasciava i piedi. Jane pensò che Mousa non avrebbe partecipato mai più a quel gioco, e si sentì soffocare. Poi i bambini si accorsero della sua presenza; quando passò accanto a loro smisero di giocare e sgranarono gli occhi. Uno mormorò: «Mousa». Un altro ripeté il nome e poi, come se si fosse spezzato un incantesimo, corsero via per precedere Jane e annunciare l'accaduto.

Il nascondiglio diurno degli abitanti di Banda sembrava l'accampamento d'una tribù di nomadi nel deserto: il suolo polveroso, l'abbacinante sole meridiano, i fuochi spenti, le donne velate, i bambini luridi. Jane attraversò il piccolo spiazzo pianeggiante davanti alle grotte. Le donne s'erano già avviate verso la caverna più grande, dove Jane e Jean-Pierre avevano creato l'ambulatorio. Jean-Pierre sentì il chiasso e uscì. Con un sospiro di sollievo, Jane gli consegnò Mousa e disse in francese: «È stata una mina. Ha perso la mano. Dammi la tua camicia».

Jean-Pierre portò Mousa nella grotta e l'adagiò sul tappeto che gli serviva come lettino per le visite. Prima di visitare il bambino si tolse la camicia kaki scolorita e la diede a Jane che la indossò subito.

Si sentiva un po' stordita. Pensò di andare a riposare in fondo alla grotta, dov'era più fresco, ma poi cambiò idea e si sedette. Jean-Pierre disse: «Portami i tamponi». Jane non gli badò. La madre di Mousa, Halima, entrò correndo nella grotta, vide il figlio e incominciò a urlare. *Dovrei calmarla perché possa confortare il bambino*, pensò Jane. *Perché non ce la faccio a alzarmi? Credo che chiuderò gli occhi. Solo per un minuto.*

Al cader della notte, Jane comprese che suo figlio stava per nascere.

Quando rinvenne dopo essere svenuta nella grotta si sentì

assalire dal mal di schiena e pensò che fosse stato causato dallo sforzo di portare in braccio Mousa. Jean-Pierre fu d'accordo con la sua diagnosi, le diede un'aspirina e le disse di sdraiarsi. Rabia, la levatrice, entrò per vedere Mousa, e lanciò a Jane un'occhiata dura; ma al momento Jane non ne comprese il motivo. Jean-Pierre pulì e disinfettò il moncherino di Mousa, gli iniettò la penicillina e il siero antitetanico. Il bambino non sarebbe morto d'infezione, come sarebbe accaduto quasi sicuramente senza l'intervento della medicina occidentale; tuttavia Jane si chiedeva se per lui sarebbe valsa la pena di vivere... lì la sopravvivenza era difficile anche per i più forti, e i bambini invalidi di solito morivano presto.

Più tardi, nel pomeriggio, Jean-Pierre si preparò ad andarsene. L'indomani doveva essere in un "ambulatorio" in un villaggio lontano diversi chilometri; e per qualche ragione che Jane non aveva mai capito, non mancava a quegli appuntamenti anche se sapeva che nessun afgano si sarebbe meravigliato se fosse comparso con un giorno o magari una settimana di ritardo.

Quando Jean-Pierre la salutò con un bacio, Jane incominciava già a chiedersi se il mal di schiena poteva essere l'inizio del travaglio, anticipato dallo sforzo di trasportare Mousa. Ma non aveva mai avuto figli, e non era sicura; anzi, sembrava improbabile. Lo chiese a Jean-Pierre. «Non preoccuparti» disse lui, in tono deciso. «Dovrai aspettare altre sei settimane.» Jane gli chiese se non era il caso che rimanesse, per ogni eventualità; ma lui non lo riteneva necessario, e questo la fece sentire un po' ridicola. E così lasciò che partisse, con i medicinali caricati su un cavallino pelle e ossa, per raggiungere la destinazione prima di notte e poter incominciare a lavorare l'indomani mattina presto.

Quando il sole incominciò a tramontare dietro la muraglia di roccia a occidente e la valle si riempì d'ombra, Jane andò con le donne e i bambini giù per il fianco della montagna, verso il villaggio buio, e gli uomini si diressero verso i campi, per mietere il grano mentre i bombardieri dormivano.

La casa dove abitavano Jane e Jean-Pierre apparteneva al bottegaio del villaggio, il quale aveva rinunciato alla speranza di arricchirsi in tempo di guerra (non c'era quasi nulla da vendere) e si era rifugiato nel Pakistan con la famiglia. La prima stanza, quella che era stata la bottega, era servita a Jean-

Pierre come ambulatorio fino a quando l'intensificarsi dei bombardamenti, durante l'estate, aveva costretto gli abitanti del villaggio a rifugiarsi nelle grotte durante il giorno. La casa aveva due stanze sul retro: una per gli uomini e i loro ospiti, l'altra per le donne e i bambini. Jane e Jean-Pierre le usavano come camera da letto e soggiorno. Sul lato esterno della casa c'era un cortile cinto da un muro d'argilla; lì c'erano il focolare e una pozza per lavare i panni, i piatti e i bambini. Il bottegaio aveva lasciato diversi mobili di legno fatti a mano, e gli abitanti avevano prestato a Jane alcuni bellissimi tappeti per i pavimenti. Jane e Jean-Pierre dormivano su un materasso, come gli afgani; ma avevano un piumino al posto delle coperte. Come gli afgani, di giorno arrotolavano il materasso o lo mettevano sul tetto piatto perché prendesse aria, quando il tempo era bello. D'estate, tutti dormivano sui tetti.

La camminata dalla grotta alla casa fece a Jane un effetto strano. Il mal di schiena si aggravò; e quando arrivò stava per crollare per il dolore e lo sfinimento. Aveva un bisogno disperato di orinare, ma era troppo stanca per uscire e raggiungere la latrina, e usò il vaso da notte dietro al paravento, in camera da letto. E notò una piccola macchia striata di sangue nel cavallo dei calzoni di cotone.

Non aveva la forza di arrampicarsi sulla scala a pioli per prendere il materasso sul tetto, e si sdraiò sul tappeto. Il "mal di schiena" l'aggrediva a ondate. Appoggiò le mani sul ventre, e sentì la protuberanza spostarsi e protendersi mentre il dolore si accentuava, e poi appiattirsi di nuovo quando la fitta si attenuò. Ormai non c'erano dubbi: erano le contrazioni.

Aveva paura. Ricordava di aver parlato del parto con sua sorella Pauline. Dopo la nascita del primogenito, era andata a trovarla, e le aveva portato una bottiglia di champagne e un po' di marijuana. Quando entrambe erano ormai rilassate e serene, Jane aveva chiesto cosa aveva provato, e Pauline aveva risposto: «È come cagare un melone». E avevano riso a lungo.

Ma Pauline aveva partorito in una clinica universitaria nel cuore di Londra, e non in una casupola di mattoni d'argilla nella Valle dei Cinque Leoni.

Jane si chiese: Cosa devo fare?

Non devo farmi prendere dal panico. Devo lavarmi con acqua calda e sapone; trovare un paio di forbici taglienti e metterle nell'acqua bollente per un quarto d'ora; prendere lenzuola pulite e sdraiarmi; bere liquidi; e rilassarmi.

Ma prima che potesse fare qualcosa incominciò un'altra contrazione, e questa fu tremenda. Chiuse gli occhi e si sforzò di respirare lentamente e profondamente, come le aveva spiegato Jean-Pierre. Ma era difficile dominarsi quando avrebbe voluto gridare per la paura e la sofferenza.

La contrazione la lasciò svuotata. Rimase immobile, per riprendersi. Si rendeva conto che non poteva fare nessuna delle cose che s'era riproposta: da sola non poteva cavarsela. Non appena si fosse sentita abbastanza forte si sarebbe alzata, sarebbe andata alla casa più vicina e avrebbe chiesto alle donne di chiamare la levatrice.

La nuova contrazione arrivò prima di quanto si aspettasse; dopo un minuto o due, sembrava. Mentre la tensione giungeva al culmine, Jane chiese a voce alta: «Perché non lo dicono, quanto è doloroso?».

Appena la contrazione passò, s'impose di alzarsi. Il timore di dover partorire da sola le diede l'energia necessaria. Si sentiva un po' più forte a ogni passo. Riuscì a arrivare nel cortile, e poi all'improvviso un fiotto caldo le colò tra le cosce, infradiciando i calzoni. Si erano rotte le acque.

«Oh, no» gemette. Si appoggiò allo stipite. Non sapeva se ce l'avrebbe fatta a percorrere ancora qualche metro, con i calzoni che le cadevano di dosso. Si sentiva umiliata. «Devo farlo» disse; ma incominciò un'altra contrazione, e Jane si accasciò a terra e pensò: Dovrò fare tutto da sola.

Quando riaprì gli occhi, c'era un volto d'uomo vicino a lei. Sembrava uno sceicco arabo: aveva la carnagione bruna, gli occhi neri, i baffi neri e i lineamenti aristocratici... zigomi alti, naso romano, denti candidi e mento lungo. Era Mohammed Khan, il padre di Mousa.

«Dio sia ringraziato» mormorò Jane, a fatica.

«Ero venuto a ringraziare te per aver salvato la vita di mio figlio» disse Mohammed in dari. «Ti senti male?»

«Sto per avere un bambino.»

«Adesso?» chiese Mohammed, spaventato.

«Fra poco. Aiutami a tornare in casa.»

Mohammed esitò: il parto, come tutte le cose esclusivamente femminili, era considerato immondo. Ma l'esitazione durò solo un attimo. Sollevò Jane e la sostenne, guidandola attraverso il soggiorno, fino alla camera da letto. Jane si sdraiò di nuovo sul tappeto. «Chiama aiuto» gli disse.

Mohammed aggrottò la fronte, incerto. Così aveva un'aria fanciullesca. «Dov'è Jean-Pierre?»

«È andato a Khawak. Ho bisogno di Rabia.»

«Sì» disse lui. «Manderò mia moglie.»

«Prima di andartene...»

«Sì?»

«Per favore, dammi un po' d'acqua.»

Mohammed la fissò, sconvolto. Era inaudito che un uomo servisse una donna, anche se si trattava di portarle un sorso d'acqua.

Jane soggiunse: «Dalla brocca speciale». Teneva sempre una brocca d'acqua filtrata e bollita da bere: era l'unico modo per evitare i numerosi parassiti intestinali che tormentavano per tutta la vita gli abitanti della zona.

Mohammed decise di dimenticare le convenzioni. «Certo» disse. Andò nella stanza accanto e tornò dopo un momento con una tazza d'acqua. Jane lo ringraziò e bevve, con sollievo.

«Manderò Halima a chiamare la levatrice» disse lui. Halima era sua moglie.

«Grazie» disse Jane. «Dille di affrettarsi.»

Mohammed se ne andò. Era una fortuna che fosse venuto lui, e non uno degli altri uomini; quelli si sarebbero rifiutati di toccare una donna sofferente, ma lui era diverso. Era uno dei guerriglieri più autorevoli, e in pratica era il rappresentante locale del leader ribelle Masud. Mohammed aveva appena ventiquattro anni, ma in quel paese non era troppo giovane per essere un capo guerrigliero o per avere un figlio di nove anni. Aveva studiato a Kabul, parlava un po' di francese, e sapeva che le consùetudini della valle non erano le uniche forme di convivenza civile esistenti al mondo. Il suo compito principale consisteva nell'organizzare i convogli che andavano e venivano dal Pakistan per portare ai ribelli armi e munizioni. Con uno di quei convogli erano arrivati nella valle anche Jane e Jean-Pierre.

Mentre attendeva un'altra contrazione, Jane ripensò a quel viaggio spaventoso. Aveva sempre creduto d'essere sana, attiva e forte, capace di camminare per tutto un giorno senza stancarsi troppo; ma non aveva previsto la scarsità di viveri, le arrampicate, gli accidentati sentieri pietrosi e la tortura debili-

tante della diarrea. Per diverse tappe del viaggio si erano
spostati soltanto di notte, per paura degli elicotteri russi. In
alcune località avevano dovuto vedersela con abitanti ostili:
temevano che il convoglio provocasse un attacco russo, e allora
rifiutavano di vendere viveri ai guerriglieri, o si nascondevano
dietro le porte sbarrate, oppure li mandavano verso un prato o
un frutteto poco lontano, un luogo ideale per accamparsi... se
fosse esistito veramente.

Per timore degli attacchi dei russi, Mohammed cambiava
continuamente i percorsi. Jean-Pierre s'era procurato a Parigi
varie carte topografiche dell'Afghanistan, stampate in America, che erano molto più precise di quelle dei ribelli; perciò
Mohammed veniva spesso a consultarle, prima di far partire un
convoglio.

Per la verità, Mohammed veniva molto più spesso del necessario. E parlava a Jane molto più di quanto facessero di solito
gli altri uomini, e la guardava un po' troppo negli occhi, le
lanciava troppi sguardi furtivi. Jane pensava che fosse innamorato di lei, o almeno che lo fosse stato fino a quando la gravidanza era diventata visibile.

A sua volta, Jane s'era sentita attratta da Mohammed, nel
periodo peggiore dei suoi rapporti con Jean-Pierre. Mohammed era snello e bruno e forte e poderoso, e per la prima volta
in vita sua Jane si era sentita affascinata da un autentico "porco
maschio sciovinista".

Avrebbe potuto allacciare una relazione con lui. Era un
musulmano devoto, come tutti i guerriglieri, ma Jane pensava
che questo non avrebbe cambiato la situazione. Credeva a una
frase che suo padre aveva ripetuto spesso: «Le convinzioni
religiose possono frustrare un desiderio timido, ma niente può
resistere a una bramosia vera». Era una frase che aveva sempre
irritato molto la madre di Jane. No, in quella puritana comunità contadina l'adulterio esisteva né più né meno che altrove, e
Jane se n'era accorta ascoltando i pettegolezzi delle donne
quando andavano al fiume per attingere l'acqua o fare il bagno.
E Jane sapeva anche come facevano. Gliel'aveva detto Mohammed. «All'imbrunire, sotto la cascata dopo l'ultimo mulino, si vedono i pesci che saltano» le aveva detto un giorno.
«Certe notti, io vado a catturarli.» All'imbrunire tutte le donne
erano impegnate a cucinare e gli uomini sedevano nel cortile
della moschea a fumare e parlare; una coppia di amanti non

sarebbe stata scoperta, tanto lontano dal villaggio, e nessuno si sarebbe accorto se Jane e Mohammed fossero spariti.

L'idea di fare l'amore accanto a una cascata con quel bell'uomo primitivo era una tentazione per Jane; ma poi era rimasta incinta e Jean-Pierre aveva confessato quanto temeva di perderla, e lei aveva deciso d'impegnarsi con tutte le sue energie perché il matrimonio riuscisse a qualunque costo; perciò non andò mai alla cascata, e quando la gravidanza incominciò a vedersi, Mohammed smise di guardare il suo corpo con l'interesse d'un tempo.

Forse era stata quell'intimità latente che aveva spinto Mohammed a venire a cercarla e a darle un aiuto, quando un altro uomo avrebbe rifiutato o sarebbe passato oltre. Forse era a causa di Mousa. Mohammed aveva un unico figlio maschio e tre figlie, e con ogni probabilità adesso si sentiva profondamente in debito con lei. Oggi mi sono fatta un amico e un nemico, pensò Jane: Mohammed e Abdullah.

Le doglie la riassalirono, e si accorse che c'era stato un intervallo insolitamente lungo. Le contrazioni stavano diventanto irregolari? Perché? Jean-Pierre non aveva parlato di quell'eventualità: comunque, aveva dimenticato quasi tutte le nozioni di ginecologia che aveva studiato tre o quattro anni prima.

Quella contrazione fu la peggiore, e quando passò Jane era in preda ai tremiti e alla nausea. Dov'era finita la levatrice? Di sicuro Mohammed aveva mandato la moglie a chiamarla... non aveva dimenticato, non aveva cambiato idea. Ma Halima avrebbe obbedito al marito? Naturalmente... le donne afgane lo facevano sempre. Ma forse era andata lentamente, spettegolando lungo il percorso, o magari si era fermata in qualche casa a bere il tè. Se nella Valle dei Cinque Leoni c'era l'adulterio, c'era anche la gelosia; e Halima sicuramente conosceva o intuiva i sentimenti che Mohammed provava per Jane... le mogli sanno sempre quelle cose. E adesso, forse, l'indispettiva sentirsi chiedere di correre in aiuto della sua rivale, la straniera esotica e istruita dalla pelle bianca che affascinava tanto suo marito. All'improvviso Jane s'infuriò con Mohammed e con Halima. Io non ho fatto niente di male, pensò. Perché mi hanno abbandonata, tutti quanti? Perché mio marito non è qui?

Quando incominciò un'altra contrazione, scoppiò in pianto. Era troppo. «Non resisto più» disse a voce alta. Era scossa da un tremito irresistibile. Avrebbe voluto morire prima che la sofferenza diventasse ancora più atroce. «Mamma, mamma, aiutami» singhiozzò.

All'improvviso un braccio robusto le passò intorno alle spalle, una voce di donna le mormorò all'orecchio parole incomprensibili d'incoraggiamento in dari. Senza aprire gli occhi, Jane si aggrappò alla donna, e pianse e gridò mentre la contrazione diventava più intensa; e poi il dolore incominciò ad attenuarsi, troppo lentamente ma con un senso di definitivo, come se dovesse essere l'ultimo, o almeno l'ultimo tanto tremendo.

Alzò il viso e scorse gli occhi scuri e sereni, le guance grinzose della vecchia Rabia, la levatrice.

«Dio sia con te, Jane Debout.»

Jane provò un immenso sollievo, come se un peso immenso avesse cessato di opprimerla. «E con te, Rabia Gul» mormorò riconoscente.

«Le doglie sono frequenti?»

«Ogni minuto o due.»

Un'altra voce di donna disse: «Il bambino sta per nascere prima del tempo».

Jane girò la testa e vide Zahara Gul, la nuora di Rabia, una giovane donna voluttuosa dai capelli neri e ondulati e dalla grande bocca ridente. Fra tutte le donne del villaggio, Zahara era quella che Jane sentiva più vicina. «Sono contenta che sia qui anche tu» disse.

Rabia disse: «Il travaglio è venuto perché hai portato Mousa su per la collina».

«Solo per questo?» chiese Jane.

«È più che sufficiente.»

Dunque non sanno niente della lite con Abdullah. Ha preferito starsene zitto.

Rabia disse: «Devo preparare tutto?».

«Sì, ti prego.» Dio sa a quali pratiche ginecologiche primitive dovrò sottopormi, pensò Jane; ma non posso farcela da sola, non posso.

«Vuoi che Zahara faccia il tè?» chiese Rabia.

«Sì, grazie.» Questa, almeno, non era una superstizione.

Le due donne si misero al lavoro. Jane si sentiva un po' meglio per il semplice fatto che erano lì con lei. Ed era bello, da parte di Rabia, chiedere il permesso di aiutarla... un dottore occidentale sarebbe arrivato e avrebbe incominciato a dare ordini. Rabia si lavò le mani ritualmente, invocò i profeti perché le dessero "la faccia rossa", cioè le permettessero di riuscire nell'intento, e poi se le lavò di nuovo e con cura, con il sapone e molta acqua. Zahara portò un barattolo di ruta selvatica e Rabia l'accese. Jane ricordava di aver sentito dire che l'odore della ruta che brucia aveva la funzione di mettere in fuga gli spiriti maligni, e si consolò pensando che quel fumo acre, almeno, avrebbe tenuto lontano le mosche.

Rabia era qualcosa di più di una levatrice. Il suo compito principale era assistere le partorienti, ma preparava rimedi a base di erbe dotati di poteri magici per rendere feconde le donne che avevano difficoltà a concepire. Conosceva anche metodi per evitare il concepimento e procurare gli aborti, ma erano molto meno richiesti perché·in generale le donne afgane volevano parecchi figli. Inoltre, Rabia veniva consultata per tutti i disturbi "femminili". E di solito la chiamavano per lavare i morti... una mansione che era considerata impura, come quella di far nascere i bambini.

Jane la seguiva con lo sguardo mentre Rabia si muoveva nella stanza. Era probabilmente la donna più vecchia del villaggio, e doveva avere una sessantina d'anni. Era bassa di statura, non più di un metro e cinquantadue, e magrissima, come quasi tutti gli altri. La faccia bruna e grinzosa era circondata dai capelli bianchi. Si muoveva senza far rumore, e le vecchie mani ossute erano precise, efficienti.

I rapporti tra lei e Jane erano incominciati tra la diffidenza e l'ostilità. Quando Jane le aveva chiesto a chi si rivolgeva in caso d'un parto difficile, Rabia era scattata: «Che il diavolo non ascolti, ma non ho mai avuto un parto difficile, e non ho mai perduto una madre o un bambino». Ma più tardi, quando le donne del villaggio andavano da Jane per qualche piccolo problema mestruale o per una gravidanza normale, lei le mandava da Rabia, anziché prescrivere un placebo; e così aveva avuto inizio una collaborazione. Rabia aveva consultato Jane quando una puerpera era stata colpita da un'infezione vaginale; e Jane le aveva consegnato un certo quantitativo di penicillina e le aveva spiegato quando prescriverlo. Il prestigio di Rabia era salito alle stelle quando si era saputo che le era stata affidata una medicina occidentale; e Jane aveva potuto dirle, senza offenderla, che probabilmente era stata proprio lei a causare l'infezione quando aveva lubrificato manualmente la vagina durante il parto.

Da quel giorno, Rabia aveva preso l'abitudine di venire all'ambulatorio una o due volte la settimana per parlare con Jane e assistere al suo lavoro. Jane ne approfittava per spiegare, con apparente noncuranza, perché si lavava le mani tanto spesso, perché immergeva tutti gli strumenti nell'acqua bollente dopo averli usati, e perché somministrava molti liquidi ai bambini piccoli affetti da diarrea.

In cambio, Rabia rivelava a Jane alcuni dei suoi segreti. Era interessante sapere cosa contenevano le sue pozioni, e Jane riusciva a comprendere perché alcune ottenevano l'effetto desiderato: i rimedi per favorire la gravidanza contenevano cervello di coniglio o milza di gatto, che potevano fornire gli ormoni carenti nel metabolismo della paziente; e i preparati a base di menta e di erba gattaria contribuivano probabilmente a eliminare le infezioni che ostacolavano il concepimento. Rabia aveva anche una medicina che le mogli somministravano ai mariti impotenti: e non era difficile capire come funzionava, dato che conteneva oppio.

La diffidenza aveva lasciato il posto a un cauto rispetto reciproco; tuttavia Jane non aveva consultato Rabia in occasione della sua gravidanza. Una cosa era ammettere che il miscuglio di medicina popolare e di magia usato da Rabia poteva funzionare con le donne afgane; ma accettarlo personalmente era ben diverso. E poi, Jane aveva immaginato che sarebbe stato Jean-Pierre a farla partorire. Perciò quando Rabia s'era informata della posizione del feto e aveva prescritto una dieta vegetale perché riteneva che fosse una femmina, Jane aveva spiegato chiaramente che intendeva seguire la gravidanza secondo i criteri occidentali. Rabia s'era un po' offesa, ma aveva accettato con dignità la decisione. Però adesso Jean-Pierre era a Khawak, e Rabia era lì; e Jane era lieta di poter contare su una vecchia che aveva aiutato centinaia di bambini a venire al mondo e ne aveva avuti undici lei stessa.

Da un po' le doglie non si ripetevano; ma in quegli ultimi minuti, mentre guardava Rabia che si muoveva in silenzio, Jane aveva sentito nuove sensazioni nell'addome: una forte pressione, accompagnata dal crescente impulso di spingere. L'impulso divenne irresistibile; e mentre spingeva, Jane gemeva, non per la sofferenza ma per lo sforzo.

Sentì la voce di Rabia che sembrava venire da molto lontano: «Sta cominciando. Bene».

Dopo un po', l'impulso di spingere passò. Zahara portò una tazza di tè verde. Jane si sollevò a sedere e sorseggiò con un senso di sollievo. Il tè era caldo e molto dolce. Zahara ha la mia età, pensò Jane, e ha già avuto quattro bambini, senza contare gli aborti spontanei e i figli nati morti. Ma era una donna piena di vitalità, come una tigre giovane e sana. Probabilmente avrebbe avuto molti altri figli. Aveva accolto Jane con aperta curiosità, mentre quasi tutte le donne, nei primi tempi, si erano mostrate diffidenti e ostili; e Jane aveva scoperto che Zahara disprezzava le usanze e le tradizioni più sciocche della valle ed era ansiosa d'imparare il più possibile le idee degli stranieri per quanto riguardava la salute, e la cura e la nutrizione dei bambini. Zahara era diventata così non soltanto la prima amica di Jane, ma anche la punta avanzata del suo programma d'educazione sanitaria.

Ma quel giorno Jane stava scoprendo i metodi afgani. Vide Rabia stendere sul pavimento un grande foglio di plastica (che cosa avevano usato un tempo, prima che ci fosse la plastica?) e ricoprirlo con uno strato di terra sabbiosa che Zahara aveva portato con un secchio dall'esterno. Rabia aveva disposto vari oggetti su un tavolino, e Jane sospirò di sollievo quando vide gli stracci di cotone pulitissimi e una lametta da barba nuova, ancora incartata.

L'impulso di spingere la riassalì, e Jane chiuse gli occhi per concentrarsi. Non era esattamente doloroso; le sembrava piuttosto di avere una grossa crisi di stitichezza. Quando si sforzava, aveva notato, gemere le dava sollievo. Avrebbe voluto spiegare a Rabia che non erano gemiti di sofferenza, ma era troppo impegnata a spingere e non trovava il fiato per parlare.

Quando venne un nuovo intervallo, Rabia s'inginocchiò, slacciò il cordone dei calzoni di Jane, e glieli sfilò. «Vuoi spandere acqua prima che ti lavi?» chiese.

«Sì.»

La vecchia l'aiutò a alzarsi e ad andare dietro il paravento, e la sostenne per le spalle mentre Jane sedeva sul vaso.

Zahara portò un catino d'acqua calda e andò a vuotare il vaso. Rabia lavò il ventre, le cosce e i genitali esterni di Jane, assumendo per la prima volta un'aria sbrigativa. Poi Jane si sdraiò di nuovo. Rabia si lavò le mani e le asciugò. Quindi mostrò un barattolo di polvere azzurra che doveva essere solfato di rame, e disse: «Questo colore spaventa gli spiriti maligni».

«Cosa vuoi fare?»

«Mettertene un po' sulla fronte.»

«E va bene» disse Jane. Poi soggiunse: «Grazie».

Rabia le spalmò un po' di polvere sulla fronte. Una piccola magia innocua è tollerabile, pensò Jane: ma cosa farà Rabia se ci sarà un vero problema medico? E di quante settimane è prematuro il bambino, esattamente?

Era ancora assorta in quei pensieri quando incominciò una nuova contrazione, e quindi non si concentrò per assecondare l'ondata di pressione, che di conseguenza fu molto dolorosa. Non devo preoccuparmi, si disse; devo rilassarmi, invece.

Quando la contrazione passò, si sentì esausta, assonnata. Chiuse gli occhi. Sentì che Rabia le sbottonava la camicia... la camicia che Jean-Pierre le aveva prestato quel pomeriggio, un secolo fa. La vecchia levatrice incominciò a massaggiarle il ventre con una sostanza lubrificante che doveva essere burro chiarificato. Affondò le dita. Jane aprì gli occhi e disse: «Non cercare di muovere il bambino».

Rabia annuì ma continuò a tastare, con una mano sulla parte alta del ventre, l'altra più sotto. «La testa è in basso» annunciò. «Tutto bene. Ma il bambino nascerà molto presto. Devi alzarti.»

Zahara e Rabia aiutarono Jane a alzarsi e a compiere due passi verso il telo di plastica coperto di terra. Rabia si mise dietro di lei e disse: «Montami sui piedi».

Jane obbedì, sebbene non ne capisse la ragione. Rabia si accosciò adagio adagio dietro di lei. Dunque era quella, la posizione per il parto usata nella valle. «Siediti addosso a me» disse la levatrice. «Ce la farò a reggerti.» Jane assestò il proprio peso sulle cosce della vecchia. Era una posizione stranamente comoda, rassicurante.

Poi Jane sentì che i muscoli ricominciavano a contrarsi. Strinse i denti e spinse, gemendo. Zahara si accosciò davanti a lei. Per un po' Jane pensò solo alla pressione: e quando finalmente si attenuò, si abbandonò esausta e semiaddormentata, e Rabia la sostenne.

Quando la contrazione ricominciò, era accompagnata da una sofferenza nuova, una sensazione bruciante all'inguine. All'improvviso Zahara disse: «Sta arrivando».

«Ora non spingere» disse Rabia. «Lascia che il piccolo esca da solo.»

La pressione si allentò. Zahara e Rabia si scambiarono i

posti, e Rabia si accovacciò tra le gambe di Jane, per osservare attentamente. Poi ricominciò la pressione, e Jane digrignò i denti. Rabia disse: «Non spingere. Stai calma». Jane cercò di rilassarsi. La vecchia la guardò, le toccò il viso. «Non stringere i denti. Tieni la bocca socchiusa.» Jane decontrasse i muscoli della mascella, e si accorse che questo l'aiutava a rilassarsi.

Il bruciore ritornò, più forte, e Jane pensò che il bambino stava per nascere: sentiva la testolina che spingeva attraverso il varco dilatato. Gridò di dolore... e all'improvviso la sofferenza cessò, e per un momento non sentì nulla. Abbassò lo sguardo, Rabia le teneva le mani protese fra le cosce e invocava i nomi dei profeti. Attraverso un velo di lacrime, Jane scorse qualcosa, rotondo e scuro, tra le mani della levatrice.

«Non tirare» disse Jane. «Non tirare la testa.»

«No» disse Rabia.

Jane sentì di nuovo la pressione. In quel momento la vecchia disse: «Ancora una piccola spinta per la spalla». Jane chiuse gli occhi e spinse, leggermente.

Dopo qualche istante, Rabia disse: «Ora l'altra spalla».

Jane spinse di nuovo, e la tensione cessò di colpo. Il piccino era nato. Guardò e vide l'esserino minuscolo nell'incavo del braccio di Rabia. Aveva la pelle bagnata e grinzosa, la testa coperta di capelli scuri e madidi. Il cordone ombelicale sembrava stranissimo: una fune bluastra che palpitava come una vena.

«Tutto bene?» chiese Jane.

Rabia non rispose. Sporse le labbra e soffiò sul visetto immobile e schiacciato del piccolo.

Oh, Dio, è morto, pensò Jane.

«Tutto bene?» chiese di nuovo.

Rabia soffiò ancora e il neonato aprì la bocca e gridò.

Jane disse: «Oh, Dio sia ringraziato... è vivo».

Rabia prese dal tavolino uno straccio di cotone e pulì la piccola faccia grinzosa.

«È normale?» chiese Jane.

Finalmente Rabia parlò. La guardò negli occhi, sorrise e disse: «Sì. La piccola è normale».

La piccola è normale, pensò Jane. La piccola. Ho avuto una figlia. Una bambina.

All'improvviso si sentì completamente esausta, svuotata. Non poteva più reggersi, neppure per un momento. «Voglio sdraiarmi» disse.

Zahara l'aiutò a adagiarsi sul materasso, le mise i cuscini dietro la schiena in modo che potesse stare semiseduta, mentre Rabia teneva in braccio la bambina, ancora unita alla madre dal cordone ombelicale. Quando Jane fu a posto, la levatrice cominciò a asciugare la neonata con gli stracci di cotone.

Jane vide il cordone che smetteva il palpitare, si raggrinziva e diventava bianco. «Puoi tagliare il cordone» disse a Rabia.

«Noi aspettiamo sempre la placenta» disse la levatrice.

«Ti prego, fallo subito.»

Rabia aveva l'aria dubbiosa; ma obbedì. Prese dal tavolo un pezzetto di spago bianco, lo legò intorno al cordone a qualche centimetro dall'ombelico della neonata. Avrebbe dovuto legarlo più vicino, pensò Jane: ma non aveva importanza.

Rabia tolse dall'incarto la lametta nuova. «In nome di Allah» disse, e tagliò il cordone.

«Dammi la bambina» disse Jane.

Rabia gliela porse. «Non farla succhiare.»

Jane sapeva che in questo la vecchia levatrice aveva torto. «Favorisce l'espulsione della placenta» disse.

Rabia scrollò le spalle.

Jane si accostò al seno il visetto della figlia. I capezzoli ingrossati erano deliziosamente sensibili, come quando li baciava Jean-Pierre. Quando un capezzolo le toccò la guancia, la neonata girò d'istinto la testa e aprì la bocca. Non appena si attaccò, incominciò a succhiare. Jane si stupì: era una sensazione erotica. Per un momento rimase sconvolta e imbarazzata, poi pensò: Oh, al diavolo.

Sentì un movimento nell'addome. Obbedì all'impulso di spingere, e la placenta scivolò fuori. Rabia l'avvolse scrupolosamente in uno straccio.

La bambina smise di succhiare. Sembrava addormentata.

Zahara porse a Jane una tazza d'acqua, e lei la bevve d'un fiato. Aveva un sapore meraviglioso. Ne chiese ancora un po'.

Era dolorante, esausta e straordinariamente felice. Guardò la bimba che le dormiva tranquilla sul seno. Anche lei voleva dormire.

Rabia disse: «Dobbiamo fasciare la piccola».

Jane sollevò la figlia, che era leggera come una bambola, e la porse alla vecchia. «Chantal» disse quando Rabia la prese. «Si chiama Chantal.» Poi chiuse gli occhi.

5

Ellis Thaler prese l'aereo-navetta delle Eastern Airlines che faceva la spola tra Washington e New York. All'aeroporto La Guardia salì su un taxi e si fece portare all'hotel Plaza, nel centro di New York. Il taxi lo lasciò all'ingresso sulla Quinta Strada. Ellis entrò. Nell'atrio svoltò a sinistra e andò agli ascensori della 58ª Strada. Con lui entrarono un uomo in doppio petto e una donna che portava un sacchetto con il marchio dei magazzini Saks. L'uomo scese al settimo piano, Ellis all'ottavo. La donna proseguì. Ellis si avviò per il corridoio, tutto solo, fino a quando arrivò agli ascensori della 59ª Strada. Scese al piano terreno e uscì dall'albergo passando per l'ingresso della 59ª Strada.

Ormai sicuro che nessuno lo seguisse, fermò un taxi in Central Park South, andò alla Penn Station, e prese il treno per Douglastown, nel Queens.

Durante il tragitto, continuavano a echeggiargli nella mente i versi della *Ninnananna* di Auden:

> Il tempo e le febbri bruciano
> La bellezza individuale
> Dei bimbi pensosi, e la tomba
> Dimostra che il bambino è effimero.

Era passato più d'un anno da quando s'era spacciato per un aspirante poeta americano a Parigi, ma non aveva perduto la passione per i versi.

Continuò a controllare se qualcuno lo pedinava: quella era una missione della quale i suoi nemici non dovevano mai sapere nulla. Scese dal treno a Flushing e attese sul marciapiedi l'arrivo di un altro convoglio. Nessuno rimase ad attenderlo con lui.

A causa di tutte le precauzioni che era costretto a prendere, erano le cinque quando arrivò a Douglastown. Uscì dalla stazione e per mezz'ora camminò a passo sostenuto, ripassando mentalmente le parole che avrebbe usato, le possibili reazioni che doveva aspettarsi.

Arrivò in una strada suburbana in vista del Long Island Sound e si fermò davanti a una casa piccola e linda, con i tetti aguzzi in falso stile Tudor e una finestra dai vetri colorati. Nel vialetto era ferma un'auto giapponese. Mentre Ellis si avviava verso la casa, una ragazzina bionda di tredici anni aprì la porta.

«Ciao, Petal» disse Ellis.

«Ciao, papà» rispose la ragazzina.

Ellis si chinò a baciarla, e come sempre provò un moto d'orgoglio e una fitta di rimorso.

La guardò. Sotto la maglietta con l'immagine di Michael Jackson portava il reggiseno. Ellis era sicuro che fosse nuovo. Sta diventando una donna, pensò. Che mi venga un colpo.

«Vuoi entrare un momento?» chiese educatamente la ragazzina.

«Certo.»

La seguì in casa. Vista di spalle, sembrava ancora più donna. Gli ricordava la sua prima amichetta. Lui aveva quindici anni, e lei non era molto più vecchia di Petal... No, un momento, pensò: era più giovane. Aveva dodici anni. E io le infilavo la mano sotto il maglione. Dio, proteggi mia figlia dai ragazzi quindicenni.

Entrarono nel piccolo, ordinato soggiorno. «Non vuoi sederti?» chiese Petal.

Ellis sedette.

«Posso offrirti qualcosa?» chiese lei.

«Stai tranquilla» le disse Ellis. «Non c'è bisogno di fare tante cerimonie. Sono tuo padre.»

Petal lo guardò, perplessa e incerta, come se l'avesse rimproverata per qualcosa che non sapeva di aver sbagliato. Dopo un attimo disse: «Devo spazzolarmi i capelli. Poi potremo andare. Scusami».

«Certo» disse Ellis. Petal uscì. Quella cortesia lo faceva soffrire. Dimostrava che lui era ancora un estraneo. Non era riuscito a fare veramente parte della famiglia.

In quell'ultimo anno, da quando era tornato da Parigi, l'aveva vista almeno una volta al mese. In certe occasioni avevano passato insieme un'intera giornata, ma più spesso Ellis si limitava a condurla fuori a cena, come adesso. Per stare un'ora con la figlia, aveva dovuto fare un viaggio di cinque ore prendendo tutte le possibili precauzioni; ma naturalmente lei non lo sapeva. Lo scopo di Ellis era modesto: desiderava conquistarsi un posto stabile, anche se limitato, nella vita di sua figlia, senza scalpori e senza drammi.

Per riuscirci aveva dovuto cambiare il tipo di lavoro. Aveva rinunciato alle attività sul campo. I suoi superiori non erano stati molto soddisfatti: gli agenti clandestini efficienti erano molto pochi, mentre quelli inefficienti erano centinaia. E anche lui aveva esitato; pensava fosse un dovere sfruttare le sue capacità. Ma non poteva conquistarsi l'affetto della figlia se ogni anno era costretto a sparire per recarsi in qualche lontano angolo del mondo, senza poterle dire dove andava, e perché ci andava, e neppure per quanto tempo sarebbe stato assente. E non poteva correre il rischio di farsi uccidere proprio quando Petal incominciava a affezionarsi a lui.

Gli mancavano le emozioni, il pericolo, il fascino della caccia, la sensazione di fare un lavoro importante che nessun altro avrebbe saputo compiere con la stessa abilità. Ma per troppo tempo gli unici legami affettivi erano stati effimeri; e da quando aveva perduto Jane sentiva il bisogno di avere almeno una persona il cui affetto fosse stabile.

Mentre attendeva la figlia, entrò Gill. Ellis si alzò. La sua ex moglie era serena e tranquilla nel bianco abito estivo. Gli porse la guancia da baciare. «Come stai?» chiese.

«Come al solito. E tu?»

«Ho un daffare incredibile.» Gill incominciò a raccontare piuttosto dettagliatamente tutto quello che aveva da fare; e come sempre, Ellis smise subito di ascoltarla. Le era affezionato, ma Gill aveva il potere di annoiarlo a morte. Era strano pensare che era stato sposato con lei. Ma Gill era la ragazza più carina della facoltà d'Inglese, e lui era il ragazzo più sveglio, ed era l'anno 1967, quando tutti si drogavano e poteva accadere qualunque cosa, soprattutto in California. Si erano sposati in bianco, alla fine del primo anno d'università, e qualcuno aveva suonato la *Marcia Nuziale* con un sitar. Poi Ellis aveva fatto fiasco agli esami ed era stato buttato fuori, e quindi era stato chiamato sotto le armi: e anziché scappare in Canada o in Svezia, era andato all'ufficio leva come un agnello al mattatoio, sorprendendo tutti tranne Gill, perché ormai lei sapeva che il matrimonio era in crisi e aspettava di vedere in che modo Ellis se ne sarebbe tirato fuori.

Lui era ricoverato a Saigon con una ferita al polpaccio (la ferita più frequente per i piloti degli elicotteri, perché i sedili erano blindati ma il pavimento no) quando il divorzio era diventato definitivo. Qualcuno gli aveva buttato sul letto la notifica mentre lui era andato al gabinetto; al ritorno l'aveva trovata, con un'altra Fronda di Quercia, la venticinquesima, perché a quei tempi erano molto prodighi di decorazioni al valor militare. *Ho appena divorziato*, aveva detto; e il soldato nel letto accanto al suo aveva risposto: *Cribbio. Vuoi fare una partitina a carte?*

Gill non gli aveva detto nulla della bambina. L'aveva scoperto qualche anno dopo, quand'era diventato una spia e aveva rintracciato Gill, così per esercitarsi; e allora aveva saputo che aveva una figlia dal nome inequivocabilmente sessantottesco, Petal, e un marito che si chiamava Bernard e che andava da uno specialista per la cura della sterilità. Nascondergli l'esistenza di Petal era stata l'unica, vera cattiveria che Gill gli avesse mai fatto, pensava Ellis, anche se ancora adesso lei sosteneva di averlo fatto per il suo bene.

Ellis aveva preteso di vedere Petal, di tanto in tanto, e l'aveva fatta smettere di chiamare "papà" Bernard. Ma non aveva cercato d'inserirsi nella loro vita familiare, fino a quell'ultimo anno.

«Vuoi prendere la mia macchina?» chiese Gill.

«Se per te sta bene.»

«Certo.»

«Grazie.» Era imbarazzante, dover accettare in prestito la macchina di Gill; ma Washington era troppo lontana, e Ellis non voleva prendere troppo spesso un'auto a noleggio in quella zona: perché un giorno i suoi nemici l'avrebbero scoperto, attraverso i documenti delle agenzie o le carte di credito, e allora avrebbero saputo anche di Petal. L'alternativa sarebbe stata servirsi di un'identità diversa ogni volta che noleggiava una macchina; ma le identità erano dispendiose, e l'Agenzia non era disposta a fornirle a un burocrate. Perciò Ellis prendeva la Honda di Gill, o si serviva di un taxi della zona.

Petal tornò. I capelli biondi le ondeggiavano sulle spalle. Ellis si alzò. Gill disse: «Le chiavi sono in macchina».

Ellis disse alla figlia: «Salta a bordo. Ti raggiungo subito». Petal uscì, e lui si rivolse a Gill: «Vorrei invitarla a Washington per un fine settimana».

La risposta di Gill fu gentile, ma decisa: «Se vuole venire può farlo, naturalmente. Ma se non vuole, io non la costringerò».

Ellis annuì. «È giusto. Ci vediamo dopo.»

Condusse Petal in un ristorante cinese a Little Neck. A lei piaceva molto la cucina cinese. Ringraziò Ellis perché le aveva mandato una poesia per il suo compleanno. «Non conosco nessuno che abbia mai ricevuto per il compleanno proprio una poesia» disse.

Ellis non sapeva se quello fosse un buon segno o no. «Spero che sia meglio d'una cartolina d'auguri con un gattino.»

«Sì.» Petal rise. «Tutte le mie amiche pensano che sei romantico. La professoressa d'inglese mi ha chiesto se hai mai pubblicato nulla.»

«Non ho mai scritto niente che meritasse la pubblicazione» disse lui. «L'inglese ti piace sempre?»

«Mi piace molto più della matematica. In matematica sono un disastro.»

«Che cosa studiate? Qualche commedia, qualche dramma?»

«No. Ma qualche volta ci sono le poesie.»

«Ce n'è qualcuna che ti è piaciuta particolarmente?»

Petal rifletté per un momento. «Quella che parla degli asfodeli.»

Ellis annuì. «Piace molto anche a me.»

«Non ricordo più chi l'ha scritta.»

«William Wordsworth.»

«Oh, giusto.»

«Qualche altra?»

«Non proprio. Preferisco la musica. A te piace Michael Jackson?»

«Non lo so. Non credo di aver mai sentito i suoi dischi.»

«È carino da matti.» Petal rise. «Tutte le mie amiche lo adorano.»

Era la seconda volta che diceva "tutte le mie amiche". Per il momento il suo gruppo di coetanee era la cosa più importante della sua vita. «Mi piacerebbe conoscere qualche tua amica, una volta o l'altra» le disse.

«Oh, papà!» esclamò Petal in tono di rimprovero. «Non ti piacerebbero... sono ragazzine.»

Ellis si sentì vagamente respinto, e per qualche istante concentrò l'attenzione su quello che aveva nel piatto. Aveva ordinato vino bianco: un'abitudine presa in Francia.

Quando ebbe finito, disse: «Senti, ho pensato che potresti venire a Washington e stare a casa mia per il fine settimana. Con l'aereo ci si arriva in un'ora, e potremmo divertirci».

Petal lo guardò, sorpresa. «Cosa c'è, a Washington?»

«Ecco, potremmo visitare la Casa Bianca, dove vive il presidente. E a Washington ci sono alcuni dei musei più belli del mondo. E poi non hai mai visto dove abito. Ho una stanza per gli ospiti...» Ellis non finì la frase. Capiva benissimo che a Petal non interessava.

«Oh, papà, non saprei» disse la ragazzina. «Ho tanto da fare, per i fine settimana... i compiti a casa, e le feste, e le spese, e le lezioni di ballo e tutto...»

Ellis nascose la delusione. «Non preoccuparti» disse. «Potrai venire un'altra volta, quando avrai meno impegni.»

«Sì, d'accordo» disse Petal. Era visibilmente sollevata.

«Potrei sistemare la camera degli ospiti, e così tu potrai venire quando vorrai.»

«D'accordo.»

«Di che colore devo dipingerla?»

«Non lo so.»

«Qual è il colore che ti piace di più?»

«Rosa, credo.»

«Allora vada per il rosa.» Ellis sorrise con uno sforzo. «Andiamo.»

In macchina, mentre la riportava a casa, Petal gli chiese cosa pensava della sua intenzione di farsi forare le orecchie.

«Non so» disse Ellis, cautamente. «La mamma cosa ne pensa?»

«Ha detto che per lei va bene, se tu sei d'accordo.»

Gill voleva fargli una cortesia, chiamandolo a partecipare alla decisione, oppure si limitava a passargli la patata bollente? «L'idea non mi entusiasma troppo» disse Ellis. «Forse sei un po' troppo giovane per queste cose.»

«Pensi che sia troppo giovane per avere un ragazzo?»

Ellis avrebbe voluto rispondere "sì". Gli sembrava che Petal fosse troppo giovane. Ma non poteva impedirle di crescere. «Sei abbastanza grande per uscire con qualcuno, non per avere un ragazzo fisso» le disse, e la guardò per osservare la reazione. Petal sembrava divertita. Forse, pensò Ellis, adesso non usa più avere un ragazzo fisso.

Arrivarono a casa, e la Ford di Bernard era parcheggiata nel vialetto. Ellis fermò la Honda e entrò con Petal. Bernard era in soggiorno. Era basso di statura, aveva i capelli cortissimi, un buon carattere e niente immaginazione. Petal lo salutò con entusiasmo, lo abbracciò e lo baciò. Bernard sembrava un po' imbarazzato. Strinse con fermezza la mano di Ellis e chiese: «Il governo funziona ancora regolarmente, a Washington?».

«Come al solito» disse Ellis. Credevano che lavorasse per il Dipartimento di Stato, e che il suo compito consistesse nel leggere i giornali e le riviste francesi per preparare la rassegna stampa quotidiana per l'Ufficio Francia.

«Vuoi una birra?»

Ellis non la voleva, ma accettò per cortesia. Bernard andò in cucina a prenderla. Era direttore del servizio crediti d'un grande magazzino di New York. Petal gli dimostrava affetto e rispetto, e lui le voleva bene. Bernard e Gill non avevano avuto figli; lo specialista per la cura della sterilità non aveva potuto far molto.

Bernard tornò con due bicchieri di birra e ne porse uno a Ellis. «Ora vai a fare i compiti» disse a Petal. «Papà verrà a salutarti prima di andar via.»

Petal lo baciò di nuovo e scappò via. Quando fu sicuro che non potesse sentirlo, Bernard disse: «Di solito non è tanto affettuosa. Mi sembra che esageri un tantino quando ci sei tu. Non lo capisco.»

Ellis lo capiva anche troppo bene; ma non voleva pensarci, per il momento. «Non preoccuparti» disse. «Come va il lavoro?»

«Abbastanza bene. Gli alti tassi d'interesse non ci hanno danneggiato come temevamo. Sembra che la gente abbia ancora voglia di farsi prestare i soldi per fare acquisti... almeno a New York.» Bernard sedette e bevve un sorso di birra.

Ellis aveva sempre l'impressione che Bernard avesse fisicamente paura di lui. Lo si vedeva dal modo in cui si muoveva, come un cagnolino non autorizzato a stare in casa che si tiene sempre fuori portata da un possibile calcio.

Per qualche minuto parlarono della situazione economica, e Ellis finì la birra più in fretta che poté, poi si alzò per andarsene. Andò ai piedi della scala e chiamò: «Ciao, Petal!».

La ragazzina si affacciò. «Allora, posso farmi forare le orecchie?»

«Mi lasci il tempo di pensarci?» chiese Ellis.

«Sicuro. Ciao.»

Gill scese la scala. «Ti accompagno con la macchina all'aeroporto» disse.

Per Ellis era una sorpresa. «D'accordo. Grazie.»

Durante il tragitto, Gill disse: «Petal mi ha detto che non ha voluto venire a passare un fine settimana da te».

«Proprio così.»

«Ti rincresce, vero?»

«Si vede?»

«Io lo vedo. Sono stata tua moglie.» Gill tacque per un attimo. «Mi dispiace, John.»

«La colpa è mia. Non ci avevo pensato bene. Prima della mia comparsa, Petal aveva una madre, un padre, una casa... tutto ciò che può volere un bambino. Ma io non sono soltanto superfluo. Con la mia presenza, minaccio la sua felicità. Sono un intruso, un fattore destabilizzante. Ecco perché abbraccia Bernard di fronte a me. Non lo fa per ferirmi. Lo fa perché ha paura di perderlo. E sono io a ispirarle questa paura.»

«Le passerà» disse Gill. «L'America è piena di bambini e ragazzi con due padri.»

«Non è una scusa. Ho combinato un disastro, e devo rendermene conto.»

Gill fece un altro gesto che lo sorprese: gli batté la mano sul ginocchio. «Non essere troppo severo con te stesso» disse. «Non eri fatto per queste cose. Io l'ho capito un mese dopo averti sposato. Tu non volevi una casa, un impiego, i sobborghi, i figli. Sei un po' strano. Per questo mi ero innamorata di te, e per questo ti ho lasciato andare tanto in fretta. Ti amavo perché eri diverso, matto, originale, eccitante. Eri capace di tutto. Ma non sei un uomo che può avere una famiglia.»

Ellis rimase in silenzio, pensando a ciò che Gill gli aveva appena detto. L'aveva detto con gentilezza, e gliene era grato. Ma era vero? Pensava di no. Io non voglio una casa nei sobborghi, pensò, ma una casa mi piacerebbe: magari una villa in Marocco, o una soffitta nel Greenwich Village o un attico a Roma. Non voglio una moglie che mi faccia da governante, che cucini e pulisca e vada a far la spesa e tenga i verbali dell'Associazione genitori-insegnanti; ma vorrei una compagna, una con cui parlare di libri e di cinema e di poesia. E mi piacerebbe anche avere un figlio o due, e allevarli in modo che conoscessero qualcosa di più di Michael Jackson.

Ma a Gill non disse nulla.

La macchina si fermò, e Ellis si accorse che erano arrivati al terminal delle Eastern Airlines. Lui diede un'occhiata all'orologio: le otto e cinquanta. Se si fosse affrettato, avrebbe potuto prendere l'aereo delle nove. «Grazie del passaggio» disse.

«Avresti bisogno di una donna come te, una che ti somigliasse» disse Gill.

Ellis pensò a Jane. «L'avevo incontrata, una volta.»

«E com'è finita?»

«Lei ha sposato un medico affascinante.»

«Il medico è matto come te?»

«Non credo.»

«Allora non durerà. Quando si è sposata?»

«Circa un anno fa.» Gill stava pensando, probabilmente, che proprio allora Ellis era rientrato con decisione nella vita di Petal: comunque, ebbe il buon gusto di non dirlo. «Ascolta il mio consiglio» disse. «Prova a informarti come vanno le cose.»

Ellis scese dalla macchina. «Ci sentiremo presto.»

«Ciao.»

Lui sbatté la portiera, e Gill se ne andò.

Ellis entrò in fretta nel terminal e riuscì a prendere l'aereo con un minuto di margine. Durante il decollo trovò una rivista nella tasca del sedile davanti al suo e la sfogliò, in cerca di qualche articolo sull'Afghanistan.

Aveva seguito con attenzione gli sviluppi della guerra fin da quando aveva saputo da Bill, a Parigi, che Jane aveva messo in atto la decisione di andarci con Jean-Pierre. La guerra non faceva più notizia sulle prime pagine, e spesso passavano settimane prima che venisse pubblicato qualche articolo. Ma ormai la pausa invernale era finita, e c'era qualcosa sui giornali, in media una volta alla settimana.

La rivista presentava un'analisi della situazione dei russi in Afghanistan. Ellis incominciò a leggere con diffidenza, perché sapeva che molti degli articoli pubblicati dalle riviste d'informazione provenivano dalla CIA: un giornalista riceveva un resoconto esclusivo della valutazione effettuata dalla CIA, ma in realtà diventava il veicolo involontario di una manovra di disinformazione che mirava ai servizi segreti di un altro paese, e alla fine il pezzo che scriveva non aveva più rapporti con la verità di quanti potesse averne un articolo pubblicato dalla "Pravda".

Quel pezzo, comunque, sembrava fondato sulla realtà. Era in corso un afflusso di truppe e armi russe, diceva, in previsione di una grande offensiva d'estate. Mosca la considerava un'estate decisiva: i russi dovevano schiacciare la Resistenza entro l'anno, altrimenti sarebbero stati costretti a arrivare a una specie di accomodamento con i ribelli. A Ellis sembrava abbastanza logico: avrebbe controllato cosa dicevano quelli della CIA a Mosca, ma aveva la sensazione che il loro parere non sarebbe stato affatto diverso.

Tra le aree nevralgiche, l'articolo elencava anche la Valle di Panisher.

Ellis ricordava che Jean-Pierre aveva parlato più di una volta della Valle dei Cinque Leoni. Lui aveva imparato un po' di farsi in Iran, e gli sembrava che, effettivamente, "panisher" significasse "cinque leoni". L'articolo nominava Masud, il leader ribelle; Ellis rammentava che Jean-Pierre aveva parlato anche di lui.

Guardò dal finestrino. Il sole stava tramontando. Non c'era dubbio, pensò con una fitta d'angoscia: quell'estate Jane si sarebbe trovata in mezzo ai pericoli.

Ma la cosa non lo riguardava. Ora Jane era sposata con un altro. E comunque, lui non poteva far nulla.

Ellis riabbassò lo sguardo sulla rivista, voltò pagina e incominciò a leggere un articolo sul Salvador. L'aereo continuò il volo verso Washington. A occidente il sole tramontò e scese l'oscurità.

Allen Winderman invitò Ellis Thaler a pranzo in un ristorante affacciato sul fiume Potomac. Winderman arrivò con mezz'ora di ritardo. Era il classico personaggio di Washington: abito grigioscuro, camicia bianca, cravatta a righe, e l'eleganza d'uno squalo. Dato che era la Casa Bianca a pagare, Ellis ordinò aragosta e vino bianco. Winderman chiese acqua Perrier e un'insalata. Tutto, in lui, appariva troppo severo: la cravatta, le scarpe, gli orari di lavoro, l'autocontrollo.

Ellis stava in guardia. Non poteva rifiutare l'invito d'un assistente presidenziale; ma non gli piacevano i pranzi discreti e non ufficiali, e non aveva nessuna simpatia per Allen Winderman.

Winderman venne subito al dunque. «Voglio un suo parere» esordì.

Ellis l'interruppe. «Innanzi tutto, devo sapere se ha informato l'Agenzia di questo nostro incontro.» Se la Casa Bianca intendeva mettere in piedi un'azione clandestina senza farlo sapere alla CIA, Ellis non voleva immischiarsene.

«Naturalmente» disse Winderman. «Cosa sa dell'Afghanistan?»

Ellis si sentì agghiacciare. Prima o poi finirà per essere coinvolta anche Jane. Sanno di lei, ovviamente: non ne ho mai fatto mistero. Avevo detto a Bill, a Parigi, che intendevo sposarla. E più tardi ho telefonato a Bill per sapere se era davvero partita per l'Afghanistan. E tutto ciò è finito nel mio fascicolo personale. Adesso questo bastardo lo sa e conta di approfittarne. «Non ne so molto» disse, cautamente. Poi ricordò alcuni versi di Kipling e li recitò:

Se sei ferito e abbandonato nelle pianure dell'Afghanistan,
E le donne si avvicinano per farti a pezzi,
Afferra il tuo fucile e fatti saltare le cervella,
E vai al tuo Dio da soldato.

Per la prima volta, Winderman sembrava a disagio. «Dopo aver passato due anni spacciandosi per poeta deve conoscere a memoria parecchia roba del genere.»

«E anche gli afgani» disse Ellis. «Sono tutti poeti, come i francesi sono tutti buongustai e i gallesi sono tutti cantanti.»

«È vero?»

«Perché non sanno né leggere né scrivere. La poesia è una forma d'arte orale.» Winderman stava perdendo la pazienza; nei suoi orari di lavoro non c'era spazio per la poesia. Ellis continuò: «Gli afgani sono montanari tribali, fieri, selvaggi e straccioni, usciti appena dal medioevo. Si dice che sono compiti e cerimoniosi, audaci come leoni, e spietati. Il loro territorio è aspro, arido e brullo. Lei cosa sa di loro?»

«Non esiste un afgano tipo» disse Winderman. «Ci sono sei milioni di pushtun al sud, tre milioni di tagichi all'ovest, un milione di uzbechi al nord e un'altra dozzina di nazionalità, ognuna delle quali conta meno d'un milione di persone. Per loro, i confini moderni non significano molto: ci sono tagichi nell'Unione Sovietica e pushtun nel Pakistan. Alcune di queste nazioni sono divise in tribù. Sono come gli indiani pellirosse, che non si erano mai considerati americani ma apache o corvi o sioux. E sono pronti a battersi tra loro con la stessa decisione con la quale combattono i russi. Il nostro problema consiste nel convincere gli apache e i sioux a unirsi contro i visi pallidi.»

«Capisco.» Ellis annuì. E intanto si chiese: Quando entrerà in gioco il nome di Jane? «Quindi, l'interrogativo fondamentale è questo: chi sarà il Grande Capo?»

«Questo è semplice. Il più promettente dei capi guerriglieri, finora, è Ahmer Shah Masud, nella Valle di Panisher.»

La Valle dei Cinque Leoni. Che cos'hai in mente, viscido bastardo? Ellis studiò la faccia ben rasata di Winderman. Era imperturbabile. «Cos'ha di speciale Masud?»

«Quasi tutti i capi ribelli si accontentano di governare le loro tribù, riscuotere le tasse, e negare al governo l'accesso al loro territorio. Masud fa di più. Esce dalla sua roccaforte montana e attacca. È relativamente vicino a tre obiettivi strategici: Kabul, la capitale; il tunnel di Salang, lungo la sola strada importante che collega Kabul all'Unione Sovietica; e Bagram, la principale base aerea militare. È nella posizione più idonea per infliggere danni seri, ed è appunto ciò che fa. Ha studiato l'arte della guerriglia, ha letto Mao. È la migliore mente militare del suo paese. E ha i mezzi finanziari. Nella sua valle vengono estratti gli smeraldi che si rivendono nel Pakistan: Masud preleva una tassa del dieci per cento su tutte le vendite, e se ne serve per equipaggiare il suo esercito. Ha ventotto anni e non gli manca il carisma... la popolazione lo idolatra. Infine, è un tagico. Il gruppo etnico più numeroso è quello dei pushtun, e tutti gli altri li odiano; quindi il capo supremo non può essere un pushtun. I tagichi rappresentano la seconda nazione per consistenza numerica. Esiste la possibilità che tutti accettino di unirsi agli ordini di un tagico.»

«E noi vogliamo facilitare questo risultato?»

«Appunto. Più i ribelli sono forti, e maggiori saranno i danni che potranno infliggere ai russi. Inoltre, quest'anno sarebbe molto utile un successo per i servizi segreti americani.»

Per Winderman e gli altri come lui non contava nulla che gli afgani si battessero per la libertà contro un invasore brutale, pensò Ellis. La moralità non era più di moda a Washington: l'importante era il gioco del potere. Se Winderman fosse nato a Leningrado anziché a Los Angeles sarebbe stato altrettanto soddisfatto e altrettanto potente, e avrebbe adottato esattamente la stessa tattica per combattere nell'interesse del suo schieramento. «Cosa vuole da me?» chiese Ellis.

«Voglio farmi dire tutto ciò che sa. Esiste un modo grazie al quale un agente clandestino potrebbe promuovere un'alleanza fra le diverse tribù afgane?»

«Credo di sì» disse Ellis. Il cameriere venne a servirli, interrompendolo e lasciandogli qualche attimo per riflettere. Quando il cameriere si allontanò, proseguì: «Dovrebbe essere possibile, purché ci sia qualcosa che loro vogliono da noi... e immagino che si tratterebbe di armi.»

«Appunto.» Winderman incominciò a mangiare con i modi esitanti di chi soffre di ulcera. Tra un boccone e l'altro disse: «Al momento comprano le armi oltre confine, in Pakistan. Tutto ciò che riescono a procurarsi sono copie dei fucili britannici vittoriani... o addirittura gli originali, che hanno un secolo e sparano ancora. Inoltre, rubano i Kalashnikov dei russi uccisi. Ma hanno un bisogno disperato di pezzi d'artiglieria di piccolo calibro, cannoncini contraerei e missili terra-aria per poter abbattere aerei e elicotteri.»

«E noi siamo disposti a fornirglieli?»

«Sì. Non direttamente, certo... Preferiamo nascondere il nostro interessamento mandandoli tramite intermediari. Ma non è un problema. Possiamo servirci dei sauditi.»

«Sta bene.» Ellis assaggiò l'aragosta. Era ottima. «Mi lasci dire quale sarebbe il primo passo, secondo me. In ogni gruppo di guerriglieri avrete bisogno di un nucleo di uomini che conoscono Masud, lo capiscono e si fidano di lui. Poi quel nucleo diventerà il gruppo di collegamento per le comunicazioni con Masud. A poco a poco la loro competenza si estenderà: dapprima scambio d'informazioni, quindi collaborazione reciproca, e infine piani di battaglia coordinati.»

«Mi sembra una buona idea» disse Winderman. «E come si potrebbe metterla in pratica?»

«Indurrei Masud a organizzare un programma d'addestramento nella Valle dei Cinque Leoni. Ogni gruppo ribelle dovrebbe mandare alcuni giovani a combattere per qualche tempo a fianco di Masud e a imparare i metodi che gli assicurano il successo. Così imparerebbero anche a rispettarlo e a fidarsi di lui, se è davvero un grande leader.»

Winderman annuì, pensieroso. «Mi sembra un tipo di proposta abbastanza accettabile per quei capitribù che respingerebbero qualunque piano volto a indurli a prendere ordini da Masud.»

«C'è qualche leader rivale, in particolare, la cui collaborazione è indispensabile per ogni eventuale alleanza?»

«Sì. Per l'esattezza ce ne sono due: Jahan Kamil e Amal Azizi. Sono entrambi pushtun.»

«Allora io manderei un agente clandestino con l'obiettivo di portarli tutti e due a trattare con Masud. E quando tornasse qui con le tre firme su un pezzo di carta, noi spediremmo il primo carico di lanciarazzi. Le consegne successive dipenderebbero dai progressi del programma di addestramento.»

Winderman posò la forchetta e accese una sigaretta. Sì, senza dubbio ha l'ulcera, pensò Ellis. Winderman disse: «È esattamente ciò che avevo in mente io». Non era difficile capire che stava già calcolando il modo migliore per arrogarsi tutto il merito dell'idea. Il giorno dopo avrebbe incominciato a dire *Durante il pranzo abbiamo ideato un piano*, e la sua relazione scritta avrebbe ostentato l'affermazione: Gli specialisti delle azioni clandestine hanno giudicato realizzabile il mio progetto.

«E i rischi, quali sarebbero?»

Ellis rifletté. «Se i russi catturassero l'agente, potrebbero sfruttare la cosa ai fini propagandistici. In questo momento hanno in Afghanistan quello che la Casa Bianca definirebbe "un problema d'immagine". I loro alleati del Terzo Mondo non sono entusiasti di vederli nella veste d'invasori d'un paese primitivo. I loro amici musulmani, in particolare, tendono a simpatizzare con i ribelli. Ora, i russi ripetono fino alla nausea che i cosiddetti ribelli sono soltanto banditi, finanziati e armati dalla CIA. Sarebbero felicissimi di poterlo dimostrare catturando e processando un vero agente della CIA in carne e ossa. Nel quadro della politica globale, immagino che una cosa del genere potrebbe danneggiarci molto.»

«Che probabilità ci sono che i russi possano prendere il nostro uomo?»

«Non molte. Se non riescono a catturare Masud, perché dovrebbero riuscire a prendere un agente clandestino inviato a incontrarsi con lui?»

«Bene.» Winderman spense la sigaretta. «Voglio che quell'agente sia lei.»

Per Ellis fu un colpo a sorpresa. Avrebbe dovuto prevederlo, pensò; ma si era lasciato assorbire dal problema. «Non faccio più questo genere di cose» disse. Ma lo disse un po' a fatica. E intanto non riusciva a trattenersi dal pensare: Rivedrei Jane!

«Ho parlato per telefono con il suo capo» continuò Winderman. «È convinto che una missione in Afghanistan potrebbe indurla a tornare al lavoro sul campo.»

Dunque era così. La Casa Bianca voleva ottenere un risultato sensazionale in Afghanistan, e quindi aveva chiesto alla CIA un agente in prestito. La CIA voleva che Ellis riprendesse a lavorare sul campo, e quindi aveva suggerito alla Casa Bianca di proporgli la missione, perché sapeva o sospettava che per lui la prospettiva d'incontrarsi nuovamente con Jane sarebbe stata quasi irresistibile.

Ellis non sopportava di essere manovrato.

Ma voleva andare nella Valle dei Cinque Leoni.

Il silenzio si era protratto a lungo. Winderman chiese, impaziente: «Accetta?».

«Ci penserò» rispose Ellis.

Il padre di Ellis ruttò con discrezione, si scusò, e disse: «Ottimo».

Ellis respinse il piatto di torta di ciliege con la panna. Per la prima volta in vita sua doveva stare attento al peso. «È davvero squisita, mamma, ma non ce la faccio più» disse in tono di scusa.

«Nessuno mangia più come una volta» disse sua madre. Si alzò e incominciò a sparecchiare. «È così perché tutti si muovono soltanto in macchina.»

Il padre scostò la sedia. «Devo andare a dare un'occhiata ai conti.»

«Non hai ancora un ragioniere?» chiese Ellis.

«Nessuno può occuparsi dei tuoi quattrini meglio di te» disse suo padre. «Te ne accorgerai, se mai riuscirai a guadagnarne abbastanza.» E uscì per andare nello studio.

Ellis aiutò la madre a sparecchiare. La famiglia si era trasferita in quella casa a Tea Neck, nel New Jersey, quando lui aveva tredici anni; ma ricordava il trasloco come se fosse avvenuto il giorno prima. L'avevano atteso per anni, letteralmente. Era stato suo padre a costruire la casa, dapprima in proprio, e più tardi servendosi dei dipendenti della sua impresa edile; ma i lavori andavano avanti nei periodi di fiacca e si arrestavano quando gli affari andavano a gonfie vele. Al momento in cui erano andati a abitarci, non era del tutto ultimata: l'impianto del riscaldamento non funzionava, in cucina non c'erano armadietti, e niente era stato dipinto. Avevano avuto l'acqua l'indomani solo perché la madre di Ellis aveva minacciato di chiedere il divorzio. Comunque la casa era stata completata, e Ellis, i fratelli e le sorelle avevano avuto a disposizione tutto lo spazio che volevano. Adesso era più grande di quanto occorresse ai suoi genitori; ma sperava che l'avrebbero tenuta. L'atmosfera era così piacevole.

Quando ebbero caricato la lavastoviglie, Ellis disse: «Mamma, ricordi la valigia che lasciai qui al mio ritorno dall'Asia?».

«Certo. È nell'armadio a muro, nella camera da letto piccola.»

«Grazie. Vorrei andare a dare un'occhiata.»

«Vai pure. Qui posso finire da sola.»

Ellis salì le scale ed entrò nella piccola stanza che era in cima alla casa. Veniva utilizzata molto di rado, e intorno al letto a una piazza erano ammucchiate due sedie rotte, un vecchio divano, cinque o sei scatoloni pieni di libri per bambini e di giocattoli. Ellis aprì l'armadio a muro e tirò fuori una piccola valigia di plastica nera. La mise sul letto, girò la serratura a combinazione e alzò il coperchio. C'era un odore di stantio: la valigia non era stata aperta da un decennio. Dentro c'era ancora tutto: le medaglie, i due proiettili che gli avevano estratto, il Manuale dell'Esercito FM 5-31, intitolato *Come evitare trappole e trabocchetti*; una foto di Ellis in piedi accanto a un elicottero, il suo primo Huey... sorrideva e era giovane e anche magro, accidenti; un biglietto di Frankie Amalfi, "Al bastardo che mi ha rubato la gamba"... una battuta di spirito coraggiosa, perché Ellis aveva slacciato lo stivale di Frankie e l'aveva tirato delicatamente per sfilarglielo, e gli aveva portato via il piede e metà della gamba, tranciata al ginocchio dalla pala impazzita d'un rotore; e l'orologio di Jimmy Jones, fermo per sempre alle cinque e mezzo... «lo tenga lei, figliolo» aveva detto a Ellis il padre di Jimmy, con la voce impastata dall'alcol, «perché era suo amico, più di quanto lo sia mai stato io» e il diario.

Lo sfogliò. Gli bastava leggere poche parole per rievocare un giorno, una settimana, una battaglia. Il diario cominciava in toni ottimistici e allegri, con un senso d'avventura; e poco a poco diventava disincantato, cupo, amaro, disperato, venato di pensieri suicidi. Le frasi rabbiose riportavano alla sua mente certe scene indimenticabili: "Quei maledetti Arvin non hanno voluto scendere dall'elicottero; se ci tengono tanto a fuggire dal comunismo, perché non combattono?". E poi: "Il capitano Johnson è sempre stato uno stronzo, credo, ma che brutto modo di morire, ucciso dalla bomba a mano di uno dei suoi uomini". E più tardi: "Le donne nascondono i fucili sotto le gonne, i bambini le bombe a mano nelle camicie, e noi cosa cavolo dovremmo fare, arrenderci?". L'ultima annotazione diceva: "Quello che non va in questa guerra è che siamo dalla parte sbagliata. Noi siamo i cattivi. Ecco perché i giovani rifiutano di arruolarsi; ecco perché i vietnamiti non vogliono battersi: ecco perché uccidiamo donne e bambini; ecco perché i generali mentono ai politici, e i politici mentono ai giornalisti, e i giornali mentono al pubblico". Poi i suoi pensieri erano diventati troppo sediziosi per affidarli alla carta, e il suo senso di colpa era divenuto troppo grande per espiarlo a parole. Aveva pensato che avrebbe dovuto passare il resto della vita rimediando ai torti che aveva fatto in quella guerra. Dopo tanti anni, gli sembrava che fosse ancora così. Quando faceva la somma di tutti gli assassini che aveva mandato in galera da allora, i sequestratori e i dirottatori e i dinamitardi che aveva arrestato, non erano gran cosa in confronto alle tonnellate di esplosivo che aveva sganciato, alle migliaia di raffiche che aveva sparato in Vietnam, nel Laos e in Cambogia.

Era irrazionale, lo sapeva. L'aveva capito quando era tornato da Parigi e per molto tempo aveva pensato che il suo lavoro gli aveva rovinato la vita. Aveva deciso di smettere di tentare di riscattare i peccati dell'America. Ma questo... questo era diverso. Era una possibilità di combattere per i poveri diavoli, contro i generali bugiardi e i mediatori del potere e i giornalisti con i paraocchi; una possibilità non soltanto di combattere, non soltanto di dare un piccolo contributo, ma di modificare il corso d'una guerra, il destino d'un paese, di lottare in grande stile per la libertà.

E poi c'era Jane.

Era bastata la possibilità di rivederla per riaccendere la sua passione. Appena qualche giorno prima era stato capace di pensare a lei e ai pericoli che correva, e di scacciare dalla mente quel pensiero, di voltare la pagina della rivista. Adesso quasi non riusciva a smettere di pensare a Jane. Si chiedeva se aveva i capelli lunghi o corti, se era ingrassata o dimagrita, se era contenta di ciò che faceva, se gli afgani avevano simpatia per lei e soprattutto... se amava ancora Jean-Pierre. *Ascolta il mio consiglio* aveva detto Gill. *Prova a informarti come vanno le cose.* Forse Gill non aveva torto.

Da ultimo pensò a Petal. Ho tentato, si disse: ho fatto tutto il possibile, e non credo di essermi comportato troppo male... ma non c'è nulla da fare. Gill e Bernard le danno tutto ciò di cui ha bisogno. Non c'è posto per me nella sua vita. È felice senza di me.

Ellis chiuse il diario e lo ripose nella valigia. Poi tirò fuori un modesto astuccio da gioielliere. Dentro c'era un paio di orecchini d'oro, ognuno con una perla al centro. La donna cui li aveva destinati, una ragazza dagli occhi a mandorla e i seni minuti che gli aveva insegnato a dimenticare i tabù, era morta, uccisa da un soldato ubriaco in un bar di Saigon, prima che potesse regalarglieli. Non l'aveva amata: aveva provato per lei soltanto simpatia e gratitudine. Gli orecchini avrebbero dovuto essere un dono d'addio.

Prese un biglietto e una penna dal taschino. Rifletté per un momento, poi scrisse:

> Per Petal
> Sì, puoi farti forare le orecchie.
>   Con affetto, papà

6

Il fiume dei Cinque Leoni non era mai caldo, ma adesso sembrava un po' meno freddo, nell'aria balsamica della sera al termine di una giornata polverosa, quando le donne scendevano a fare il bagno nel tratto riservato a loro. Jane strinse i denti e s'immerse nell'acqua con le altre, sollevando il vestito centimetro per centimetro fino alla cintura, poi incominciò a lavarsi. Dopo una lunga pratica aveva imparato la strana arte delle afgane, che riuscivano a pulirsi dappertutto senza spogliarsi.

Quando ebbe finito uscì rabbrividendo dal fiume e si fermò vicino a Zahara che si stava lavando i capelli in una polla, tra molti spruzzi, e nello stesso tempo conversava animatamente. Zahara tuffò ancora una volta la testa nell'acqua, poi cercò l'asciugamani. Cercò a tentoni in una buca nella terra sabbiosa, ma l'asciugamani non c'era. «Dov'è il mio asciugamani?» gridò. «L'avevo messo in questo buco. Chi me l'ha rubato?»

Jane raccolse l'asciugamani che stava dietro al punto in cui si trovava Zahara, e glielo porse. «Eccolo. L'hai messo nel buco sbagliato.»

«Come disse la moglie del mullah!» gridò Zahara, e le altre proruppero in risate scroscianti.

Ormai le donne del villaggio accettavano Jane come una di loro. Le ultime vestigia di riserbo e di diffidenza si erano dileguate dopo la nascita di Chantal, che sembrò confermare che Jane era una donna come tutte. Le conversazioni in riva al fiume erano sorprendentemente libere, forse perché i figli restavano affidati alla cura delle sorelle maggiori e delle nonne, ma più probabilmente perché c'era Zahara. La sua voce sonora, i suoi occhi lampeggianti e la sua risata piena e gutturale dominavano la scena. Senza dubbio, lì era ancora più estroversa perché il resto della giornata era costretta a reprimere la sua vera personalità. Aveva un senso dell'umorismo piuttosto volgare che Jane non aveva mai riscontrato in nessun altro afgano, maschio o femmina, e i suoi commenti salaci e i doppi sensi spesso aprivano la strada a discussioni serie. A volte, quindi, Jane riusciva a trasformare l'occasione del bagno serale in un'improvvisata lezione sanitaria. L'argomento più comune era il controllo delle nascite, sebbene alle donne di Banda interessassero più i mezzi per procurare una gravidanza che per evitarla. Tuttavia, c'era un certo apprezzamento per l'idea che Jane cercava di propugnare: una donna poteva nutrire e curare meglio i figli se nascevano a due anni di distanza l'uno dall'altro, anziché ogni dodici o quindici mesi. Il giorno prima avevano parlato del ciclo mestruale, ed era emerso che le donne afgane erano convinte che il periodo fertile fosse immediatamente prima e immediatamente dopo. Jane aveva spiegato che andava dal dodicesimo al sedicesimo giorno, e le altre l'avevano apparentemente accettato; ma lei sospettava che non lo credessero e fossero troppo gentili per dirglielo in faccia.

Quel giorno c'era un senso d'eccitazione nell'aria. Doveva arrivare un convoglio dal Pakistan. Gli uomini avrebbero portato qualche piccolo oggetto di lusso, uno scialle, qualche arancia, qualche scatoletta di carne, oltre le armi, le munizioni, gli esplosivi per la guerra.

Il comandante del convoglio era Ahmed Gul, marito di Zahara e figlio di Rabia, la levatrice; e Zahara era visibilmente emozionata al pensiero di rivederlo. Quand'erano insieme erano come tutte le coppie afgane: lei taciturna e sottomessa, lui distrattamente imperioso. Ma Jane capiva, dal modo in cui si guardavano, che erano innamorati; e dal modo in cui parlava Zahara era evidente che il loro amore era intensamente fisico. Quel giorno era quasi fuori di sé per il desiderio e si asciugava i capelli con energia frenetica. Jane la capiva: a volte anche lei si era sentita così. Senza dubbio era diventata amica di Zahara perché si erano riconosciute tanto simili.

La pelle di Jane si asciugò quasi immediatamente nell'aria calda e polverosa. Era il culmine dell'estate, e ogni giorno era lungo, secco e rovente. Il bel tempo sarebbe durato ancora un mese o due, e poi, per il resto dell'anno sarebbe venuto il freddo.

Zahara era ancora interessata all'argomento delle discussioni del giorno prima. Smise per un momento di strofinarsi i capelli e disse: «Qualunque cosa dicano, il modo sicuro per restare incinta è farlo tutti i giorni».

Subito ci fu la conferma di Halima, la moglie di Mohammed Khan, una donna imbronciata, dagli occhi scurissimi. «E l'unico modo per non restare incinta è non farlo mai.» Aveva quattro figli, ma uno solo, Mousa, era un maschio; ed era rimasta molto delusa perché Jane non conosceva nessun sistema che aiutasse a mettere al mondo figli maschi.

Zahara disse: «E allora, che cosa dici a tuo marito, quando torna a casa dopo un viaggio di sei settimane con un convoglio?».

Jane disse: «Fai come la moglie del mullah, e lo metti nel buco sbagliato».

Zahara scoppiò in una risata fragorosa. Jane sorrise. Quella era una tecnica per il controllo delle nascite che non era stata inclusa nel rapido corso seguito a Parigi; ma era evidente che i metodi moderni non sarebbero arrivati ancora per molti anni nella Valle dei Cinque Leoni, e quindi sarebbe stato opportuno ricorrere ai mezzi tradizionali... magari con l'aiuto di un po' di educazione sessuale.

Poi cominciarono a parlare del raccolto. La valle era un mare di frumento dorato e d'orzo; ma in gran parte sarebbe rimasto a marcire nei campi, perché i giovani erano quasi sempre lontani, a combattere, e per i più anziani era faticoso e difficile mietere al chiaro di luna. Verso la fine dell'estate tutte le famiglie avrebbero accatastato i sacchi di farina e il denaro; e avrebbero pensato all'imminente scarsità di uova e di carne, e si sarebbero chieste quanto sarebbero costati nell'inverno il riso e lo yogurt; e alcuni di loro avrebbero preso i pochi oggetti di valore e si sarebbero messi in marcia attraverso le montagne per finire nei campi profughi del Pakistan, come aveva fatto il bottegaio e come milioni di altri afgani.

Jane temeva che i russi si proponessero di ottenere quell'evacuazione e che, incapaci di sconfiggere i guerriglieri, avrebbero cercato di distruggere le comunità dove vivevano, come avevano fatto gli americani nel Vietnam, bombardando a tappeto intere aree di campagne; allora la Valle dei Cinque Leoni sarebbe diventata un deserto disabitato, e Mohammed e Zahara e Rabia sarebbero andati a raggiungere gli ospiti senza patria dei campi profughi. I ribelli non avrebbero potuto resistere a un *blitzkrieg* senza esclusione di colpi, perché erano virtualmente privi di armi antiaeree.

Ma le donne afgane questo non lo sapevano. Non parlavano

mai della guerra, ma soltanto delle sue conseguenze. Sembrava che non provassero nulla per gli stranieri che avevano portato nella loro valle la morte improvvisa e una lenta carestia. Consideravano i russi come una forza della natura, come le intemperie: un bombardamento era come una gelata, un evento disastroso che non era colpa di nessuno.

Ormai si stava facendo buio. Le donne si avviarono alla spicciolata verso il villaggio. Jane era a fianco di Zahara e l'ascoltava distrattamente; e intanto pensava a Chantal. I suoi sentimenti per la bambina erano passati attraverso stadi diversi. Subito dopo il parto aveva provato euforia e sollievo, gioia e trionfo per aver messo al mondo una creaturina viva e perfetta. Poi era venuta la reazione, e si era sentita infelice. Non sapeva come prendersi cura di un neonato, e contrariamente a ciò che dicevano tutti, l'istinto non poteva guidarla. La bimba le aveva fatto paura ; non aveva provato slanci d'amore materno. Aveva avuto, invece, sogni e fantasie terribili, in cui la piccola moriva... cadeva nel fiume, o veniva uccisa da una bomba, o veniva portata via, la notte, dalle tigri delle nevi. Non aveva ancora confidato a Jean-Pierre quei pensieri, tuttavia, perché non voleva che la giudicasse pazza.

C'era stato qualche conflitto con la levatrice, Rabia Gul. Rabia diceva che le donne non dovevano allattare per i primi tre giorni, perché quello che usciva dal seno non era latte. Jane aveva concluso che era assurdo pensare che la natura potesse produrre qualcosa che fosse nocivo per i neonati, e aveva ignorato il parere della vecchia. E Rabia sosteneva che la bambina non doveva essere lavata per quaranta giorni, ma Jane faceva il bagno a Chantal quotidianamente, come si usava in Occidente. Poi Jane aveva sorpreso Rabia mentre dava a Chantal burro misto a zucchero, e lo porgeva alla piccola sulla punta del dito grinzoso; e allora si era irritata. Il giorno dopo Rabia era andata ad assistere a un altro parto, e aveva mandato una delle tante nipoti, la tredicenne Fara, a aiutare Jane. Le cose erano andate meglio. Fara non aveva idee preconcette circa le cure per i bambini, e faceva semplicemente quello che le veniva detto. Non voleva essere pagata: lavorava in cambio del vitto, che in casa di Jane era migliore, e del privilegio d'imparare tutto sul conto dei bambini, in preparazione alle sue nozze che probabilmente sarebbero avvenute entro un anno o due. Jane pensava che forse Rabia aveva deciso di addestrare

Fara perché diventasse levatrice: e in tal caso la ragazzina avrebbe acquistato prestigio perché aveva aiutato l'infermiera occidentale a badare alla sua bambina.

Ora che Rabia non c'era, Jean-Pierre si era imposto. Con Chantal era gentile e sicuro, e pieno d'affetto e di premure per Jane. Era stato lui a suggerire, con fermezza, di dare a Chantal latte di capra bollito quando si svegliava nel cuore della notte; e aveva improvvisato un poppatoio, per poter essere lui a alzarsi e far mangiare la bambina. Naturalmente Jane si svegliava sempre quando Chantal piangeva, e restava sveglia mentre Jean-Pierre le dava da mangiare; ma era molto meno faticoso e finalmente era riuscita a liberarsi dall'esaurimento tremendo che l'aveva tanto depressa.

E infine, sebbene fosse ancora ansiosa e incerta, aveva scoperto in se stessa una pazienza che non aveva mai posseduto prima: e benché non fosse la profonda conoscenza istintiva che aveva sperato, le permetteva di affrontare con calma le crisi quotidiane. Anche adesso, se ne accorgeva, era rimasta lontana da Chantal quasi un'ora senza preoccuparsi.

Le donne raggiunsero il gruppo di case che formavano il nucleo del villaggio e sparirono una a una dietro i muri d'argilla dei cortili. Jane scacciò una quantità di polli e spinse da parte una mucca sparuta per poter entrare in casa. Trovò Fara che cantava per Chantal, nella luce della lampada. La piccola era sveglia, a occhi sgranati, e sembrava affascinata dalla voce della ragazzina. Era una nenia dalle parole semplici e dalla complessa melodia orientale. È una bimba così graziosa, pensò Jane, con le guanciotte tonde e il naso minuto e gli occhi azzurrissimi.

Mandò Fara a preparare il tè. La ragazzina era tremendamente timida, e quando era arrivata aveva il terrore di lavorare per gli stranieri; ma si stava liberando a poco a poco dal nervosismo e la soggezione iniziale nei confronti di Jane si stava trasformando in una devozione adorante.

Pochi minuti dopo entrò Jean-Pierre. I calzoni ampi e la camicia erano sporchi e macchiati di sangue, e i lunghi capelli bruni e la barba scura erano incrostati di polvere. Aveva l'aria stanca. Era stato a Khenj, un villaggio a una cinquantina di chilometri, nella valle, per curare i superstiti di un bombardamento. Jane si alzò in punta di piedi per baciarlo. «Com'è andata?» domandò in francese.

«Male.» Jean-Pierre la strinse affettuosamente, poi andò a chinarsi su Chantal. «Ciao, piccola.» Le sorrise, e Chantal gorgogliò.

«Cos'è successo?» chiese Jane.

«C'era una famiglia che aveva la casa a una certa distanza dal villaggio, e così credevano che non avrebbero corso alcun pericolo.» Jean-Pierre scrollò le spalle. «Poi hanno portato alcuni guerriglieri, feriti in una scaramuccia più a sud. Perciò sono tornato tanto tardi.» Sedette su un mucchio di cuscini. «C'è un po' di tè?»

«È quasi pronto» disse Jane. «Che scaramuccia?»

Jean-Pierre chiuse gli occhi. «Come sempre. L'esercito è arrivato con gli elicotteri e ha occupato un villaggio, chissà per quale ragione. Gli abitanti sono fuggiti. Gli uomini si sono raggruppati, hanno chiamato rinforzi e hanno incominciato a sparare sui russi dalle pendici delle colline. Ci sono stati morti e feriti da entrambe le parti. Poi i guerriglieri sono rimasti senza munizioni e si sono ritirati.»

Jane annuì. Le dispiaceva per Jean-Pierre: era un compito così deprimente curare le vittime d'una battaglia inutile. A Banda non c'erano mai state scorrerie di quel genere, ma lei viveva nella paura incessante che succedesse... Aveva visioni d'incubo, si vedeva correre disperata, con Chantal stretta al petto, mentre gli elicotteri sfrecciavano nell'aria e i proiettili delle mitragliatrici si piantavano nel suolo polveroso ai suoi piedi.

Fara entrò per portare il tè verde, un po' del pane piatto che chiamavano *nan*, e un vaso di coccio pieno di burro fresco. Jane e Jean-Pierre incominciarono a mangiare. Il burro era una rarità. Di solito intingevano il *nan*, la sera, nello yogurt, nel caglio o nell'olio. A mezzogiorno mangiavano normalmente riso con una salsa che a volte conteneva un po' di carne. Una volta alla settimana c'era pollo o capretto. Jane, che mangiava ancora per due, si concedeva il lusso di un uovo al giorno. In quella stagione c'era una grande abbondanza di frutta fresca: albicocche, susine, mele e more di gelso. Jane aveva l'impressione che quella dieta la mantenesse in buona salute, anche se molti inglesi l'avrebbero considerata un'alimentazione da fame, e alcuni francesi l'avrebbero giudicata una ragione valida per suicidarsi. Sorrise al marito. «Ancora un po' di salsa *béarnaise* con la bistecca?»

«No, grazie.» Jean-Pierre porse la tazza. «Magari un altro goccio di Château Cheval Blanc.» Jane gli versò ancora un po' di tè, e lui finse di assaggiarlo come se fosse vino. «Quella del millenovecentosessantadue è un'annata sottovalutata, perché è venuta dopo quella indimenticabile del sessantuno, ma io ho sempre pensato che la sua relativa amabilità e il suo tocco impeccabile danno quasi lo stesso piacere della perfezione elegante che caratterizza il suo austero predecessore.»

Jane sorrise. Jean-Pierre incominciava a riprendersi.

Chantal pianse, e Jane provò subito una fitta al seno. Prese la piccola e incominciò a allattarla. Jean-Pierre continuò a mangiare. Jane gli disse: «Lascia un po' di burro per Fara».

«Va bene.» Jean-Pierre portò fuori gli avanzi della cena e tornò con una ciotola di more di gelso. Jane mangiò mentre Chantal succhiava. Poco dopo la bimba si addormentò; ma tra pochi minuti si sarebbe svegliata per poppare ancora.

Jean-Pierre spinse da parte la ciotola e disse: «Oggi ho sentito un'altra lamentela sul tuo conto».

«Da parte di chi?» chiese bruscamente Jane.

Jean-Pierre assunse un'espressione difensiva ma ostinata. «Mohammed Khan.»

«Ma non parlava per sé.»

«Forse no.»

«Che cosa ti ha detto?»

«Che insegni alle donne del villaggio i metodi per non concepire.»

Jane sospirò. L'irritava non soltanto la stupidità degli uomini del villaggio, ma anche l'atteggiamento accomodante di Jean-Pierre nei confronti delle loro proteste. Avrebbe voluto che la difendesse, anziché dare ascolto agli accusatori. «Naturalmente è stato Abdullah Karim a ispirarlo» disse. La moglie del mullah andava spesso al fiume e senza dubbio riferiva al marito tutto ciò che sentiva.

«Dovresti smetterla» disse Jean-Pierre.

«Smettere che cosa?» Jane notò il tono minaccioso della propria voce.

«Di insegnare come si evitano le gravidanze.»

Non era una descrizione obiettiva di ciò che Jane insegnava alle donne, ma non intendeva difendersi né scusarsi. «E perché dovrei smettere?» ribatté.

«Stai creando parecchie difficoltà» disse Jean-Pierre con

un'aria paziente che la esasperava. «Se offendiamo il mullah, potremmo essere costretti a lasciare l'Afghanistan. E c'è di peggio: questo darebbe una cattiva fama all'organizzazione "Médecins pour la Liberté", e i ribelli potrebbero rifiutare anche gli altri medici. Questa è una guerra santa, lo sai... e la salute spirituale è molto più importante di quella fisica. Potrebbero decidere di fare a meno di noi.»

C'erano altre organizzazioni che mandavano in Afghanistan giovani medici francesi; ma Jane non lo disse. Si limitò a rispondere seccamente: «È un rischio che dovremo correre».

«Davvero?» disse Jean-Pierre. Ormai era incollerito. «E perché dovremmo?»

«Perché c'è una sola cosa davvero importante che possiamo dare a costoro: l'informazione. Va benissimo fasciargli le ferite e somministrargli medicine per uccidere i germi, ma non avranno mai abbastanza chirurghi e abbastanza medicinali. Possiamo migliorare le loro condizioni in modo definitivo insegnando i principi dell'igiene, della cura della salute, della nutrizione. È meglio offendere Abdullah, piuttosto che smettere.»

«Comunque vorrei che non ti fossi inimicata quell'uomo.»

«Mi ha picchiata con un bastone!» gridò furiosamente Jane. Chantal cominciò a piangere e Jane s'impose di calmarsi. Cullò per un momento la bambina e l'allattò. Perché Jean-Pierre non capiva la vigliaccheria del suo atteggiamento? Come poteva lasciarsi intimorire dalla minaccia di essere espulso da quel paese dimenticato da Dio? Jane sospirò. Chantal distolse il visetto dal suo seno e borbottò insoddisfatta. Prima che la discussione potesse continuare sentirono le grida in lontananza.

Jean-Pierre aggrottò la fronte, rimase in ascolto per qualche istante, poi si alzò. Dal cortile giunse una voce d'uomo. Jean-Pierre prese uno scialle e lo drappeggiò sulle spalle di Jane. Lei lo strinse sul seno. Era un compromesso: secondo i criteri afgani non era una copertura sufficiente: ma si rifiutava di scappare a nascondersi come una cittadina di seconda categoria se un uomo entrava in casa sua mentre allattava sua figlia: e se qualcuno ci trovava da ridire, aveva dichiarato, avrebbe fatto meglio a non venire in cerca del dottore.

«Avanti!» gridò Jean-Pierre in dari.

Era Mohammed Khan. Jane provò l'impulso di dirgli in faccia quel che pensava di lui e degli altri uomini del villaggio, ma esitò quando vide la sua espressione tesa. Per una volta, lui non la guardò neppure. «Il convoglio è caduto in un'imboscata» disse senza preamboli. «Abbiamo perduto ventisette uomini e tutto il materiale.»

Jane chiuse gli occhi, addolorata. Aveva viaggiato con un convoglio come quello per arrivare alla Valle dei Cinque Leoni, e non poteva fare a meno d'immaginare l'imboscata: la fila degli uomini dalla pelle scura e dei cavalli ossuti, che si snodava irregolarmente lungo un sentiero sassoso sotto il chiaro di luna, in una valle stretta; il rombo delle pale di un elicottero in un crescendo improvviso; i bengala, le bombe a mano, il crepitio dei mitra; il panico, mentre gli uomini tentavano di mettersi al coperto sui brulli pendii; i colpi inutili sparati contro gli elicotteri invulnerabili; e poi le grida dei feriti e le urla dei morenti.

All'improvviso pensò a Zahara: suo marito era andato con il convoglio. «E... e Ahmed Gul?»

«È tornato.»

«Oh, grazie a Dio» mormorò Jane.

«Ma è ferito.»

«Chi è morto, di questo villaggio?»

«Nessuno. Banda ha avuto fortuna. Mio fratello Matullah è illeso, e anche Alishan Karim, il fratello del mullah. Ci sono altri tre superstiti di cui due sono feriti.»

Jean-Pierre disse: «Vengo subito». Passò nella stanza d'ingresso della casa, la stanza che un tempo era stata la bottega, e poi era diventata l'ambulatorio, e adesso era il magazzino dei medicinali.

Jane posò Chantal nella culla improvvisata che stava nell'angolo e si mise frettolosamente in ordine. Con ogni probabilità Jean-Pierre avrebbe avuto bisogno del suo aiuto, e in ogni caso Zahara avrebbe accettato quel po' di conforto che poteva darle.

Mohammed disse: «Non abbiamo quasi più munizioni».

Questo, a Jane non dispiaceva molto. La guerra la disgustava, e non avrebbe pianto se per un po' i ribelli fossero stati costretti a rinunciare a uccidere quei poveri disgraziati dei soldati russi, quei ragazzi di diciassette anni con tanta nostalgia di casa.

Mohammed continuò: «Abbiamo perduto quattro convogli in un anno. Tre soli sono riusciti a passare».

«E come fanno i russi a trovarli?» chiese Jane.

Jean-Pierre, che li ascoltava dall'altra stanza, rispose attraverso la porta aperta. «Devono aver intensificato la sorveglianza dei passi, con elicotteri a bassa quota... o forse si servono dei satelliti.»

Mohammed scrollò la testa. «Sono i pushtun che ci tradiscono.»

Sì, era possibile, pensò Jane. Nei villaggi che attraversavano, a volte i convogli erano considerati come calamite che attiravano le incursioni russe, e poteva darsi che gli abitanti di qualcuno di quei paesini si garantissero la salvezza riferendo ai russi dove si trovavano le carovane... anche se Jane non capiva in che modo avrebbero potuto far pervenire ai sovietici le informazioni utili.

Pensò a tutto ciò che aveva sperato di ricevere, grazie a quel convoglio. Aveva chiesto altri antibiotici, siringhe, garze e bende sterili. Jean-Pierre aveva compilato un lungo elenco di medicinali. L'organizzazione "Médecins pour la Liberté" aveva un incaricato a Peshawar, la città del Pakistan nord-occidentale dove i guerriglieri acquistavano le armi. Quell'uomo avrebbe potuto procurarsi sul posto una parte del materiale necessario; ma i medicinali aveva dovuto farli venire in aereo dall'Europa occidentale. Che spreco. Forse sarebbero passati mesi prima che ne arrivassero altri. Agli occhi di Jane, quella era una perdita molto più grave delle munizioni.

Jean-Pierre tornò, con la borsa. Uscirono tutti e tre in cortile. Era buio. Jane si soffermò un momento per dire a Fara che doveva cambiare Chantal, poi si affrettò a seguire i due uomini.

Li raggiunse quando erano vicini alla moschea. Non era un edificio sensazionale: non aveva i colori smaglianti e le decorazioni squisite riprodotti nei lussuosi volumi sull'arte islamica. Era una costruzione aperta ai lati, e col tetto di stuoie sostenuto da colonne di pietra: a Jane sembrava una pensilina alla fermata di un autobus, oppure la veranda di un palazzo coloniale in rovina. Un'arcata, al centro, conduceva in un cortile cintato. Gli abitanti del villaggio trattavano la moschea con scarsa reverenza. Ci andavano per pregare, ma la usavano anche come luogo di ritrovo, piazza del mercato, scuola e foresteria. Quella notte sarebbe servita come ospedale.

Le lampade a olio appese ai ganci delle colonne illuminavano la costruzione. Gli abitanti del villaggio erano affollati sulla sinistra dell'arcata. Erano più taciturni del solito; molte donne singhiozzavano sommessamente, e si sentivano le voci di due uomini, uno che faceva domande, l'altro che rispondeva. La folla si aprì per lasciar passare Jean-Pierre, Mohammed e Jane.

I sei superstiti dell'imboscata erano ammucchiati sul pavimento di terra battuta. I tre illesi stavano accosciati. Portavano ancora i berretti rotondi chitrali, ed erano sporchi, abbattuti, esausti. Jane riconobbe Matullah Khan, che sembrava una versione più giovane del fratello Mohammed; e Alishan Karim, più magro del mullah, ma con la stessa aria cattiva. Due dei feriti erano seduti a terra, con la schiena appoggiata al muro. Uno aveva una fasciatura sporca e insanguinata intorno alla fronte, l'altro teneva il braccio al collo. Jane non li conosceva; automaticamente, valutò l'entità delle loro ferite. A prima vista sembravano leggere.

Ahmed Gul, il terzo ferito, giaceva su una barella formata da due stecche di legno e una coperta. Aveva gli occhi chiusi, il colorito terreo. Sua moglie, Zahara, era accoccolata dietro di lui e gli teneva la testa sulle ginocchia, gli accarezzava i capelli e piangeva in silenzio. Jane non riusciva a scorgere le ferite, ma dovevano essere gravi.

Jean-Pierre chiese che gli portassero un tavolo, acqua calda e asciugamani, poi s'inginocchiò accanto a Ahmed. Dopo qualche secondo alzò gli occhi verso gli altri guerriglieri e chiese, in dari: «C'è stata un'esplosione?».

«Gli elicotteri avevano i razzi» rispose uno di quelli che erano rimasti incolumi. «E uno è esploso vicino a lui.»

Jean-Pierre si rivolse a Jane, in francese: «È ridotto male. È un miracolo che sia sopravvissuto finora».

Jane vide le macchie di sangue sul mento di Ahmed: aveva sputato sangue. Doveva avere qualche lesione interna.

Zahara guardò Jane con aria supplichevole. «Come sta?» chiese in dari.

«Mi dispiace, amica mia» disse Jane, con tutta la dolcezza di cui era capace. «È grave.»

Zahara annuì, rassegnata. L'aveva intuito, ma nel sentire quella conferma ricominciò a piangere.

Jean-Pierre disse a Jane: «Tu dai un'occhiata agli altri... Non posso perdere neppure un minuto».

Jane andò a occuparsi degli altri due. «La ferita alla testa è poco più d'un graffio» annunciò dopo un momento.

«Medicalo tu» disse Jean-Pierre. Stava facendo adagiare Ahmed sul tavolo.

Jane esaminò l'uomo con il braccio al collo. Era più grave: sembrava che un proiettile gli avesse fratturato un osso. «Deve far male» gli disse in dari. Il guerrigliero sorrise e annuì. Quegli uomini erano di ferro. «La pallottola ha fracassato l'osso» disse Jane al marito.

Jean-Pierre non staccò lo sguardo da Ahmed. «Somministragli un anestetico locale, pulisci la ferita, estrai le schegge, e mettigli una fascia. Più tardi sistemeremo la frattura.»

Jane incominciò a preparare l'iniezione. Quando Jean-Pierre avesse avuto bisogno del suo aiuto l'avrebbe chiamata. Quella sarebbe stata una notte molto lunga.

Ahmed morì pochi minuti dopo mezzanotte. Jean-Pierre avrebbe voluto piangere... non per la tristezza, dato che conosceva appena quell'uomo, ma per la frustrazione. Sapeva che avrebbe potuto salvarlo, se avesse avuto a disposizione un anestesista, l'elettricità e una sala operatoria.

Coprì il viso del morto e guardò la vedova, che era rimasta immobile per ore a guardare. «Mi dispiace» le disse. Zahara annuì. Per fortuna era calma. Qualche volta lo accusavano di non fare il possibile; sembravano convinti che potesse guarire qualunque male e qualunque ferita, e avrebbe voluto gridare loro in faccia *Non sono Dio*. Ma questa donna sembrava capire.

Si scostò dal cadavere. Era esausto. Per tutto il giorno aveva lavorato sui corpi straziati, ma quello era il primo paziente che aveva perduto. Quelli che erano rimasti a guardare, quasi tutti parenti del morto, si fecero avanti per andarsene. La vedova incominciò a gemere, e Jane la condusse via.

Jean-Pierre sentì una mano posarsi sulla sua spalla. Si voltò. Era Mohammed, il guerrigliero che organizzava i convogli. Vederlo gli fece provare una fitta di rimorso.

Mohammed disse: «È il volere di Allah».

Jean-Pierre annuì. Mohammed tirò fuori un pacchetto di sigarette pakistane e ne accese una. Jean-Pierre incominciò a raccogliere i ferri e li mise nella borsa. Senza guardare Mohammed, chiese: «Che cosa farai adesso?».

«Manderò immediatamente un altro convoglio» rispose Mohammed. «Abbiamo bisogno di munizioni.»

Jean-Pierre divenne improvvisamente attento, nonostante la stanchezza. «Vuoi vedere le carte topografiche?»

«Sì.»

Jean-Pierre chiuse la borsa. Insieme, i due uomini lasciarono la moschea. Le stelle illuminarono il loro cammino attraverso il villaggio, fino alla casa del bottegaio. Fara s'era addormentata nel soggiorno, su un tappeto accanto alla culla di Chantal. Si svegliò immediatamente e si alzò. «Puoi andare a casa» le disse Jean-Pierre, e la ragazzina se ne andò senza dir nulla.

Jean-Pierre posò la borsa sul pavimento, poi sollevò con delicatezza la culla e la portò in camera da letto. Chantal continuò a dormire fino a che lui posò la culla, poi incominciò a piangere. «Che cosa c'è?» le mormorò. Guardò l'orologio. Probabilmente voleva mangiare. «La mamma verrà presto» le disse. Non servì a nulla. La prese in braccio e la piccola si calmò. La portò di nuovo in soggiorno.

Mohammed era ancora lì, in piedi, a aspettarlo. Jean-Pierre disse: «Sai dove sono».

Mohammed annuì e aprì uno stipo di legno dipinto. Estrasse un grosso fascio di carte topografiche piegate, ne scelse alcune e le stese sul pavimento. Jean-Pierre continuò a cullare Chantal e a guardare oltre la spalla di Mohammed. «Dov'è avvenuta l'imboscata?» chiese.

Mohammed indicò il punto, presso la città di Jalalabad.

Le piste seguite dai convogli di Mohammed non apparivano su quelle carte né su altre. Tuttavia, le mappe di Jean-Pierre mostravano alcuni dei pianori, delle valli e dei corsi d'acqua stagionali dove le piste "potevano" esistere. A volte, Mohammed sapeva cosa c'era, a volte doveva tirare a indovinare, e discuteva con Jean-Pierre l'interpretazione esatta delle linee delle quote o le caratteristiche del terreno, come le morene.

Jean-Pierre suggerì: «Potreste passare più a nord, intorno a Jalalabad». Sopra la piana dove sorgeva la città c'era un meandro di valli simile a una ragnatela che si estendeva tra i fiumi Comar e Nuristan.

Mohammed accese un'altra sigaretta (fumava parecchio, come quasi tutti i guerriglieri), lanciò uno sbuffo di fumo e scosse la testa con fare dubbioso. «Ci sono state troppe imboscate in quella zona» disse. «Se non ci hanno già traditi, ci tradiranno presto. No. Il prossimo convoglio passerà a sud di Jalalabad.»

Jean-Pierre aggrottò la fronte. «Non mi sembra possibile. A

sud non c'è altro che terreno scoperto, fin dal Passo Khyber. Vi individuerebbero facilmente.»

«Non transiteremo dal Passo Khyber» disse Mohammed. Puntò l'indice sulla carta, seguendo verso sud il confine tra Afghanistan e Pakistan. «Varcheremo la frontiera a Teremengal.» L'indice mostrò la cittadina, poi tracciò un percorso fino alla Valle dei Cinque Leoni.

Jean-Pierre annuì, nascondendo la soddisfazione. «Mi sembra sensato. Quando partirà il nuovo convoglio?»

Mohammed incominciò a piegare le carte. «Dopodomani. Non abbiamo tempo da perdere.» Rimise le mappe nello stipo dipinto, poi si avviò alla porta.

Jane entrò in quel momento. Mohammed le augurò distrattamente la buonanotte. Jean-Pierre era lieto che il bel guerrigliero non fosse più affascinato da Jane, dopo la gravidanza. Secondo Jean-Pierre, Jane aveva troppe smanie sessuali, e sarebbe stata capace di lasciarsi sedurre; e una relazione con un afgano avrebbe causato guai a non finire.

La borsa era rimasta sul pavimento, e Jane si chinò per prenderla. Jean-Pierre si sentì mancare il cuore. Si affrettò a toglierla dalle mani della moglie che lo guardò un po' sorpresa. «La metto via io» le disse. «Tu pensa a Chantal. Ha fame.» Le porse la bambina.

Portò la borsa e una lampada nella stanza d'ingresso mentre Jane sedeva per allattare Chantal. Sul pavimento di terra battuta erano accatastati gli scatoloni di medicinali. Quelli già aperti erano allineati sui rozzi scaffali di legno della bottega. Jean-Pierre posò la borsa sul banco piastrellato d'azzurro e tirò fuori un oggetto di plastica nera che aveva le dimensioni e la forma d'un telefono portatile. Lo mise nella tasca dei calzoni.

Vuotò la borsa, mise da parte i ferri da sterilizzare e sistemò sui ripiani il materiale che non aveva usato.

Tornò in soggiorno. «Vado giù al fiume, a lavarmi» disse a Jane. «Non posso venire a letto così sporco.»

Jane gli rivolse il sorriso sognante che aveva spesso quando allattava. «Fai presto» disse.

Jean-Pierre uscì.

Il villaggio, finalmente, si stava addormentando. C'erano ancora le lampade accese, in qualche casa, e da una finestra giungeva il pianto disperato d'una donna, ma quasi tutte le abitazioni erano buie e silenziose. Quando passò davanti all'ultima casa del villaggio sentì una voce femminile levarsi in un acuto, lamentoso canto di lutto, e per un momento sentì il peso schiacciante delle morti che aveva causato. Ma subito scacciò quel pensiero.

Percorse un sentiero sassoso tra due campi d'orzo. Si guardava intorno di continuo e ascoltava con attenzione. Gli uomini del villaggio dovevano essere al lavoro. In un campo sentì il fruscio delle falci, e su una stretta terrazza vide due vecchi che strappavano le erbacce alla luce d'una lampada. Proseguì in silenzio.

Arrivato al fiume, attraversò il guado e prese il sentiero tortuoso che saliva la rupe dall'altra sponda. Sapeva di non correre pericoli, eppure si sentiva sempre più teso mentre risaliva l'erta nella luce fioca.

Dopo dieci minuti raggiunse il punto elevato che cercava. Estrasse la radio dalla tasca ed estese l'antenna telescopica. Era una piccola trasmittente, del tipo più moderno e perfezionato di cui disponesse il KGB; ma il terreno era così sfavorevole alle comunicazioni radio che i russi avevano dovuto montare un ripetitore apposito, su una collina appena all'interno della zona controllata da loro, perché captasse i suoi segnali e li inoltrasse.

Jean-Pierre premette il pulsante della chiamata. Parlò in inglese e in codice. «Qui Simplex. Rispondete, prego.»

Attese qualche istante, poi chiamò di nuovo.

Al terzo tentativo gli arrivò tra le scariche una risposta. La voce aveva un forte accento. «*Qui Butler. Parla, Simplex.*»

«La vostra festa è riuscita perfettamente.»

«*Ripeto: La festa è riuscita perfettamente*» disse la voce.

«Sono venuti in ventisette, e uno è arrivato più tardi.»

«*Ripeto: Sono venuti in ventisette, e uno è arrivato più tardi.*»

«Per preparare la prossima festa, ho bisogno di tre cammelli.» In codice voleva dire: Vediamoci fra tre giorni.

«*Ripeto: Ti occòrrono tre cammelli.*»

«Ci vediamo nella moschea.» Anche quella frase era in codice: "la moschea" era una località a parecchi chilometri di distanza, dove confluivano tre valli.

«*Ripeto: Nella moschea.*»

«Oggi è domenica.» Questa non era un'espressione in codice. Era una precauzione: c'era la possibilità che l'imbecille addetto alla ricezione non si fosse reso conto che era mezzanotte passata, e in quel caso il contatto di Jean-Pierre si sarebbe presentato all'appuntamento con un giorno d'anticipo.

«*Ripeto: Oggi è domenica.*»

«Passo e chiudo.»

Jean-Pierre fece rientrare l'antenna e rimise in tasca la radio.

Si spogliò in fretta. Prese uno spazzolino per le unghie e un sapone dalla tasca della camicia. Il sapone era una merce rara, ma lui era un medico e ne aveva diritto.

S'immerse adagio nel fiume dei Cinque Leoni, s'inginocchiò, si asperse d'acqua gelida. Si insaponò la pelle e i capelli, poi prese la spazzola e incominciò a pulirsi: le gambe, il ventre, il petto, la faccia, le braccia e le mani. Si lavò le mani con particolare impegno, insaponandole più volte. Inginocchiato nell'acqua bassa, nudo e tremante sotto le stelle, continuò a pulirsi come se non avesse più intenzione di smettere.

«Il bambino ha il morbillo, la gastroenterite e i vermi» disse Jean-Pierre. «E poi è sporco e denutrito.»

«Come tutti» commentò Jane.

Parlavano in francese, come facevano normalmente tra loro, e la madre del bambino girava lo sguardo dall'uno all'altra, chiedendosi cosa stessero dicendo. Jean-Pierre si accorse della sua ansia e le parlò in dari: «Tuo figlio guarirà».

Andò all'angolo opposto della grotta e aprì la cassa dei medicinali. Tutti i bambini portati all'ambulatorio venivano vaccinati automaticamente contro la tubercolosi. Mentre preparava il vaccino, osservò Jane con la coda dell'occhio. Stava somministrando al bambino piccoli sorsi di una bevanda per la reidratazione (un miscuglio di glucosio, sale, bicarbonato di sodio e cloruro di potassio sciolti in acqua depurata) e tra un sorso e l'altro gli lavava con delicatezza il viso sporco. Aveva movimenti svelti e eleganti, come quelli di un artigiano... un vasaio che modella la creta, forse, o un muratore che maneggia la cazzuola. Osservò le mani affusolate che toccavano il bambino in carezze leggere, rassicuranti. Quelle mani gli piacevano.

Si voltò quando prese la siringa, perché il piccolo paziente non la vedesse; poi la tenne nascosta nella manica e si girò di nuovo per attendere che Jane avesse finito. Le scrutò il viso mentre lei puliva la spalla destra del bambino e la strofinava con l'alcol. Era un viso malizioso dagli occhi grandi, il naso all'insù, e una bocca grande che sorrideva spesso. Ma adesso aveva un'espressione seria, e muoveva la mascella come se digrignasse i denti... era segno che si stava concentrando. Jean-Pierre conosceva bene tutte le sue espressioni, e nessuno dei suoi pensieri.

Si chiedeva spesso che cosa pensava, ma non osava chiederglielo, perché una conversazione del genere poteva sconfinare facilmente in un territorio proibito. Jean-Pierre doveva stare in guardia di continuo, come un marito infedele, per timore di tradirsi con una parola, con un'espressione del viso. Tutti gli argomenti come verità e menzogna, fiducia e tradimento, libertà e tirannia, erano tabù; e altrettanto lo erano anche quelli affini, come l'amore, la guerra e la politica. Jean-Pierre stava in guardia anche quando parlava delle cose più innocenti, e nel loro matrimonio c'era una strana assenza d'intimità. Far l'amore era inquietante. Si era accorto che non poteva arrivare all'orgasmo se non chiudeva gli occhi e fingeva d'essere altrove. Era un sollievo, per lui, non averlo dovuto fare in quelle ultime settimane, a causa della nascita di Chantal.

«Pronto?» disse Jane, e Jean-Pierre si accorse che gli sorrideva.

Prese il braccio del bambino e gli chiese in dari: «Quanti anni hai?».

«Sette.»

Mentre il piccolo rispondeva, lui piantò l'ago. Immediatamente il piccolo cominciò a strillare. Il suono della voce ricordò a Jean-Pierre quando lui aveva la stessa età e pedalava sulla sua prima bicicletta, e cadeva e gridava così, uno strillo di protesta per il dolore inaspettato. Fissò il viso stravolto del piccolo paziente, e ripensò a quanto aveva sofferto e quanto s'era sentito in collera, e si sorprese a chiedersi: Come ho fatto a arrivare fin qui?

Lasciò andare il bambino, che corse dalla madre. Contò trenta capsule di griseofulvina e le consegnò alla donna. «Dagliene una al giorno, fino a che le avrà prese tutte» le spiegò in dari. «Non darle a nessun altro. Servono tutte a lui.» Le capsule avrebbero eliminato i vermi. Il morbillo e la gastroenterite avrebbero esaurito il loro corso. «Tienilo a letto finché spariranno le macchie, e fallo bere molto.»

La donna annuì.

«Ha fratelli e sorelle?» chiese Jean-Pierre.

«Cinque fratelli e due sorelle» rispose la donna in tono d'orgoglio.

«Devi farlo dormire da solo, o si ammaleranno anche gli altri.» La donna lo fissò, dubbiosa. Probabilmente aveva un unico letto per tutti i figli. A questo, Jean-Pierre non poteva rimediare. Continuò: «Se non sta meglio quando saranno finite le compresse, riportalo da me». Ciò che occorreva soprattutto a quel bambino era qualcosa che Jean-Pierre e la madre non potevano dargli: un vitto sano e nutriente.

Il bambino magro e la madre fragile e stanca uscirono dalla grotta. Erano venuti da molto lontano, e la donna aveva portato il figlio in braccio per quasi tutto il cammino. Forse il bambino sarebbe morto comunque. Ma non di tubercolosi.

C'era ancora un paziente, il *malang*. Era una specie di "santone" locale. Mezzo pazzo e seminudo, si aggirava per la Valle dei Cinque Leoni da Comar, quaranta chilometri a monte di Banda, fino a Charikar, nella pianura controllata dai russi, cento chilometri a sud-ovest. Straparlava e aveva le visioni. Gli afgani erano convinti che i *malang* portassero fortuna, e non soltanto tolleravano il loro comportamento, ma davano loro cibo e bevande e indumenti.

Il *malang* entrò con uno straccio avvolto intorno ai fianchi e un berretto da ufficiale russo. Si strinse lo stomaco per mimare la sofferenza. Jean-Pierre prese da una boccetta qualche compressa di diamorfina e gliela diede. Il pazzo uscì correndo, stringendo nella mano le dosi d'eroina sintetica.

«Ormai deve essere assuefatto a quella roba» disse Jane, in tono di disapprovazione.

«Infatti» ammise Jean-Pierre.

«Perché gliela dai?»

«Ha l'ulcera. Che altro dovrei fare? Operarlo?»

«Il medico sei tu.»

Jean-Pierre incominciò a preparare la borsa. Il mattino dopo doveva essere all'"ambulatorio" di Cobak, a una decina di chilometri, oltre le montagne. E lungo il percorso aveva un appuntamento.

Il pianto del bambino aveva portato nella grotta un soffio dell'atmosfera del passato, come un odore di vecchi giocattoli, o una luce strana che costringe a stropicciarsi gli occhi. Jean-Pierre si sentiva vagamente disorientato. Vedeva continuamente i personaggi della sua infanzia, le facce che si sovrapponevano agli oggetti intorno a lui, come le scene d'un film che un proiettore male allineato orientasse sulle schiene degli spettatori anziché sullo schermo. Vedeva la sua prima maestra, Mademoiselle Médecin, con gli occhiali dalla montatura d'acciaio; Jacques Lafontaine che gli aveva fatto sanguinare il naso con un pugno perché l'aveva chiamato *con*; sua madre, magra e malvestita e sempre angosciata: e soprattutto suo padre, un uomo grande e grosso e rabbioso, al di là delle sbarre.

Cercò di concentrarsi sulle medicine e sul materiale che potevano servirgli a Coback. Riempì una borraccia d'acqua depurata, per berla durante la visita. Gli abitanti del villaggio avrebbero provveduto a dargli da mangiare.

Portò fuori le borse e le caricò sulla vecchia cavalla bizzosa che usava per quei viaggi. Era capace di camminare anche tutto il giorno, se doveva procedere in linea retta, ma non voleva saperne di girare agli angoli; per questo Jane l'aveva chiamata Maggie, come il primo ministro inglese Margaret Thatcher.

Jean-Pierre era pronto. Tornò nella grotta e baciò la bocca tumida di Jane. Mentre stava per uscire, entrò Fara con Chantal. La piccola piangeva. Jane si sbottonò la camicia e si attaccò Chantal al seno. Jean-Pierre toccò la guancia rosea della figlia e disse: «Bon appétit». E se ne andò.

Guidò Maggie giù per la montagna, fino al villaggio deserto, e si avviò verso sud-ovest, seguendo la riva del fiume. Camminava a passo svelto e instancabile sotto il sole rovente. C'era abituato.

Adesso, mentre abbandonava il ruolo di medico e pensava all'appuntamento, incominciava a sentirsi in ansia. Avrebbe trovato Anatoly? Forse era stato trattenuto. Forse era stato catturato. E aveva parlato? Aveva tradito Jean-Pierre, sotto le torture? Ci sarebbe stato un gruppo di guerriglieri, nel luogo stabilito per l'incontro, spietati e sadici e decisi a vendicarsi?

Nonostante la loro poesia e la loro religiosità, gli afgani erano barbari. Il loro sport nazionale era il *buzkashi*, un gioco sanguinoso e temerario. Al centro d'un campo si metteva la carcassa decapitata d'un vitello, e le due squadre di cavalieri si schieravano; poi, a un colpo di fucile, si lanciavano al galoppo verso la carcassa. Lo scopo del gioco consisteva nel prendere la carcassa, portarla fino a un determinato punto distante un miglio, e riportarla nel cerchio senza lasciarsela strappare dagli avversari. Quando il macabro trofeo veniva dilaniato, come accadeva spesso, toccava a un arbitro sentenziare qual era la squadra che aveva il pezzo più grosso. Jean-Pierre si era trovato a assistere a uno di quegli incontri, già in pieno svolgimento, quando l'inverno precedente era passato nei pressi del villaggio di Rokha, in fondo alla valle, e s'era soffermato a guardare per qualche minuto prima di accorgersi che non usavano un vitello ma un uomo, e che l'uomo era ancora vivo. Sopraffatto dalla nausea, aveva cercato di fermarli, ma qualcuno gli aveva detto che quell'uomo era un ufficiale russo, come se spiegasse tutto. I giocatori avevano continuato a ignorare Jean-Pierre, e non aveva potuto far nulla per attirare l'attenzione di cinquanta cavalieri eccitati e impegnati nella feroce partita. Non si era fermato a veder morire quell'uomo; ma forse avrebbe dovuto, perché l'immagine che gli era rimasta impressa nella mente e che riaffiorava ogni volta che si preoccupava di venire scoperto, era quella del russo impotente e sanguinante, smembrato vivo.

Il senso del passato aleggiava ancora intorno a lui, e mentre guardava le pareti di roccia color ocra del canalone rivedeva scene della sua infanzia alternate agli incubi della possibilità di essere catturato dai guerriglieri. Il suo primo ricordo era il processo, e l'indignazione per l'ingiustizia che aveva mandato in galera suo padre. Sapeva leggere a malapena, ma riusciva a riconoscere il nome di suo padre nei titoli dei giornali. Aveva quattro anni, e non sapeva che cosa significasse essere un eroe della Resistenza. Sapeva che suo padre era comunista, come gli amici, il prete e il ciabattino e l'ufficiale postale del paese; ma credeva che lo chiamassero Roland il Rosso per il colorito rubizzo. Quando suo padre era stato condannato per tradimento a cinque anni di carcere, avevano detto a Jean-Pierre che era a causa dello zio Abdul, un uomo spaventato, con la pelle scura, che era rimasto in casa loro per varie settimane e apparteneva all'FLN, ma Jean-Pierre non sapeva cosa fosse l'FLN e credeva che si riferissero all'elefante dello zoo. L'unica cosa che comprendeva chiaramente e che aveva sempre creduto era che i poliziotti erano malvagi, i giudici disonesti, e i giornali imbrogliavano la gente.

Con il passare degli anni aveva capito di più, aveva sofferto di più e la sua indignazione era ingigantita. Quando aveva incominciato a andare a scuola gli altri bambini dicevano che suo padre era un traditore. Lui rispondeva che invece suo padre aveva combattuto eroicamente e aveva rischiato la vita in guerra; ma non gli credevano. Jean-Pierre e la madre erano andati a vivere per qualche tempo in un altro villaggio, ma i vicini avevano scoperto come stavano le cose e avevano detto ai figli di non giocare con lui. Ma i momenti peggiori erano le visite al carcere. Suo padre era visibilmente cambiato, era diventato magro, pallido e malaticcio; ma era ancora più tremendo vederlo rinchiuso, insaccato in una squallida uniforme, spaventato, e sentire che chiamava "signore" ogni arrogante guardiano armato di sfollagente. Dopo un po', l'odore del carcere aveva cominciato a dare la nausea a Jean-Pierre. Vomitava appena ne varcava la soglia. E sua madre aveva smesso di portarlo con sé.

Solo quando suo padre era uscito Jean-Pierre aveva parlato a lungo con lui e finalmente aveva capito tutto, aveva capito che l'ingiustizia perpetrata era ancora più grande di quanto avesse immaginato. Dopo che i tedeschi avevano invaso la Francia i comunisti francesi, organizzati in cellule, avevano svolto un ruolo preminente nella Resistenza. Alla fine della guerra, suo padre aveva continuato a lottare contro la tirannia di destra. A quell'epoca l'Algeria era una colonia francese, e il suo popolo, oppresso e sfruttato, si batteva eroicamente per la libertà. I giovani francesi venivano arruolati e costretti a combattere contro gli algerini in una guerra crudele in cui le atrocità commesse dall'esercito ricordavano a molti l'opera dei nazisti. L'FLN, che per Jean-Pierre sarebbe stato sempre associato all'immagine del vecchio elefante d'uno zoo di provincia, era il Front de Libération Nationale del popolo algerino.

Il padre di Jean-Pierre era uno dei 121 personaggi che avevano firmato un appello per la libertà dell'Algeria. La Francia era in guerra, e l'appello era stato considerato sedizioso, perché poteva essere interpretato come un invito a disertare rivolto alle truppe francesi. Ma il padre di Jean-Pierre aveva fatto di più: aveva preso una valigia piena di denaro, frutto d'una colletta per l'FLN, e l'aveva portata in Svizzera per depositare quell'offerta in una banca; e aveva dato rifugio allo zio Abdul, che non era uno zio, ma un algerino ricercato dal DST, la polizia segreta.

Erano le stesse cose che aveva fatto durante la guerra contro i nazisti, aveva spiegato il padre a Jean-Pierre. Adesso continuava a combattere la stessa battaglia. I nemici non erano mai stati i tedeschi, come adesso non era il popolo francese: erano i capitalisti, i proprietari, i ricchi privilegiati, la classe dirigente, che avrebbero usato qualunque mezzo, anche il più abominevole, per proteggere i loro interessi. Erano così potenti che dominavano mezzo mondo: però c'era speranza per i poveri e gli oppressi, perché a Mosca governava il Popolo, e in tutto il resto del mondo la classe operaia guardava all'Unione Sovietica, aiuto, guida e ispirazione nella battaglia per la libertà.

Quando Jean-Pierre era cresciuto, quel quadro si era un po' offuscato e lui aveva scoperto che l'Unione Sovietica non era esattamente il paradiso dei lavoratori; ma ormai niente poteva cambiare l'idea profondamente radicata che il movimento comunista, agli ordini di Mosca, fosse l'unica speranza per i popoli oppressi del mondo, l'unico mezzo per annientare i giudici, la polizia e i giornali che avevano così brutalmente tradito suo padre.

Il padre era riuscito a passare la fiaccola al figlio. E poi aveva incominciato a declinare. Non aveva più riacquistato il colorito rubizzo. Non andava più alle dimostrazioni, non organizzava balli per raccogliere fondi, non scriveva lettere ai quotidiani locali. Aveva occupato una serie di modesti impieghi. Era iscritto al Partito, naturalmente, e al sindacato; ma aveva rinunciato a presiedere comitati, a tenere verbali, a preparare ordini del giorno. Giocava ancora a scacchi e beveva l'anisette con il prete e il ciabattino e l'ufficiale postale; ma le loro discussioni politiche, un tempo appassionate, adesso erano spente e opache, come se la rivoluzione per la quale avevano lavorato fosse stata rinviata a un tempo indeterminato. Pochi anni dopo, il padre di Jean-Pierre era morto. Soltanto allora Jean-Pierre aveva scoperto che si era ammalato di tubercolosi in carcere e non era mai guarito. Gli avevano tolto la libertà, avevano ucciso il suo spirito e gli avevano rovinato la salute. Ma la cosa più atroce che gli avevano fatto era stato bollarlo come traditore. Era un eroe che aveva rischiato la vita per i compagni, ma era morto sotto il peso d'una condanna per tradimento.

Oggi se ne pentirebbero, papà, se sapessero che mi sto vendicando, pensò Jean-Pierre mentre conduceva la cavalla ossuta su per le pendici di un monte dell'Afghanistan. Grazie alle informazioni che io ho fornito, qui i comunisti sono riusciti a strozzare le linee di rifornimento di Masud. L'inverno scorso non ha potuto accumulare armi e munizioni. Quest'estate, anziché sferrare attacchi contro la base aerea, e le centrali elettriche e i camion sulla strada principale, è costretto a difendersi dalle scorrerie delle forze governative nel suo territorio. Da solo, papà, sono quasi riuscito a distruggere questo barbaro che vuole riportare il suo paese al medioevo della ferocia, del sottosviluppo e della superstizione islamica.

Naturalmente, strozzare le linee dei rifornimenti di Masud non era abbastanza. Quell'uomo era già un personaggio di statura nazionale. E per giunta aveva l'intelligenza e la forza di carattere per passare dal ruolo di capo ribelle a quello di presidente legittimo. Era un Tito, un de Gaulle, un Mugabe. Non era sufficiente neutralizzarlo; doveva essere annientato, doveva cadere vivo o morto nelle mani dei russi.

La difficoltà stava nel fatto che Masud si muoveva in silenzio e rapidamente, come un cervo in una foresta che usciva all'improvviso dal sottobosco e poi spariva con la stessa subitaneità. Ma Jean-Pierre era paziente, e anche i russi lo erano: prima o poi sarebbe venuto il momento in cui Jean-Pierre avrebbe saputo con assoluta certezza dove si sarebbe trovato Masud nelle prossime ventiquattr'ore, magari perché era ferito, o perché contava di partecipare a un funerale. E allora Jean-Pierre avrebbe usato la sua radio per trasmettere uno speciale segnale in codice, e il falco avrebbe attaccato.

Avrebbe voluto poter dire a Jane ciò che stava realmente facendo. Sarebbe riuscito a convincerla che era giusto. Le avrebbe fatto notare che la loro attività medica era inutile, perché aiutare i ribelli serviva solo a perpetuare la miseria e l'ignoranza in cui viveva il popolo e a procrastinare il momento in cui l'Unione Sovietica sarebbe riuscita a afferrare quel paese per il collo e a trascinarlo, volente o nolente, nel ventesimo secolo. Jane l'avrebbe capito. Tuttavia, Jean-Pierre sapeva istintivamente che non gli avrebbe perdonato di averla ingannata. Si sarebbe indignata, anzi. Non era difficile immaginarla, implacabile, fiera, furiosa. Lo avrebbe abbandonato immediatamente, come aveva abbandonato Ellis Thaler. Si sarebbe esasperata ancora di più per essere stata ingannata da due uomini nello stesso modo.

E quindi, per il terrore di perderla, continuava a ingannarla. Era come un uomo paralizzato dalla paura sul ciglio di un precipizio.

Naturalmente Jane intuiva che qualcosa non andava; Jean-Pierre lo capiva dal modo in cui lo guardava in certi momenti. Ma lei pensava che fosse un problema dei loro rapporti, senza dubbio... non poteva immaginare che tutta l'esistenza di suo marito fosse una colossale finzione.

Una sicurezza assoluta non era possibile, ma Jean-Pierre prendeva tutte le precauzioni per non farsi scoprire da Jane o da altri. Quando usava la radio parlava in codice, non perché temesse d'essere ascoltato dai ribelli che non avevano radio, ma perché poteva darsi che l'ascoltasse l'esercito afgano, ed era così pieno di traditori da non avere segreti per Masud. La trasmittente era abbastanza piccola per essere nascosta nel doppio fondo della borsa, o nella tasca degli ampi calzoni afgani quando non portava la borsa con sé. Purtroppo era potente appena quanto bastava per brevissime conversazioni con l'avamposto russo più vicino, la base aerea di Bagram, a ottanta chilometri di distanza. Sarebbe stata necessaria una trasmissione molto prolungata per comunicare tutti i dettagli dei percorsi e dei tempi dei convogli, soprattutto in codice; e per questo ci sarebbero voluti una radio e una batteria molto più potenti. Jean-Pierre e Monsieur Leblond l'avevano escluso; e quindi ora Jean-Pierre doveva incontrarsi con il suo "contatto" per inoltrare le informazioni.

Giunse su una cresta e guardò giù. Era all'inizio d'una piccola valle. La pista che stava percorrendo scendeva in un'altra valle che tagliava trasversalmente la prima e e era attraversata da un tumultuoso torrente di montagna, scintillante nel sole pomeridiano. Dall'altra parte del torrente c'era una terza valle che saliva tra le montagne verso Cobak, la sua destinazione finale. Nel punto dove le tre valli s'incontravano, sulla riva più vicina del fiume, c'era una casupola di pietra. La zona era costellata di quelle costruzioni primitive. Probabilmente erano state costruite dai nomadi e dai mercanti per sostarvi durante la notte.

Incominciò a scendere la collina, conducendo Maggie per le briglie. Forse Anatoly era già arrivato. Jean-Pierre non conosceva il suo vero nome e il suo grado, ma presumeva che fosse del KGB e, in base a un commento che aveva fatto una volta a proposito dei generali, immaginava che fosse un colonnello. Comunque, non era un burocrate. Tra quel punto e Bagram c'erano ottanta chilometri di territorio montuoso, e Anatoly li percorreva a piedi, impiegando un giorno e mezzo. Era un russo orientale dagli zigomi alti e dalla pelle giallastra, e nel costume afgano poteva passare per un uzbeco, appartenente al gruppo etnico mongoloide dell'Afghanistan settentrionale. Questo spiegava perché parlava il dari in modo esitante... gli uzbechi avevano una loro lingua. Anatoly era un coraggioso: non parlava l'uzbeco, naturalmente, e quindi c'era il rischio che venisse smascherato. E anche lui sapeva che i guerriglieri giocavano a *buzkashi* con gli ufficiali russi catturati.

Per Jean-Pierre, quegli incontri erano un po' meno rischiosi. Il fatto che viaggiasse continuamente recandosi nei villaggi lontani per assistere i malati non era molto strano. Tuttavia, qualcuno si sarebbe insospettito se l'avesse visto incontrarsi casualmente con lo stesso vagabondo uzbeco per più di un paio di volte. E naturalmente, se un afgano che parlava francese, come lo parlavano tutti quelli più istruiti, avesse ascoltato per caso un colloquio tra il dottore e quell'uzbeco, Jean-Pierre avrebbe potuto solo augurarsi di morire in fretta.

I suoi sandali non facevano rumore sul sentiero, e gli zoccoli di Maggie affondavano silenziosamente nella terra polverosa; perciò quando si avvicinò alla casupola cominciò a fischiettare, nell'eventualità che là dentro non ci fosse Anatoly ma qualcun altro. Era meglio non cogliere di sorpresa gli afgani, che erano tutti armati e molto nervosi. Abbassò la testa e entrò. Rimase sorpreso nel vedere che la casupola era vuota. Sedette, appoggiò la schiena al muro di pietra e attese. Dopo qualche minuto chiuse gli occhi. Era stanco, ma troppo teso per dormire. Quello era l'aspetto peggiore della sua missione: la combinazione di paura e di noia che lo sopraffaceva durante quelle lunghe attese. Aveva imparato a accettare i ritardi, in quel paese dove gli orologi erano pressoché sconosciuti, ma non aveva mai acquistato la pazienza imperturbabile degli afgani. Non poteva fare a meno d'immaginare gli incidenti che potevano essere capitati a Anatoly. Sarebbe stata un'ironia, che Anatoly avesse calpestato una mina antiuomo russa e avesse perso un piede. Quelle mine, in realtà, causavano più danni al bestiame che agli esseri umani, ma non per questo erano meno efficienti: la perdita d'una vacca poteva uccidere una famiglia di afgani con la stessa certezza con cui l'avrebbe annientata una bomba sulla loro casa. Jean-Pierre non rideva più quando vedeva una mucca o una capra con una rudimentale gamba di legno.

Assorto nelle sue fantasticherie avvertì tuttavia una presenza; aprì gli occhi e scorse la faccia di Anatoly a pochi centimetri dalla sua.

«Avrei potuto derubarti» disse Anatoly. Parlava perfettamente il francese.

«Non dormivo.»

Anatoly sedette a gambe incrociate sul pavimento di terra. Era tozzo e muscoloso, e portava un'ampia camicia di cotone, calzoni larghi, un turbante, una sciarpa a quadretti e una coperta di lana marrone, chiamata *pattu*, intorno alle spalle. Lasciò cadere la sciarpa dal volto e sorrise, mettendo in mostra i denti ingialliti dal tabacco. «Come stai, amico mio?»

«Bene.»

«E tua moglie?»

C'era qualcosa di sinistro, nel modo in cui Anatoly chiedeva sempre notizie di Jane. I russi si erano opposti all'idea di portare Jane in Afghanistan; avevano sostenuto che avrebbe intralciato la sua attività. Jean-Pierre aveva ribattuto che avrebbe dovuto condurre con sé un'infermiera, dato che per l'organizzazione "Médecins pour la Liberté" quella era la prassi; e aveva aggiunto che con ogni probabilità sarebbe andato a letto con qualunque donna l'avesse accompagnato, a meno che fosse più orrenda di King Kong. Alla fine i russi si erano arresi, sia pure controvoglia. «Jane sta bene» disse. «Ha avuto una bambina sei settimane fa.»

«Congratulazioni!» Anatoly sembrava sinceramente compiaciuto. «Ma non è nata un po' in anticipo?»

«Sì. Per fortuna non ci sono state complicazioni. È stata la levatrice del villaggio a assisterla nel parto.»

«Non sei stato tu?»

«Non c'ero. Ero con te.»

«Mio Dio!» Anatoly sembrava inorridito. «Ti ho tenuto lontano da tua moglie in un giorno così importante...»

Jean-Pierre era compiaciuto di quella preoccupazione, ma non lo dimostrò. «Era impossibile prevederlo» disse. «E del resto ne valeva la pena. Avete colpito il convoglio che ti avevo segnalato.»

«Sì. Le tue informazioni sono preziose. Ancora congratulazioni.»

Jean-Pierre si sentì pervadere dall'orgoglio, ma si sforzò di mantenere un atteggiamento distaccato. «Sembra che il nostro sistema funzioni molto bene» disse modestamente.

Anatoly annuì. «Come hanno reagito all'imboscata?»

«Sono sempre più disperati.» Mentre parlava, Jean-Pierre pensò che un altro vantaggio degli incontri di persona con il suo contatto stava nel fatto che poteva fornirgli quel genere di informazioni e di impressioni che non erano abbastanza concrete per essere inviate in codice via radio. «Ormai sono a corto di munizioni.»

«E il prossimo convoglio... quando partirà?»

«È partito ieri.»

«Sono davvero alla disperazione. Bene.» Anatoly si frugò nella camicia e estrasse una carta topografica. L'aprì sul pavimento. Mostrava l'area della Valle dei Cinque Leoni e il confine pakistano.

Jean-Pierre si concentrò, per rammentare dettagli che aveva mandato a memoria mentre parlava con Mohammed, e indicò ad Anatoly il percorso che il convoglio avrebbe seguito quando fosse tornato dal Pakistan. Non sapeva con precisione quando sarebbero arrivati, perché neppure Mohammed poteva prevedere il tempo che avrebbe passato a Peshawar per acquistare il materiale necessario. Comunque, Anatoly aveva qualcuno a Peshawar, che gli avrebbe comunicato la partenza del convoglio della Valle dei Cinque Leoni, e non sarebbe stato difficile calcolare i tempi.

Anatoly non prese appunti. S'impresse nella memoria ogni parola di Jean-Pierre. Quando ebbero terminato, Anatoly ripeté le indicazioni, per esserne ben certo.

Poi il russo piegò la mappa e la rimise nella camicia. «E Masud?» chiese a voce bassa.

«Non l'abbiamo più visto dall'ultima volta che ho parlato con te» rispose Jean-Pierre. «Ho visto soltanto Mohammed... e lui non sa mai con precisione dove sia Masud e quando comparirà.»

«Masud è astuto come una volpe» esclamò Anatoly, con uno dei suoi rari scatti emotivi.

«Lo prenderemo» gli assicurò Jean-Pierre.

«Oh, sì. Lo prenderemo. Lui sa che la caccia è lanciata, quindi cerca di coprire le sue tracce. Ma i segugi conoscono il suo odore, e non potrà sfuggirci in eterno... siamo tanti, e forti, e infuriati.» All'improvviso Anatoly si accorse che stava rivelando i suoi sentimenti. Sorrise e ridivenne pratico. «Le pile» disse, estraendo un pacchetto dalla camicia.

Jean-Pierre prese la piccola ricetrasmittente dal doppio fondo della borsa, tolse le batterie quasi scariche e le sostituì con quelle nuove. Lo facevano a ogni incontro, per avere la certezza che Jean-Pierre non perdesse il contatto. Anatoly si portava le pile scariche fino a Bagram: erano di produzione russa e sarebbe stato troppo rischioso gettarle via nella Valle dei Cinque Leoni, dove non c'erano apparecchi elettrici.

Mentre Jean-Pierre riponeva la radio nella borsa, Anatoly disse: «Non hai un unguento per le vesciche? I miei piedi...». Poi all'improvviso s'interruppe, aggrottò la fronte e inclinò la testa per ascoltare meglio.

Jean-Pierre si tese. Finora, nessuno li aveva mai visti insieme. Era inevitabile che succedesse prima o poi, e lo sapevano. Perciò avevano deciso ciò che avrebbero fatto; si sarebbero comportati come due estranei che sostavano per riposare nello stesso luogo, e avrebbero ripreso il colloquio quando l'intruso se ne fosse andato. Se invece l'intruso avesse dato segno di volersi fermare a lungo si sarebbero avviati insieme, come se per caso dovessero andare nella stessa direzione. Si erano accordati per tutti i particolari: ma nonostante questo, Jean-Pierre aveva la sensazione che la sua espressione sarebbe bastata a tradirlo.

Dopo un istante udì un suono di passi, e un ansito. Poi un'ombra oscurò il vano della porta, ed entrò Jane.

«Jane!» esclamò.

Anche Anatoly balzò in piedi.

«Cos'è successo?» chiese Jean-Pierre. «Perché sei venuta qui?»

«Grazie a Dio, ti ho raggiunto» disse lei ansimando.

Con la coda dell'occhio Jean-Pierre vide che Anatoly si copriva il viso con la sciarpa e si girava dall'altra parte, come avrebbe fatto un afgano in presenza di una donna tanto sfacciata. Quel gesto aiutò Jean-Pierre a riprendersi dallo shock dell'apparizione di Jane. Si guardò rapidamente intorno. Per fortuna, Anatoly aveva messo via le carte topografiche da parecchi minuti. Ma la radio... la radio spuntava per un paio di centimetri dalla borsa. Jane non l'aveva vista... per ora.

«Siediti» le disse Jean-Pierre. «Riprendi fiato.» Sedette a sua volta e ne approfittò per spostare la borsa in modo che la radio sporgesse nella direzione opposta a quella in cui stava Jane. «Che cosa è successo?» chiese.

«Un problema medico che io non posso risolvere.»

La tensione di Jean-Pierre si attenuò un poco: aveva temuto che la moglie l'avesse seguito perché sospettava qualcosa. «Bevi un po' d'acqua» disse. Con una mano frugò nella borsa e con l'altra nascose la radio all'interno. Poi estrasse la borraccia e gliela porse. Il suo cuore stava rallentando un po' i battiti, e la presenza di spirito ritornava. Ormai l'evidenza incriminante era nascosta. Che altro poteva insospettire Jane? Era possibile che avesse sentito Anatoly parlare in francese... ma questo non era troppo insolito: se un afgano aveva una seconda lingua, spesso era proprio il francese, e un uzbeco poteva facilmente parlarlo meglio di quanto parlasse il dari. Che cosa stava dicendo Anatoly quando Jane s'era avvicinata? Sì, lo ricordava: gli aveva chiesto un unguento per le vesciche. Benissimo. Gli afgani chiedevano sempre qualche medicina, se incontravano un dottore, anche quando godevano di ottima salute.

Jane bevve attaccandosi alla borraccia, prima di parlare. «Pochi minuti dopo che te ne sei andato, hanno portato un ragazzo di diciotto anni con una brutta ferita alla coscia.» Bevve un altro sorso. Ignorava Anatoly, e Jean-Pierre ebbe la certezza che era così preoccupata da non averlo quasi notato. «È stato colpito nel combattimento presso Rokha, e il padre l'ha portato fino a Banda... ha impiegato due giorni. La ferita era ormai in cancrena quando sono arrivati. Gli ho somministrato una dose di penicillina per via intramuscolare, e poi ho pulito la ferita.»

«Hai fatto bene» disse Jean-Pierre.

«Dopo pochi minuti ha incominciato a sudare freddo ed è piombato in uno stato confusionale. Il polso era rapido, ma debole.»

«È diventato pallido e terreo, e ha difficoltà a respirare?»

«Sì.»

«E tu cos'hai fatto?»

«Ho cercato di lottare contro lo shock: l'ho messo con i piedi sollevati, l'ho avvolto in una coperta, gli ho fatto bere un po' di tè e sono venuta a cercarti.» Jane stava per piangere. «Il padre l'ha portato a spalle per due giorni... non posso lasciarlo morire.»

«Non è detto che muoia» rispose Jean-Pierre. «Lo shock allergico alle iniezioni di penicillina è una reazione rara ma ben nota. Il trattamento è un grammo di idrocortisone iniettato per via endovena e seguito da adrenalina per via sottocutanea alla dose di un milligrammo. Vuoi che torni indietro con te?» Lanciò un'occhiata ad Anatoly mentre faceva quella proposta, ma il russo non reagì.

Jane sospirò. «No» disse. «Ci sarà qualcun altro che sta morendo sull'altro versante della collina. Vai a Cobak.»

«Sei proprio sicura?»

«Sì.»

Un fiammifero lampeggiò. Anatoly accese una sigaretta. Jane lo guardò appena, poi si rivolse di nuovo al marito. «Un grammo di idrocortisone e un milligrammo di adrenalina.» Si alzò.

«Sì.» Jean-Pierre si alzò con lei, la baciò. «Sei sicura di farcela da sola?»

«Certo.»

«Allora vai subito.»

«Sì.»

«Vuoi prendere Maggie?»

Jane rifletté un attimo. «Non credo. Su quel sentiero si fa prima a piedi.»

«Come preferisci.»

«Ciao.»

«Ciao, Jane.»

Jean-Pierre la guardò uscire. Restò immobile per qualche istante. Non disse nulla. Anche Anatoly taceva. Dopo un po', Jean-Pierre si alzò, andò sulla soglia e guardò fuori. Scorse Jane, esile nel sottile abito di cotone, che risaliva la valle con passo deciso, a due o trecento metri di distanza. Era sola nel paesaggio scuro e polveroso. La seguì con lo sguardo fino a quando scomparve dietro un dosso.

Rientrò, sedette con la schiena appoggiata al muro. Scambiò un'occhiata con Anatoly. «Cristo onnipotente» disse. «C'è mancato poco.»

8

Il ragazzo morì.

Era morto da quasi un'ora quando Jane arrivò, accaldata, impolverata e sfinita. Il padre l'aspettava all'imboccatura della grotta. Era stordito e aveva un'aria di muto rimprovero. Jane comprese subito, dall'atteggiamento rassegnato e dall'espressione degli occhi, che tutto era finito. L'uomo non parlò. Jane entrò e guardò il ragazzo. Era troppo stanca per provare rabbia, ma era sopraffatta dalla delusione. Jean-Pierre era lontano e Zahara era chiusa nel suo dolore, e non aveva nessuno con cui confidarsi.

Pianse più tardi, mentre era sdraiata nel suo letto, sul tetto della casa del bottegaio e Chantal giaceva accanto a lei su un materassino e ogni tanto mormorava nel sonno, beatamente ignara della realtà. Pianse per il padre, non solo per il ragazzo morto. Come lei, si era sfinito per cercare di salvarlo. La sua tristezza doveva essere ancora più grande. Le lacrime di Jane velarono la vista delle stelle, prima che si addormentasse.

Sognò che Mohammed veniva nel suo letto e faceva l'amore con lei mentre tutti gli abitanti del villaggio stavano a guardare; e poi le diceva che Jean-Pierre aveva una relazione con Simone, la moglie di Raoul Clermont, il giornalista grasso, e che i due amanti s'incontravano a Cobak quando Jean-Pierre diceva di andare all'"ambulatorio".

Il giorno dopo, Jane si sentì tremendamente indolenzita per la lunga corsa fino alla casupola di pietra. Era stata una fortuna, pensava mentre sbrigava i soliti lavori, che Jean-Pierre si fosse fermato lì per riposare, perché così aveva potuto raggiungerlo. Era stato un sollievo vedere Maggie legata là fuori, e trovare Jean-Pierre in compagnia di quel buffo uzbeco. Tutti e due erano sobbalzati quand'era apparsa. Era stata una scena quasi comica. Era la prima volta che le capitava di vedere un afgano alzarsi in piedi quando entrava una donna.

Salì il pendio portando la cassetta dei medicinali e aprì l'ambulatorio nella grotta. Mentre si occupava dei soliti casi di denutrizione, malaria, ferite infette e parassiti intestinali, pensò alla tragedia del giorno prima. Non aveva mai sentito parlare di shock allergici. Senza dubbio le persone che dovevano somministrare dosi di penicillina venivano informate di quello che bisognava fare in un caso del genere; ma la sua preparazione era stata così affrettata da escludere molte, troppe nozioni. I dettagli medici, anzi, erano stati praticamente ignorati, perché tanto Jean-Pierre era un medico qualificato e avrebbe potuto spiegarle il da farsi.

Era stato un periodo di tensione, quando aveva seguito le lezioni, a volte insieme a infermiere diplomate, a volte sola, e aveva cercato di assimilare regole e procedure della medicina e dell'educazione sanitaria, e intanto si domandava che cosa l'attendeva in Afghanistan. Alcune di quelle lezioni erano state tutt'altro che rassicuranti. Il suo primo compito, le avevano detto, sarebbe stato scavarsi una latrina. Perché? Perché il sistema più rapido per migliorare le condizioni di salute degli abitanti dei paesi sottosviluppati consisteva nel farli smettere di usare come gabinetti i fiumi e i torrenti, e perciò bisognava dare l'esempio. La sua insegnante, Stéphanie, una quarantenne occhialuta in calzoni e sandali, aveva anche spiegato i rischi di prescrivere i medicinali con eccessiva generosità. Molte malattie e molte piccole lesioni potevano guarire senza medicine; ma i primitivi (e anche i meno primitivi) volevano sempre pillole e pozioni. Jane rammentava che il piccolo uzbeco, quando lei era arrivata, stava appunto chiedendo a Jean-Pierre un unguento per le vesciche. Doveva aver percorso a piedi enormi distanze per tutta la vita; eppure, quando gli era capitato d'incontrare un dottore, gli aveva detto che gli facevano male i piedi. Il pericolo di eccedere nelle prescrizioni, a parte lo spreco di medicinali, stava nel fatto che un rimedio somministrato per un malanno di poco conto poteva provocare l'assuefazione nel paziente, così che se si fosse ammalato in modo grave il trattamento non l'avrebbe guarito. Inoltre, Stéphanie aveva consigliato a Jane di cercare di collaborare con i guaritori tradizionali delle comunità, anziché opporsi a loro. E lei c'era riuscita con Rabia, la levatrice, ma non con Abdullah, il mullah.

Imparare la lingua era stata la cosa più facile. A Parigi, prima ancora che le venisse in mente di andare in Afghanistan, aveva studiato il farsi, la lingua dell'Iran, per perfezionarsi come interprete. Il farsi e il dari erano dialetti della stessa lingua. L'altro idioma importante, in Afghanistan, era il pashto, la lingua dei pushtun; ma il dari era la lingua dei tagichi, e la Valle dei Cinque Leoni era in territorio tagico. Gli afgani che viaggiavano molto, i nomadi, per esempio, di regola parlavano tanto il pashto quanto il dari. Se conoscevano una lingua europea, era quasi sempre l'inglese o il francese. L'uzbeco nella casupola stava parlando in francese con Jean-Pierre. Era la prima volta che Jane aveva sentito parlare il francese con l'accento uzbeco. Somigliava molto all'accento russo.

Durante il giorno, i suoi pensieri ritornarono continuamente all'uzbeco. Era un assillo. In certi momenti aveva la certezza che vi fosse qualcosa di molto importante che doveva sapere, ma non riusciva a ricordare cosa fosse. Forse c'era qualcosa di strano in quell'individuo.

A mezzogiorno chiuse l'ambulatorio, allattò Chantal e la cambiò, preparò riso in salsa di carne e lo divise con Fara. La ragazzina si era affezionata moltissimo a lei: faceva tutto il possibile per accontentarla, e la sera non avrebbe mai voluto tornarsene a casa. Jane si sforzava di trattarla da pari a pari, ma sembrava che questo servisse soltanto a intensificare la sua adorazione.

Nell'ora più calda della giornata, Jane lasciò Chantal e Fara e salì al suo rifugio segreto, il cornicione assolato nascosto da una sporgenza della montagna. Incominciò a eseguire gli esercizi per recuperare la linea. Mentre contraeva i muscoli pelvici aveva l'impressione di rivedere continuamente l'uzbeco che si alzava in piedi nella casupola di pietra, con un'espressione sbalordita sulla faccia orientale. E inspiegabilmente aveva la premonizione di una tragedia che stava per compiersi.

Quando si rese conto della verità, non fu il lampo di un'intuizione improvvisa. Fu piuttosto come una valanga, che incominciava con poco e ingigantiva inesorabilmente fino a travolgere ogni cosa.

Nessun afgano si sarebbe mai lagnato delle vesciche ai piedi, neppure per fingere, perché non le conoscevano; era inverosimile, come se un contadino del Gloucestershire avesse detto che soffriva di beri-beri. E nessun afgano, per quanto sbalordito, avrebbe reagito alzandosi all'entrata d'una donna. Se non era afgano, allora che cos'era? L'accento lo rivelava chiaramente, anche se poche persone l'avrebbero riconosciuto: soltanto perché aveva studiato lingue e parlava correntemente tanto il russo quanto il francese, lei aveva potuto rendersi conto che quell'uomo parlava francese con accento russo.

Quindi Jean-Pierre si era incontrato con un russo camuffato da uzbeco in una casupola di pietra, in una località deserta.

Era stato un caso? Certo, era possibile: ma ricordava la faccia di suo marito quando era entrata, e adesso riusciva a interpretare l'espressione che non aveva notato al momento: un'aria colpevole.

No, non era stato un incontro accidentale. Era un appuntamento. Forse non era neppure il primo. Jean-Pierre si recava di continuo nei villaggi lontani per visitare i pazienti negli "ambulatori"... anzi, era esageratamente scrupoloso quando si trattava di rispettare i programmi... un'insistenza assurda in un paese dove non esistevano i calendari e le rubriche degli impegni, ma assai meno assurda se doveva osservare un altro programma, una serie d'incontri segreti.

E perché si era incontrato con il russo? Anche questo era ovvio. Gli occhi di Jane si riempirono di lacrime quando capì che lo scopo non poteva essere altro che il tradimento. Jean-Pierre passava informazioni ai russi, naturalmente. Dava loro notizie sui convogli. Conosceva sempre i percorsi perché Mohammed li stabiliva consultando le sue carte topografiche. Conosceva anche i tempi approssimativi perché vedeva partire gli uomini da Banda e dagli altri villaggi della Valle dei Cinque Leoni. Trasmetteva quelle informazioni ai russi, ed era per questo che nell'ultimo anno i russi avevano fatto cadere tanti convogli nelle loro imboscate, era per questo che adesso nella valle c'erano tante vedove e tanti orfani.

Cosa c'è in me che non va? si chiese Jane in un improvviso slancio di autocommiserazione, mentre le lacrime riprendevano a scorrerle sulle guance. Prima Ellis, poi Jean-Pierre... perché mi metto con simili mascalzoni? Subisco, senza saperlo, il fascino dell'uomo misterioso? Forse è la sfida ad abbattere le sue difese? Possibile che io sia così pazza?

Ricordava quando Jean-Pierre aveva sostenuto che l'invasione sovietica dell'Afghanistan era giustificata. A un certo momento aveva cambiato idea, e lei aveva creduto di essere riuscita a convincerlo. Senza dubbio il voltafaccia era stato una finzione. Quando aveva deciso di venire in Afghanistan a spiare per conto dei russi, aveva adottato un atteggiamento antisovietico come parte della copertura.

Anche il suo amore era una finzione?

Era un interrogativo atroce. Jane si nascose la faccia fra le mani. Era quasi incredibile. Si era innamorata di lui, l'aveva sposato, aveva baciato la suocera dall'aria arcigna, si era abituata al suo modo di far l'amore, aveva sopportato il primo litigio, si era prodigata per fare in modo che il matrimonio riuscisse, gli aveva dato una figlia tra le sofferenze e le paure... Aveva fatto tutto questo per un'illusione, per un marito che s'infischiava di lei? Era come camminare e correre chilometri e chilometri per chiedere come doveva curare il ragazzo diciottenne, e poi ritornare e trovarlo già morto. No, era peggio. Era ciò che doveva aver provato quel padre che aveva trasportato sulla schiena il figlio per due giorni solo per vederlo morire.

Provò un senso di dolorosa tensione al seno. Doveva essere ora di allattare Chantal. Si rivestì, si asciugò il viso con la manica e risalì il pendio della montagna. Quando l'angoscia si smorzò un poco e le permise di riflettere più chiaramente, ebbe l'impressione di aver provato una vaga insoddisfazione da quando si era sposata. E adesso capiva. In un certo senso, aveva intuito l'inganno di Jean-Pierre. Quella barriera aveva impedito che tra loro si stabilisse una vera intimità.

Quando arrivò alla grotta, Chantal piangeva e Fara cercava di acquietarla cullandola. Jane prese la piccina e se l'attaccò al seno. Chantal incominciò a succhiare. Jane provò la fitta di disagio iniziale, come un crampo allo stomaco, e poi una sensazione piacevole, quasi erotica.

Voleva restare sola. Disse a Fara di andare a riposarsi nella grotta di sua madre.

Allattare Chantal la rasserenò. Il tradimento di Jean-Pierre incominciava a sembrarle meno catastrofico. Era sicura che l'amore per lei non fosse simulato. Che scopo avrebbe avuto? Perché avrebbe dovuto portarla lì? Non gli era utile per i suoi compiti di spionaggio. Doveva averlo fatto perché l'amava.

E se l'amava, tutti gli altri problemi si potevano risolvere. Lui doveva smettere di lavorare per i russi, naturalmente. Al momento non riusciva a vedersi mentre l'affrontava... gli avrebbe gridato "Ho scoperto tutto!", per esempio? No. Ma avrebbe trovato le parole, quando fosse stato necessario. E lui avrebbe dovuto riportarle entrambe in Europa.

In Europa. Quando si rese conto che avrebbero dovuto tornare a casa si sentì pervadere da un senso di sollievo. E questo era sorprendente. Se qualcuno le avesse domandato se le piaceva l'Afghanistan, avrebbe risposto che la sua attività era affascinante e meritevole e lei se la cavava piuttosto bene e ne era soddisfatta. Ma adesso che affiorava la prospettiva di ritornare alla civiltà, si sentiva crollare e doveva ammettere che quel paesaggio aspro, l'inverno terribile, la gente così estranea, i bombardamenti e la fiumana incessante di uomini e di ragazzi feriti e storpiati avevano messo a durissima prova i suoi nervi.

La verità, si disse, è che qui tutto è atroce.

Chantal smise di succhiare e si assopì. Jane la posò, la cambiò e la mise sul materassino, senza svegliarla. L'incrollabile serenità della piccina era una grande benedizione. Dormiva anche nelle situazioni più critiche: il chiasso e il movimento non la svegliavano, se era sazia e comoda. Ma era sensibile agli stati d'animo della madre, e spesso si svegliava quando Jane era irrequieta, anche se non c'era molto rumore.

Jane sedette a gambe incrociate sul materasso, guardò la bimba addormentata e pensò a Jean-Pierre. Avrebbe desiderato che fosse lì con lei, per potergli parlare subito. Era sorprendente che non si sentisse più indignata e scandalizzata per il fatto che vendeva i guerriglieri ai russi? Forse perché si era rassegnata all'idea che tutti gli uomini fossero bugiardi? Aveva finito per convincersi che le uniche persone innocenti in quella guerra erano le madri, le mogli e le figlie, da una parte e dall'altra? Diventare moglie e madre aveva cambiato la sua personalità al punto che un tradimento non la indignava più? Oppure, più semplicemente, amava Jean-Pierre? Non lo sapeva.

Comunque, era tempo di pensare al futuro, non al passato. Sarebbero tornati a Parigi, dove c'erano postini e librerie e acqua corrente? Chantal avrebbe avuto tanti bei vestitini, e una carrozzina, e pannolini usa-e-getta. Loro tre avrebbero vissuto in un appartamentino in un quartiere piacevole dove l'unico vero pericolo per la vita umana era rappresentato dai taxisti. Jane e Jean-Pierre avrebbero ricominciato daccapo, e questa volta avrebbero imparato a conoscersi veramente. Si sarebbero prodigati per migliorare il mondo con mezzi graduali e legittimi, senza intrighi e senza tradimenti. L'esperienza in Afghanistan li avrebbe aiutati a ottenere ottimi impieghi nel campo dello sviluppo del Terzo Mondo, magari presso l'Organizzazione Mondiale della Sanità. La vita matrimoniale sarebbe stata come la immaginava: loro tre sarebbero vissuti nell'agiatezza, nella sicurezza e nella felicità.

Entrò Fara. L'ora della siesta era finita. Salutò rispettosamente Jane, guardò Chantal e poi, quando la vide addormentata, sedette a gambe incrociate sul pavimento in attesa di istruzioni. Era la figlia del primogenito di Rabia, Ismael Gul, che adesso era lontano, con il convoglio...

Jane soffocò un'esclamazione. Fara la guardò con aria interrogativa. Jane fece un gesto con la mano, come per dire che non aveva importanza, e la ragazzina distolse gli occhi.

Suo padre è con il convoglio, pensò Jane.

Jean-Pierre aveva venduto quel convoglio ai russi. Il padre di Fara sarebbe morto nell'imboscata... a meno che Jane potesse far qualcosa per evitarlo. Ma cosa poteva fare? Si poteva mandare un corriere al Passo Khyber perché attendesse il convoglio e lo indirizzasse su un percorso diverso. Mohammed avrebbe potuto farlo. Ma Jane avrebbe dovuto rivelargli come mai sapeva che si stava preparando un'imboscata... e allora Mohammed avrebbe indubbiamente ucciso Jean-Pierre con le sue mani.

E se qualcuno deve morire, è meglio che sia Ismael anziché Jean-Pierre, pensò Jane.

Poi rammentò gli altri trenta e più uomini della valle che erano partiti con il convoglio. Dovranno morire tutti per salvare mio marito... Kahmir Khan dalla barba rada, il vecchio Shahazai Gul dalla faccia sfregiata, e Yussuf Gul che canta così bene, e Sher Kador, il giovane capraio, e Abdur Mohammed che non ha più gli incisivi, e Alì Ghanim che ha quattordici figli?

Doveva esserci un'altra soluzione.

Si accostò all'imboccatura della grotta e guardò fuori. La siesta era finita e i bambini erano riusciti a riprendere a giocare tra le rocce e gli arbusti spinosi. C'era Mousa, di nove anni, l'unico figlio maschio di Mohammed, più viziato e vezzeggiato che mai adesso che aveva una mano sola; e si pavoneggiava con il coltello nuovo che gli aveva regalato il padre. La madre di Fara stava salendo faticosamente la collina con una fascina in equilibrio sulla testa. C'era la moglie del mullah, che stava lavando la camicia di Abdullah. Jane non vide Mohammed e sua moglie Halima. Sapeva che lui era lì a Banda, perché l'aveva visto quella mattina. Doveva aver mangiato con la moglie e i figli nella loro grotta: molte famiglie avevano una caverna tutta per loro. Adesso doveva essere là, ma Jane esitava ad andare a cercarlo apertamente per non scandalizzare la comunità. Era necessaria la massima discrezione.

Che cosa dovrò dirgli? si chiese.

Pensò a un appello diretto: *Fallo per me, perché sono io che te lo chiedo*. Il sistema avrebbe funzionato con un occidentale innamorato di lei, ma sembrava che i musulmani non avessero una concezione romantica dell'amore... ciò che provava per lei era piuttosto un desiderio con una sfumatura di tenerezza. Certo, non lo metteva a sua disposizione, e non era neppure sicura che lo provasse ancora. Dunque? Mohammed non le doveva nulla. Jane non aveva mai curato né lui né sua moglie. Ma aveva curato Mousa... gli aveva salvato la vita. Per Mohammed, quello era un debito d'onore.

Fallo per me, perché ho salvato tuo figlio. Sì, poteva andare. Ma Mohammed avrebbe chiesto il perché.

Erano apparse altre donne che andavano a prendere l'acqua e spazzavano le grotte, badavano agli animali e preparavano da mangiare. Jane sapeva che tra poco avrebbe visto Mohammed.

Che cosa devo dirgli?

I russi conoscono il percorso del convoglio.

Come l'hanno scoperto?

Non lo so, Mohammed.

Allora, come mai sei tanto sicura?

Non posso dirtelo. Ho ascoltato per caso una conversazione. Ho ricevuto un messaggio dal servizio segreto britannico. È un'intuizione. L'ho letto nelle carte. Ho fatto un sogno.

Ecco: un sogno.

Lo vide. Mohammed uscì dalla grotta, alto e magnifico, vestito da viaggio: il berretto rotondo chitrali, come quello di Masud, come quello di quasi tutti i guerriglieri; il *pattu* color fango che serviva come mantello e asciugamani, coperta e camuffamento; e gli stivali di cuoio alti fino al polpaccio, sottratti a un militare russo ucciso. Attraversò la radura con il passo di chi ha molta strada da percorrere prima del tramonto. Si avviò sul sentiero che scendeva il fianco della montagna, verso il villaggio deserto.

Jane lo seguì con gli occhi fino a quando lo vide scomparire.

Ora o mai più, decise e si avviò. All'inizio camminò piano, con noncuranza, perché nessuno immaginasse che andava dietro a Mohammed; e poi, quando fu fuori di vista delle grotte, si mise a correre scivolando e inciampando lungo il sentiero polveroso, e si chiese quali danni potevano causare alle sue viscere tutte quelle corse. Quando scorse Mohammed, più avanti, lo chiamò. Lui si fermò, si voltò e l'attese.

«Dio sia con te, Mohammed Khan» disse Jane quando lo raggiunse.

«E con te, Jane Debout» rispose compitamente Mohammed.

Jane tacque, per riprendere fiato. Lui la guardava con un'aria di tolleranza divertita. «Come sta Mousa?» gli chiese.

«Sta bene ed è felice. Ora impara a usare la mano sinistra. Un giorno se ne servirà per uccidere i russi.»

Era una frase con un doppio senso scherzoso: la mano sinistra, secondo la tradizione, era riservata ai compiti "sporchi", la destra serviva per portarsi il cibo alla bocca. Jane sorrise per dimostrare che apprezzava la battuta di spirito, poi disse: «Sono contenta che abbiamo potuto salvargli la vita».

Se anche Mohammed giudicava poco corretto il fatto che glielo rammentasse, non lo dimostrò. «Sarò eternamente in debito con te» disse.

Era appunto quello che si aspettava Jane. «C'è una cosa che potresti fare per me.»

L'espressione di Mohammed era indecifrabile. «Se posso...»

Lei si guardò intorno, cercando un posto dove sedersi. Erano accanto a una casa bombardata. Le pietre e il terriccio della facciata si erano riversati sul sentiero, e all'interno erano rimasti solo un vaso incrinato e, assurdamente, una foto a colori d'una Cadillac, fissata a un muro con le puntine. Jane sedette sulle macerie e, dopo un attimo d'esitazione, Mohammed sedette al suo fianco.

«Sì, lo puoi» disse lei. «Ma ti causerà qualche piccolo fastidio.»

«Di che si tratta?»

«Forse lo giudicherai il capriccio d'una sciocca.»

«Forse.»

«E sarai tentato d'ingannarmi, accettando di fare ciò che ti chiedo e poi "dimenticandoti" di farlo veramente.»

«No.»

«Ti prego di essere sincero con me, sia che tu decida di accettare o di rifiutare.»

«Lo sarò.»

Basta così, pensò Jane. «Voglio che tu mandi un messaggero a raggiungere il convoglio con l'ordine di cambiare il percorso di ritorno.»

Mohammed sembrava sbalordito... con ogni probabilità si era aspettato una richiesta banale. «Ma perché?» chiese.

«Tu credi ai sogni, Mohammed Khan?»

Lui scrollò le spalle. «I sogni sono sogni» replicò evasivo.

Forse era un approccio sbagliato, pensò Jane. Forse sarebbe stata più convincente una visione. «Mentre ero sdraiata nella mia grotta, durante l'ora più calda, mi è parso di vedere un piccione bianco.»

Di colpo, Mohammed divenne più attento, e Jane comprese di aver fatto centro: gli afgani credevano che a volte nei piccioni vivessero degli spiriti.

Jane continuò: «Ma doveva essere un sogno, perché cercava di parlarmi».

«Ah!»

Ecco, Mohammed l'aveva interpretato come la prova che si era trattato d'una visione e non di un sogno, pensò Jane, e proseguì: «Non capivo ciò che diceva, per quanto mi sforzassi di ascoltare. Credo che parlasse in pashto».

Mohammed aveva sgranato gli occhi. «Un messaggero venuto dal territorio dei pushtun...»

«Poi ho visto Ismael Gul, il figlio di Rabia, il padre di Fara, ritto dietro il piccione.» Jane gli posò la mano sul braccio, lo guardò negli occhi e pensò: Potrei accenderti come una lampadina elettrica, sciocco vanitoso. «Aveva un coltello piantato nel cuore, e piangeva lacrime di sangue. Indicava l'impugnatura del coltello come se mi chiedesse di strapparlo dal suo petto. Il manico era incrostato di gemme.» E intanto si domandava: Dove ho pescato questi particolari? «Allora mi sono alzata e mi sono avvicinata a lui. Avevo paura, ma dovevo salvarlo. Poi, quando ho teso la mano per afferrare il coltello...»

«Che cos'è accaduto?»

«È scomparso. Mi sono svegliata, credo.»

Mohammed richiuse la bocca, ricuperò la sua padronanza e aggrottò la fronte come se meditasse un'interpretazione del sogno. Adesso, pensò Jane, è il momento di lusingarlo un po'.

«Forse sarà una sciocchezza» disse, adottando un'espressione ingenua di ragazzina pronta a affidarsi alla superiorità del giudizio maschile. «Ecco perché ti chiedo di farlo per me, per la persona che ha salvato la vita di tuo figlio: per trovare pace.»

Subito lui assunse un'aria altera. «Non è necessario invocare un debito d'onore.»

«Vuoi dire che lo farai?»

Mohammed rispose con una domanda: «Che gemme c'erano sull'impugnatura del coltello?».

Oh, mio Dio, pensò Jane, quale può essere la risposta giusta? Pensò di dire "smeraldi", ma erano associati alla Valle dei Cinque Leoni, e questo avrebbe potuto sottintendere che Ismael era stato ucciso da un traditore nella valle. «Rubini» disse.

Mohammed annuì. «Ismael non ti ha parlato?»

«Mi sembrava che tentasse, ma senza riuscirci.»

Lui annuì di nuovo e Jane pensò: Avanti, maledizione, deciditi! Finalmente Mohammed disse: «Il presagio è chiaro. Bisogna cambiare il percorso del convoglio».

Dio sia ringraziato, pensò Jane. «Per me è un grande sollievo» disse sinceramente. «Non sapevo che cosa fare. Ora posso stare certa che Ismael si salverà.» Si chiese che altro poteva fare per mettere Mohammed con le spalle al muro e impedirgli di cambiare idea. Non poteva farlo giurare. Forse avrebbe dovuto stringergli la mano. Finalmente decise di suggellare la promessa con un gesto ancora più antico: avvicinò il viso e lo baciò sulla bocca, in fretta ma dolcemente, senza dargli la possibilità di rifiutare o di ricambiare. «Grazie!» disse. «So che sei un uomo di parola.» Si alzò. Lasciò Mohammed lì seduto e un po' sorpreso, e tornò correndo verso le grotte.

Quando giunse sulla cresta del dosso si fermò e si voltò a guardare. Mohammed scendeva il pendio ed era già abbastanza lontano dalla casa bombardata. Teneva la testa alta e faceva oscillare le braccia. Quel bacio gli ha dato la carica, pensò Jane. Dovrei vergognarmi. Ho giocato sulle sue superstizioni, sulla sua vanità e sulla sua sessualità. Come femminista non avrei dovuto approfittare dei suoi preconcetti... la donna con una sensibilità metapsichica, la donna sottomessa, la donna civettuola. Ma il sistema ha funzionato. Ha funzionato!

Proseguì il cammino. Adesso avrebbe dovuto affrontare Jean-Pierre. Sarebbe tornato a casa all'imbrunire; doveva aver atteso fino a metà del pomeriggio, quando il sole era un po' meno caldo, prima di mettersi in marcia, come aveva fatto Mohammed. Sentiva che trattare con Jean-Pierre sarebbe stato più facile. Innanzi tutto a Jean-Pierre poteva dire la verità. E in secondo luogo, lui era in torto.

Arrivò alle grotte. Il piccolo accampamento era pieno d'animazione. Una formazione di reattori russi passò rombando nel cielo. Tutti smisero di lavorare per guardarli, sebbene fossero troppo in alto e troppo lontani per un bombardamento. Quando gli aerei sparirono, i bambini tesero le braccia come fossero ali e corsero di qua e di là imitando il rombo dei jet. Jane si chiese chi stessero bombardando nei loro voli immaginari.

Entrò nella grotta, andò a vedere Chantal, sorrise a Fara e prese il diario. Lei e Jean-Pierre vi facevano annotazioni quasi ogni giorno. Era soprattutto una documentazione medica, e l'avrebbero portato in Europa per metterlo a disposizione degli altri che sarebbero venuti in Afghanistan dopo di loro. Li avevano incoraggiati a documentare anche i sentimenti e i problemi personali, perché gli altri sapessero cosa aspettarsi; e Jane aveva descritto la gravidanza e la nascita di Chantal. Tuttavia si trattava di un resoconto molto censurato della sua vita emotiva.

Sedette appoggiandosi con la schiena alla parete della grotta e tenne il diario sulle ginocchia. Scrisse l'episodio del ragazzo diciottenne morto di shock allergico. Le dava un senso di tristezza, ma non di depressione... una reazione sana, si disse.

Poi aggiunse qualche breve dettaglio sui casi clinici della giornata e incominciò a sfogliare il volume a ritroso. Le annotazioni nella scrittura sottile e sbrigativa di Jean-Pierre erano molto laconiche: consistevano quasi esclusivamente di sintomi, diagnosi, cure e risultati. *Vermi*, c'era scritto, oppure *Malaria*; e poi *Guarito* o *Stazionario*, a volte *Morto*. Jane tendeva a scrivere frasi come *Stamattina si sente meglio* oppure *La madre ha la tubercolosi*. Rilesse le annotazioni sui primi tempi della sua gravidanza, i capezzoli doloranti, le cosce ingrossate, le nausee mattutine. La incuriosì vedere che quasi un anno prima aveva scritto *Abdullah mi fa paura*. Questo l'aveva dimenticato.

Ripose il diario. Per un paio d'ore aiutò Fara a pulire e riordinare la grotta che serviva come ambulatorio; poi venne l'ora di scendere al villaggio e di prepararsi per la notte. Mentre scendeva dalla montagna e più tardi, mentre si dava da fare nella casa del bottegaio, pensò al modo in cui avrebbe dovuto comportarsi quando avrebbe affrontato Jean-Pierre. Sapeva cosa doveva fare: gli avrebbe chiesto di accompagnarla per una passeggiata, pensava. Ma non sapeva esattamente cosa dirgli.

Non aveva ancora deciso quando lui arrivò, qualche minuto dopo. Gli tolse la polvere dal viso con un asciugamani bagnato e poi gli porse il tè in una tazza di porcellana. Sapeva che Jean-Pierre era piacevolmente stanco, ma non esausto; era in grado di percorrere distanze assai più lunghe. Gli sedette accanto mentre beveva il tè, e si sforzò di non guardarlo. E intanto pensava: *Mi hai mentito*. Quando lui si fu riposato, gli propose: «Usciamo. Come una volta».

Jean-Pierre era un po' sorpreso. «Dove vorresti andare?»

«Da qualche parte. Non ricordi l'estate scorsa, come uscivamo a goderci la serata?»

Lui sorrise. «Sì, lo ricordo.» Jane lo amava, quando sorrideva così. «Dobbiamo portare Chantal?» chiese Jean-Pierre.

«No.» Jane non voleva correre il rischio di distrarsi. «Può restare con Fara.»

«Bene» disse lui, un po' sconcertato.

Jane disse a Fara di preparare il pasto serale, pane, tè e yogurt, e poi uscì con Jean-Pierre. La luce stava svanendo, e l'aria era mite e fragrante. In estate quello era il momento più bello. Mentre attraversavano i campi per raggiungere il fiume, Jane ricordò i sentimenti che aveva provato su quello stesso sentiero, l'estate precedente: ansia, confusione, eccitazione, volontà di riuscire. Era fiera di aver saputo cavarsela bene, ma era lieta perché l'avventura stava per finire.

Incominciò a sentirsi tesa con l'avvicinarsi del momento del confronto, sebbene continuasse a ripetersi che non aveva nulla da nascondere, nulla di cui dovesse sentirsi in colpa, e nulla da temere. Attraversarono il fiume a guado in un punto dove dilagava, poco profondo, su un ripiano di roccia; e quindi salirono un ripido sentiero tortuoso che s'inerpicava dalla parte opposta. Quando giunsero in alto sedettero con le gambe a penzoloni nel vuoto. Trenta metri più sotto scorreva il fiume dei Cinque Leoni, che spumeggiava intorno ai macigni e tumultuava nelle rapide. Jane guardava nella valle. Il terreno coltivato era attraversato dai canaletti per l'irrigazione e dai muri di pietra delle terrazze. Il verde vivo e l'oro delle messi facevano somigliare i campi a schegge di vetro colorato d'un giocattolo rotto. Qua e là il paesaggio era deturpato dai danni dei bombardamenti: muri crollati, fossi ostruiti, crateri di fango tra il grano ondeggiante. Qua e là un berretto tondo o un turbante scuro indicavano che alcuni degli uomini erano già al lavoro per mietere mentre i russi parcheggiavano gli aerei a reazione e riponevano le bombe. Le teste avvolte nelle sciarpe e le figure più piccole rivelavano la presenza delle donne e dei ragazzini venuti a aiutare finché durava la luce. Dalla parte opposta della valle i terreni coltivati tentavano di arrampicarsi sulle balze più basse della montagna, ma presto si arrendevano alla roccia polverosa. Dal gruppo di case lontano sulla sinistra il fumo dei focolari saliva in linee che sembravano tracciate con la matita fino a che la brezza le scompigliava. La stessa brezza portava brani incomprensibili delle conversazioni fra le donne che erano scese a lavarsi oltre l'ansa, più a monte. Le voci erano spente, e non si sentiva più la risata felice di Zahara. Zahara era in lutto. E la colpa era di Jean-Pierre...

Quel pensiero diede a Jane il coraggio che cercava. «Voglio che mi porti a casa» disse all'improvviso.

In un primo momento lui la fraintese. «Siamo appena arrivati» ribatté, irritato. Poi la guardò e si rasserenò. «Oh» disse.

Nella sua voce c'era una nota di calma che a Jane sembrava malaugurante. Incominciò a pensare che forse non l'avrebbe spuntata senza una lotta. «Sì» disse con fermezza. «A casa.»

Jean-Pierre la cinse con un braccio. «A volte questo paese riesce a deprimere» disse. Non la guardava: guardava il fiume che tumultuava sotto di loro. «In questo momento tu sei particolarmente vulnerabile. È passato così poco tempo dal parto. Fra qualche settimana...»

«Smettila con questo tono di superiorità!» scattò Jane. Non gli avrebbe permesso di cavarsela con quelle sciocchezze. «Risparmia i modi da buon dottore per i tuoi pazienti.»

«D'accordo.» Jean-Pierre scostò il braccio. «Prima di venire qui, abbiamo deciso di restare per due anni. I turni brevi non sono efficaci, abbiamo detto, in considerazione del tempo e del denaro sprecati per l'addestramento, il viaggio, la fase di assuefazione. Noi eravamo decisi a ottenere risultati importanti, e perciò ci siamo impegnati per due anni...»

«Ma poi abbiamo avuto una figlia.»

«Non è stata un'idea mia!»

«Comunque ho cambiato idea.»

«Non hai il diritto di cambiare idea!»

«Non sei il mio padrone!» insorse lei, rabbiosamente.

«È fuori questione. Non se ne parla neppure.»

«Abbiamo appena incominciato a parlarne» disse Jane. Quell'atteggiamento la esasperava. Era diventata una discussione sui suoi diritti personali, e non voleva vincerla dicendogli in faccia che sapeva della sua attività di spia. Almeno per il momento. Voleva indurlo a ammettere che era libera di decidere. «Tu non hai nessun diritto di ignorarmi e di infischiartene dei miei desideri» insistette. «Voglio partire entro questa estate.»

«La risposta è no.»

Jane decise di provare a farlo ragionare. «Siamo qui da un anno. Abbiamo ottenuto risultati importanti. E abbiamo fatto considerevoli sacrifici, più del previsto. Non abbiamo fatto abbastanza?»

«Ci siamo impegnati per due anni» disse Jean-Pierre, ostinatamente.

«Ma l'abbiamo fatto molto, molto tempo fa, e era prima che nascesse Chantal.»

«Allora parti con lei, e lasciami qui.»

Per un momento Jane considerò quella possibilità. Viaggiare con un convoglio diretto nel Pakistan con una bambina così piccola era difficile e pericoloso. Senza un marito al fianco sarebbe stato un incubo. Ma non era impossibile. Tuttavia sarebbe stata costretta a lasciare Jean-Pierre. Lui avrebbe potuto continuare a tradire i convogli, e altri uomini della valle sarebbero morti. E c'era un'altra ragione per cui non poteva lasciarlo: sarebbe stata la fine del loro matrimonio. «No» disse. «Non posso partire da sola. Devi venire anche tu.»

«No» disse lui, rabbiosamente. «No!»

Ormai doveva dirgli in faccia ciò che sapeva. Trasse un profondo respiro. «Dovrai farlo» esordì.

«Non sono obbligato» l'interruppe lui. Le puntò contro l'indice, e Jane lo guardò negli occhi, e vi lesse qualcosa che le fece paura. «Non puoi costringermi. Non provarci neppure.»

«E invece posso...»

«Non te lo consiglio» disse Jean-Pierre, con una voce terribilmente fredda.

All'improvviso le appariva un estraneo, un uomo che non

conosceva. Per un momento rimase in silenzio a riflettere. Guardò un piccione che s'innalzava in volo dal villaggio e veniva verso di lei. Si posò sulla rupe, un po' al di sotto dei suoi piedi. Non conosco quest'uomo! pensò Jane, atterrita. Dopo un anno non so ancora chi è! «Mi ami?» gli chiese.

«Anche se ti amo, non significa che devo fare tutto quello che vuoi tu.»

«È un sì?»

Jean-Pierre la guardò, e lei sostenne il suo sguardo. A poco a poco, la luce di fanatismo si dileguò, e lui si rilassò. Finalmente sorrise. «È un sì» disse. Jane si tese verso di lui, e Jean-Pierre le passò di nuovo il braccio intorno alle spalle. «Sì, ti amo» le disse sottovoce. Le baciò i capelli.

Jane gli appoggiò la testa sul petto e guardò in basso. Il piccione volò via di nuovo. Era bianco, come quello della sua visione immaginaria. Si allontanò planando a ali spiegate verso l'altra riva del fiume. Jane pensò: Oh, Dio, e adesso cosa devo fare?

Fu il figlio di Mohammed, Mousa, adesso chiamato il Mancino, ad avvistare per primo il convoglio che ritornava. Si precipitò nella radura di fronte alle grotte e urlò a squarciagola: «Eccoli! Eccoli!». Nessuno aveva bisogno di chiedere a chi si riferiva.

Era metà mattina, e Jane e Jean-Pierre erano nella grotta che serviva da ambulatorio. Jane guardò il marito. Un'espressione di vaga perplessità gli passò sul viso. Si stava domandando perché i russi non avevano agito in base alla sua segnalazione e non avevano teso un agguato al convoglio. Jane gli voltò le spalle per nascondergli il suo trionfo. Aveva salvato la vita a quegli uomini! Quella sera Yussuf avrebbe cantato, e Sher Kador avrebbe contato le sue capre, e Alì Ghanim avrebbe baciato i suoi quattordici figli. Anche Yussuf era uno dei figli di Rabia: salvandolo, Jane aveva ripagato la vecchia levatrice che l'aveva aiutata a mettere al mondo Chantal. Tutte le madri e le figlie che altrimenti sarebbero state in lutto adesso potevano rallegrarsi.

Jane si chiese cosa doveva provare Jean-Pierre. Era irritato, frustrato, oppure deluso? Era difficile immaginare che qualcuno fosse deluso perché un gruppo di uomini non era stato sterminato. Gli lanciò un'occhiata di sfuggita, ma la faccia di

Jean-Pierre era impenetrabile. Vorrei tanto sapere che cosa ha in mente ora, pensò lei.

I pazienti se ne andarono nel giro di pochi minuti: tutti scendevano al villaggio per accogliere il convoglio. «Vogliamo andare anche noi?» chiese Jane.

«Vai tu» disse Jean-Pierre. «Finirò di sbrigare il lavoro quassù, poi verrò a raggiungerti.»

«Va bene» disse Jane. Evidentemente lui aveva bisogno d'un po' di tempo per ricomporsi, per fingere di essere soddisfatto del loro ritorno, quando li avrebbe incontrati.

Prese in braccio Chantal e si avviò per il sentiero scosceso verso il villaggio. Attraverso le suole sottili dei sandali sentiva il calore della roccia.

Non aveva ancora affrontato Jean-Pierre. Ma non poteva continuare così all'infinito. Prima o poi lui avrebbe scoperto che Mohammed aveva mandato un messaggero per far cambiare percorso al convoglio. E allora, naturalmente, avrebbe chiesto a Mohammed il motivo della decisione, e Mohammed gli avrebbe parlato della "visione" di Jane. Ma Jean-Pierre sapeva che Jane non credeva alle visioni...

Perché ho paura? si chiese. Non sono io la colpevole... è lui. Eppure ho la sensazione di dovermi vergognare del suo segreto. Avrei dovuto parlargliene immediatamente, la sera che siamo saliti sul dirupo. Ho tenuto dentro la verità per tanto tempo, e anch'io sono diventata un'ingannatrice. Forse è per questo. O forse è la strana espressione che a volte lui ha negli occhi...

Non aveva rinunciato alla decisione di tornare a casa; ma finora non aveva trovato un modo per convincerlo. Aveva escogitato una dozzina di piani bizzarri... un falso messaggio per annunciare che la madre di Jean-Pierre stava morendo, oppure avvelenargli lo yogurt con qualche cosa che provocasse i sintomi d'una malattia per costringerlo a tornare in Europa a curarsi. La più semplice delle sue idee, e la meno stravagante, era minacciare di rivelare a Mohammed che lui era una spia. Non l'avrebbe mai fatto, naturalmente, perché smascherarlo sarebbe equivalso a condannarlo a morte. Ma Jean-Pierre l'avrebbe creduta capace di mettere in atto la minaccia? Probabilmente no. Solo un uomo duro e spietato avrebbe potuto credere che fosse disposta a causare la morte del marito... e se Jean-Pierre era tanto spietato e tanto duro, allora avrebbe potuto ucciderla.

Rabbrividì, nonostante il caldo. Era grottesco pensare a simili possibilità. Quando due persone trovano tanto piacere l'una nel corpo dell'altra, pensò, come possono farsi del male?

Quando raggiunse il villaggio sentì i colpi di fucile sparati all'impazzata. Per gli afgani, quello era il modo di festeggiare. Si avviò alla moschea... tutto succedeva sempre nella moschea. Il convoglio era nel cortile: gli uomini, i cavalli e il carico erano circondati da donne che sorridevano, da bambini che strillavano di gioia. Jane si fermò ai margini della folla. Ne era valsa la pena, pensò. Era valsa la preoccupazione e la paura, era stato giusto servirsi di Mohammed in quel modo indecoroso pur di assistere a quella scena, pur di vedere gli uomini ritornati sani e salvi alle mogli e alle madri e ai figli.

Quanto accadde subito dopo fu, probabilmente, lo shock più grande della sua vita.

In mezzo alla folla, fra i berretti e i turbanti, spiccava una testa bionda e ricciuta. In un primo momento non la riconobbe, anche se aveva qualcosa di familiare che le toccava il cuore. Poi emerse dalla folla e Jane scorse, incorniciata da una barba bionda incredibilmente folta, la faccia di Ellis Thaler.

Si sentì mancare le ginocchia. Ellis? Lì? Era impossibile.

Le venne incontro. Indossava gli abiti di cotone tipici degli afgani, e aveva una coperta sporca sulle ampie spalle. La parte del viso ancora visibile al di sopra della barba era abbronzata e gli occhi celesti spiccavano ancora più del solito, come fiordalisi in un campo di grano maturo.

Jane non trovava le parole.

Ellis si fermò davanti a lei con aria solenne. «Ciao, Jane.»

In quell'attimo, Jane si rese conto che non l'odiava più. Un mese prima lo avrebbe maledetto perché l'aveva ingannata e aveva spiato i suoi amici. Ma ora la collera era svanita. Non avrebbe più provato simpatia per lui, ma avrebbe potuto sopportare la sua presenza. Ed era piacevole sentir parlare inglese per la prima volta dopo più di un anno.

«Ellis» disse con un filo di voce. «In nome del cielo, cosa ci fai qui?»

«La stessa cosa che sei venuta a fare tu».

Che cosa intendeva dire? Che era venuto a spiare? No, lui non sapeva che cos'era realmente Jean-Pierre.

Ellis notò la sua espressione confusa. «Voglio dire che sono qui per aiutare i ribelli.»

E avrebbe scoperto la verità su Jean-Pierre? All'improvviso, Jane ebbe paura per suo marito. Ellis poteva ucciderlo...

«Di chi è quel bambino?» chiese Ellis.

«È mia. E di Jean-Pierre. Si chiama Chantal.» Jane vide che all'improvviso appariva profondamente rattristato. Aveva sperato che lei fosse infelice con suo marito. Oh, Dio, credo che sia ancora innamorato di me, pensò. Cercò di cambiare argomento. «Ma come pensi di aiutare i ribelli?»

Lui mostrò la grossa borsa di tela kaki che sembrava un vecchio zaino militare. «Insegnerò loro come si fanno saltare strade e ponti» disse. «Quindi, come vedi, in questa guerra sono dalla tua parte.»

Ma non dalla parte di Jean-Pierre, pensò Jane. E adesso che cosa succederà? Gli afgani non avevano il minimo sospetto sul conto di Jean-Pierre, ma Ellis era un esperto in fatto d'inganni. Prima o poi avrebbe intuito come stavano le cose. «Resterai qui per molto?» gli chiese. Se si fosse trattato di un breve periodo, forse non avrebbe avuto il tempo d'insospettirsi.

«Per tutta l'estate» rispose Ellis, vagamente.

Forse non sarebbe entrato spesso in contatto con Jean-Pierre. «Dove starai?» gli chiese.

«In questo villaggio.»

«Oh.»

Ellis sentì il disappunto nella sua voce e fece un sorriso sforzato. «Immagino che non avrei dovuto aspettarmi che tu fossi contenta di vedermi...»

Jane stava riflettendo convulsamente. Se fosse riuscita a convincere Jean-Pierre a andarsene, lui non avrebbe corso altri pericoli. Adesso, all'improvviso, si sentiva in grado di affrontarlo. Perché? si chiese. Perché non ho più paura di lui. E perché non ho più paura di lui? Perché Ellis è qui.

Non me ne ero accorta, ma avevo paura di mio marito.

«Al contrario» disse a Ellis, e pensò: *Come riesco a mantenere la calma!* «Sono felice che tu sia qui.»

Vi fu un silenzio. Ellis, evidentemente, non sapeva come interpretare la reazione di Jane. Dopo un momento disse: «Ho una quantità di esplosivo e di altra roba, in questa borsa. È meglio che mi dia da fare».

Jane annuì. «Sta bene.»

Ellis si voltò e sparì fra la folla. Jane uscì a passo lento dal cortile. Si sentiva un po' frastornata. Ellis era lì, nella Valle dei Cinque Leoni, e sembrava ancora innamorato di lei.

Quando arrivò alla casa del bottegaio, Jean-Pierre stava uscendo. Si era fermato prima di andare alla moschea; probabilmente per posare la borsa. Jane non sapeva cosa dirgli. «Con il convoglio è arrivato qualcuno che conosci» esordì.

«Un europeo?»

«Sì.»

«E chi è?»

«Vai a vedere. Resterai sorpreso.»

Jean-Pierre se ne andò in fretta. Jane entrò. Cosa avrebbe fatto adesso suo marito? Naturalmente, avrebbe voluto avvertire i russi dell'arrivo di Ellis. E i russi avrebbero cercato di ucciderlo.

Quel pensiero l'infuriò. «Basta con tutti questi morti!» disse a voce alta. «Non lo permetterò!» La sua voce fece piangere Chantal. Jane la cullò per calmarla.

Che cosa devo fare? si chiese.

Devo impedirgli di mettersi in contatto con i russi.

Ma come?

Il suo contatto non può venire al villaggio. Quindi basta che io tenga qui Jean-Pierre.

Gli dirò: Devi promettermi che non lascerai il villaggio. Se rifiuterai, dirò a Ellis che sei una spia, e ci penserà lui a non farti allontanare.

E se Jean-Pierre facesse la promessa senza poi mantenerla?

Ecco, allora saprei che ha lasciato il villaggio, e saprei che è andato a incontrarsi con il suo contatto, e potrei mettere in guardia Ellis.

Jean-Pierre ha qualche altro modo per comunicare con i russi?

Deve avere un mezzo per contattarli in casi urgenti.

Ma qui non ci sono telefoni, né un servizio di corriere, e neppure piccioni viaggiatori...

Deve avere una radio.

Se ha una radio, allora non posso fermarlo.

Più ci pensava e più si convinceva che Jean-Pierre avesse una radio. Doveva fissare quegli appuntamenti clandestini. In teoria, poteva darsi che fossero stati programmati tutti prima ancora della partenza da Parigi, ma in pratica era quasi impossibile: cosa sarebbe accaduto quando doveva mancare a un appuntamento, o quando era in ritardo, o quando aveva bisogno di vedere d'urgenza il suo contatto?

Sicuramente ha una radio.

E se ha una radio, che cosa posso fare?

Posso portargliela via.

Jane mise Chantal nella culla e si guardò intorno. Andò nella stanza d'ingresso. Sul banco piastrellato, c'era la borsa di Jean-Pierre.

Era il nascondiglio più ovvio. Nessuno era autorizzato a aprire quella borsa, eccettuata Jane; e lei non aveva mai motivo di farlo.

Fece scattare il fermaglio e frugò, estraendo gli oggetti uno a uno.

La radio non c'era.

Non sarebbe stato molto facile trovarla.

Deve esserci, pensò Jane, e io devo trovarla assolutamente: altrimenti Ellis l'ucciderà, o lui ucciderà Ellis.

Decise di perquisire tutta la casa.

Frugò tra il materiale medico sugli scaffali, guardò in tutte le scatole e i pacchetti che erano stati aperti, in fretta, per timore che Jean-Pierre tornasse prima del previsto. Non trovò niente.

Andò in camera da letto. Frugò negli abiti del marito, fra le coperte per l'inverno che erano ammucchiate in un angolo. Niente. Muovendosi più in fretta andò in soggiorno, si guardò convulsamente in giro, cercando un possibile nascondiglio. Lo stipo delle carte topografiche! L'aprì. C'erano solo le mappe. Lo richiuse bruscamente, con un tonfo secco. Chantal si agitò ma non pianse, anche se era quasi l'ora della poppata. Sei una brava bambina, grazie a Dio, pensò Jane. Guardò dietro la credenza e sollevò il tappeto per vedere se c'era una buca nascosta nel pavimento.

Niente.

Doveva essere da qualche parte. Non era credibile che Jean-Pierre corresse il rischio di nasconderla fuori, perché c'era l'eventualità che venisse scoperta per caso.

Jane rientrò. Se fosse riuscita a trovare la radio, tutto sarebbe andato a posto... Jean-Pierre sarebbe stato costretto a cedere.

La borsa era davvero il nascondiglio più ovvio, perché la portava sempre con sé. Jane la sollevò. Era pesante. Tastò di nuovo l'interno. La base aveva uno spessore notevole.

All'improvviso, ebbe un'ispirazione.

La borsa poteva avere un doppio fondo.

Tastò la base. Dev'essere qui, pensò. Deve essere qui.

Spinse le dita ai lati della base e tirò.

Il doppio fondo si sollevò facilmente.

Jane guardò all'interno, con il cuore in gola.

Nello scomparto segreto c'era una scatoletta di plastica nera. La prese.

Ecco, pensò. Li chiama con questa radiolina.

Perché, allora, s'incontra con loro?

Forse ci sono cose che non può comunicare per radio nel timore che qualcuno stia in ascolto. Forse la radio serve solo per fissare gli appuntamenti e per i casi d'emergenza.

Per esempio, quando non può lasciare il villaggio.

Sentì aprirsi la porta sul retro. Terrorizzata, Jane lasciò cadere la radio sul pavimento e si voltò di scatto a guardare in soggiorno. Vide Fara che entrava con la scopa. «Oh, Cristo» disse a voce alta. Tornò a voltarsi, con il cuore in gola.

Doveva togliere di mezzo la radio prima che tornasse Jean-Pierre.

Ma come? Non poteva buttarla via... qualcuno l'avrebbe trovata.

Doveva distruggerla.

Con che cosa?

Non aveva un martello.

Una pietra, allora.

Jane attraversò correndo il soggiorno, uscì nel cortile. Il muro di cinta era di pietre grezze tenute insieme dalla calce sabbiosa. Tese le braccia e provò a smuoverne una, in alto. Sembrava ben salda. Tentò con un'altra, e un'altra ancora. La quarta sembrava fissata meno solidamente. Tirò. La pietra si smosse un po'. «Su, su!» gridò Jane. Tirò con forza. La superficie ruvida le spellò le mani. Diede uno strattone e la pietra si staccò. Jane balzò indietro e la vide cadere a terra. Aveva la grandezza d'una scatola di fagioli: sarebbe andata bene. L'afferrò con entrambe le mani e si precipitò in casa.

Andò nella stanza d'ingresso. Sollevò dal pavimento la radio di plastica nera e la posò sul banco piastrellato. Poi alzò la pietra sopra la testa e la batté sulla radio con tutte le sue forze.

L'involucro di plastica s'incrinò appena.

Doveva battere più forte.

Alzò di nuovo la pietra e sferrò un secondo colpo. L'involucro si spaccò, rivelando l'interno dell'apparecchio: Jane vide un circuito stampato, un altoparlante, due pile con la scritta in russo. Tolse le pile e le buttò sul pavimento, poi incominciò a fracassare il contenuto.

All'improvviso si sentì afferrare per le spalle, e la voce di Jean-Pierre gridò: «Cosa fai?».

Lei si dibatté, si liberò per un momento, e sferrò un altro colpo alla radiolina.

Jean-Pierre la riafferrò per le spalle e la scagliò lontana. Jane barcollò, cadde a terra malamente, storcendosi un polso.

Jean-Pierre fissava la radio. «È rovinata!» disse. «Non si può riparare!» Afferrò Jane per la camicia, la rimise in piedi di peso. «Non sai quello che hai fatto!» urlò. C'erano disperazione e furore nei suoi occhi.

«Lasciami!» gridò Jane. Non aveva il diritto di trattarla così quando era stato lui a mentirle. «Come ti permetti di mettermi le mani addosso?»

«Come mi permetto?» Jean-Pierre la lasciò, alzò il braccio e le sferrò un pugno all'addome. Per una frazione di secondo, Jane restò paralizzata dallo shock. Poi venne il dolore, nel grembo che risentiva ancora del parto. Jane gridò e si piegò, stringendosi il ventre con le mani.

Aveva chiuso gli occhi. Non vide arrivare il secondo pugno.

Il colpo la centrò alla bocca. Jane urlò. Non riusciva a credere che Jean-Pierre potesse comportarsi così. Aprì gli occhi e lo guardò, atterrita dalla possibilità che la picchiasse ancora.

«Come mi permetto?» urlò Jean-Pierre. «Come mi permetto?»

Lei cadde in ginocchio sul pavimento e incominciò a singhiozzare per lo shock, il dolore e l'angoscia. La bocca le doleva così tanto che quasi non riusciva a parlare. «Non picchiarmi, ti prego» balbettò. «Non picchiarmi più.» Alzò una mano per ripararsi la faccia.

Jean-Pierre s'inginocchiò, le scostò la mano. «Da quanto tempo lo sai?» sibilò.

Jane si passò la lingua sulle labbra. Si stavano già gonfiando. Tentò di pulirle con la manica che si macchiò di sangue. «Da quando ti ho visto nella capanna... mentre andavi a Cobak!»

«Ma non hai visto niente!»

«Quell'uomo parlava con l'accento russo e diceva di avere le vesciche ai piedi. Allora ho capito.»

Vi fu un silenzio. «Perché proprio adesso?» chiese lui. «Perché non hai rotto prima la radio?»

«Non ne avevo il coraggio.»

«E adesso?»

«Adesso c'è Ellis.»

«E allora?»

Jane chiamò a raccolta quel po' di forza d'animo che le era rimasta. «Se non smetterai... mi spiace... lo dirò a Ellis, e lui ti fermerà.»

Jean-Pierre l'afferrò per la gola. «E se ti strozzassi, carogna?»

«Se mi succedesse qualcosa... Ellis vorrebbe saperne la ragione. È ancora innamorato di me.»

Lo fissò. I suoi occhi bruciavano di odio. «Ora non lo prenderò mai!» disse Jean-Pierre. Jane si chiese a chi si riferiva. A Ellis? No. A Masud? Possibile che lo scopo supremo di Jean-Pierre fosse uccidere Masud? Le teneva ancora le mani intorno alla gola. Jane sentì la stretta farsi più forte. Lo fissò, impaurita.

Poi Chantal cominciò a piangere.

L'espressione di Jean-Pierre cambiò drammaticamente. L'ostilità scomparve dai suoi occhi, la maschera di collera si dissolse. Con immenso stupore di Jane, si nascose la faccia tra le mani e pianse.

Lei lo guardava incredula, sopraffatta da un'improvvisa pietà. Non essere così idiota, quel bastardo ti ha picchiata. Ma nonostante tutto era commossa da quelle lacrime. «Non piangere» mormorò dolcemente sfiorandogli la guancia.

«Perdonami» disse lui. «Perdonami per quello che ti ho fatto. La missione della mia vita... tutto per niente.»

Con un senso di sbalordimento e di disprezzo per se stessa, Jane si accorse che non era più in collera con lui, nonostante le labbra tumefatte e il dolore al ventre. Cedette al sentimento e lo abbracciò battendogli una mano sulla spalla, come se consolasse un bambino.

«E tutto a causa dell'accento di Anatoly» balbettò Jean-Pierre. «Solo per questo.»

«Dimentica Anatoly. Lasceremo l'Afghanistan e torneremo in Europa. Partiremo con il primo convoglio.»

Jean-Pierre alzò la testa, la guardò. «Quando torneremo a Parigi...»

«Sì?»

«Quando saremo a casa... voglio che restiamo insieme. Puoi perdonarmi? Ti amo... davvero, ti ho sempre amata. E siamo sposati. E c'è Chantal. Ti prego, Jane, ti prego, non mi lasciare. Ti prego.»

Stranamente, lei non esitò. Era l'uomo che amava, suo marito, il padre di sua figlia, ed era nei guai e chiedeva aiuto. «Non andrò da nessuna parte» rispose.

«Prometti» disse lui. «Prometti che non mi lascerai.»

Jane gli sorrise con la bocca sanguinante. «Ti amo» disse. «Prometto che non ti lascerò.»

9

Ellis era spazientito, esasperato e furioso. Era spazientito perché era nella Valle dei Cinque Leoni da sette giorni e ancora non aveva visto Masud. Era esasperato perché per lui era un tormento quotidiano vedere Jane e Jean-Pierre che vivevano e lavoravano insieme e avevano in comune la gioia della bambina. Ed era furioso perché la responsabilità era esclusivamente sua, se si trovava in quella infelice situazione.

Gli avevano detto che quel giorno avrebbe incontrato Masud, ma finora il capo guerrigliero non era comparso. Ellis aveva camminato tutto il giorno precedente per arrivare fin lì, all'estremità sud-occidentale della Valle dei Cinque Leoni, in territorio russo. Aveva lasciato Banda in compagnia di tre guerriglieri, Alì Ghanim, Matullah Khan e Yussuf Gul... ma a ogni villaggio se ne erano aggiunti altri due o tre, e adesso erano trenta in tutto. Stavano seduti in cerchio sotto un fico in cima a un colle, mangiavano fichi e aspettavano.

Ai piedi della collina incominciava una grande valle piuttosto piatta che si estendeva verso sud... fino a Kabul, anche se la capitale era lontana ottanta chilometri e non potevano vederla. Nella stessa direzione, ma assai più vicina, c'era la base aerea di Bagram, a una quindicina di chilometri appena. Le costruzioni non erano visibili, ma ogni tanto si scorgeva un reattore che s'innalzava nel cielo. La pianura era un fertile mosaico di campi e frutteti, attraversato da corsi d'acqua, tutti affluenti del fiume dei Cinque Leoni che scorreva verso la capitale, più ampio e più profondo ma sempre altrettanto rapido. Una strada accidentata si snodava ai piedi della collina e risaliva la valle fino alla cittadina di Rokha, che era l'estremo limite settentrionale del territorio russo, in quella zona. Sulla strada non c'era molto traffico: qualche carro di contadini e ogni tanto un veicolo blindato. Dove la strada varcava il fiume c'era un ponte, costruito recentemente dai russi.

Ellis avrebbe fatto saltare quel ponte.

Le sue lezioni sugli esplosivi, che impartiva per mascherare il più a lungo possibile la vera missione, erano estremamente apprezzate, tanto che era stato costretto a limitare il numero degli allievi. Era un successo enorme, tenendo conto che non parlava molto bene il dari. Ricordava un po' il farsi, dai tempi di Teheran, e aveva assimilato in qualche modo il dari mentre viaggiava con il convoglio; quindi era in grado di parlare del panorama, del vitto, dei cavalli e delle armi, ma ancora non sapeva dire frasi come *Un'intaccatura nel materiale esplosivo ha l'effetto di far convergere lo scoppio*. Comunque, l'idea di far saltare in aria qualcosa era così irresistibile per gli afgani, che poteva sempre contare su un pubblico attentissimo. Non poteva insegnare loro le formule per calcolare la quantità di tritolo necessaria per un dato lavoro, e non poteva neppure mostrare come si usava il *computing tape* dell'esercito americano, garantito a prova d'idiota: nessuno di loro conosceva la matematica, e quasi tutti erano analfabeti. Tuttavia, poteva mostrare loro come fare per distruggere qualcosa con maggiore efficienza usando nel contempo meno materiale... e questo era molto importante, perché il materiale scarseggiava sempre. Aveva tentato anche di convincerli a adottare almeno le precauzioni più elementari, ma non c'era riuscito: per loro, la prudenza era vigliaccheria.

E intanto, il pensiero di Jane lo torturava.

Aveva fitte di gelosia quando la vedeva toccare Jean-Pierre; provava invidia quando li scorgeva nella grotta-ambulatorio, a lavorare insieme con armonia ed efficienza; e si sentiva divorare dal desiderio nell'intravedere il seno turgido di Jane quando allattava la bambina. La notte restava sveglio a lungo, nella casa di Ismael Gul, e si rigirava di continuo, tra sudori e brividi, incapace di abituarsi al pavimento di terra battuta, e si sforzava di non ascoltare i rumori smorzati di Ismael e della moglie che facevano l'amore a pochi metri da lui, nella stanza accanto; e le sue mani smaniavano di toccare Jane.

La colpa era esclusivamente sua. Aveva accettato la missione nell'assurda speranza di riconquistare Jane. Era stata un'idea poco professionale, un segno di immaturità. E adesso, tutto ciò che poteva fare era cercare di andarsene al più presto.

Ma non poteva far nulla se prima non avesse incontrato Masud.

Si alzò e incominciò a camminare irrequieto, ma rimase nell'ombra dell'albero perché dalla strada nessuno potesse vederlo. A pochi metri c'era una massa di metallo contorto: lì era precipitato un elicottero. Scorse un sottile pezzo d'acciaio che aveva all'incirca le dimensioni e la forma d'un piatto, e questo gli diede un'idea. Si era chiesto come poteva dimostrare l'effetto delle cariche sagomate: ora aveva trovato il sistema.

Estrasse dalla borsa un pezzetto piatto di tritolo e un temperino. I guerriglieri gli vennero intorno. Fra loro c'era Alì Ghanim, un ometto sgraziato con il naso deforme, i denti storti e un accenno di gobba. Si diceva che avesse quattordici figli. Ellis incise il nome di Alì sul tritolo, in caratteri persiani, e lo mostrò ai guerriglieri. Alì riconobbe il suo nome. «Alì» disse con un sogghigno che mise in mostra i denti orribili.

Ellis posò l'esplosivo sul pezzo d'acciaio, con il lato inciso in basso. «Spero che funzioni» disse con un sorriso, e tutti sorisero con lui, sebbene nessuno capisse l'inglese. Pescò nella borsa un rotolo di miccia e ne tagliò un tratto d'un metro e venti. Aprì una scatoletta, tirò fuori una capsula detonante e vi inserì l'estremità della miccia, poi la fissò al tritolo con il nastro adesivo.

Si voltò a guardare la strada. Non c'era nessuno. Portò la piccola bomba a una cinquantina di metri di distanza. Accese la miccia con un fiammifero e tornò all'albero.

Era una miccia a combustione lenta. Mentre attendeva, Ellis si chiese se Masud aveva dato agli altri guerriglieri l'ordine di osservarlo e di valutarlo. Forse il capo voleva essere certo che lui era una persona seria e che i guerriglieri lo rispettavano? Il protocollo era sempre importante in un esercito, anche in un esercito rivoluzionario. Ma Ellis non poteva continuare a lungo quel giochetto diplomatico. Se quel giorno Masud non si fosse fatto vedere, lui avrebbe dovuto lasciar perdere la storia degli esplosivi, confessare di essere inviato dalla Casa Bianca e pretendere immediatamente un incontro con il capo dei ribelli.

Si sentì un botto tutt'altro che sensazionale, e si levò una nuvoletta di polvere. I guerriglieri sembravano delusi. Ellis andò a recuperare il pezzo di metallo, reggendolo con la sciarpa perché era caldo. Il nome Alì era traforato nelle lettere sfrangiate della scrittura persiana. Lo mostrò ai guerriglieri, che incominciarono a parlare animatamente tra loro. Ellis era soddisfatto: era una dimostrazione efficace del fatto che l'esplosivo era più potente dov'era intaccato, al contrario di quanto sarebbe stato logico supporre.

All'improvviso tutti tacquero. Ellis si guardò intorno e vide un gruppo di sette o otto uomini che si avvicinavano. I fucili e i berretti chitrali indicavano che erano guerriglieri. Quando furono più vicini, Alì s'irrigidì, come se stesse per scattare in un saluto militare. Ellis chiese: «Chi è?».

«Masud» rispose Alì.

«Qual è?»

«Quello in mezzo.»

Ellis fissò la figura centrale del gruppo. Masud, a prima vista, sembrava come tutti gli altri: un uomo magro, di media statura, vestito di color kaki, con gli stivali russi. Ellis lo scrutò in viso. La carnagione era chiara, i baffi e la barba erano radi, come quelli di un adolescente. Il naso era lungo e adunco. Gli occhi scuri e attenti erano segnati agli angoli da rughe che aggiungevano almeno cinque anni ai suoi ventotto. Non era un viso particolarmente bello ma aveva un'espressione d'intelligenza e di calma autorità che lo distingueva dagli altri uomini.

Masud gli venne incontro, tendendo la mano. «Io sono Masud.»

«Ellis Thaler.» Ellis gli strinse la mano.

«Faremo saltare questo ponte» disse Masud in francese.

«Vuoi incominciare subito?»

«Sì.»

Ellis rimise il materiale nello zaino mentre Masud si aggirava tra i guerriglieri, stringendo la mano ad alcuni, salutando altri con un cenno, scambiando un abbraccio con uno o due, e rivolgendo a ognuno qualche parola.

Quando furono pronti scesero sparpagliati la collina, forse nella speranza che, se qualcuno li avesse visti, li avrebbe scambiati per un gruppo di contadini anziché per unità dell'esercito ribelle. Quando giunsero ai piedi del colle non furono più visibili dalla strada, anche se non sarebbe stato difficile scorgerli da un elicottero: se l'avessero sentito, pensava Ellis, si sarebbero buttati al coperto. Si diressero verso il fiume percorrendo un sentiero che tagliava i campi, passarono davanti a diverse casette e furono visti dalla gente che lavorava: alcuni li ignorarono deliberatamente, altri si sbracciarono e gridarono frasi di saluto. I guerriglieri raggiunsero il fiume e proseguirono lungo la riva, cercando di nascondersi il più possibile tra i macigni e la rada vegetazione. Erano a circa trecento metri dal ponte quando un piccolo convoglio di camion militari cominciò a attraversarlo. Si misero tutti al riparo mentre i veicoli passavano rombando. Erano diretti a Rokha. Ellis, che si era buttato a terra ai piedi di un salice, si trovò accanto Masud. «Se distruggiamo il ponte» disse Masud, «taglieremo la loro linea dei rifornimenti per Rokha.»

Quando i camion si furono allontanati attesero ancora qualche minuto, poi proseguirono fino al ponte e si radunarono sotto la struttura. In quel punto erano invisibili dalla strada.

Al centro, il ponte era a un'altezza di sei metri dall'acqua, che lì doveva essere poco profonda. Ellis vide che era una struttura piuttosto semplice: due lunghe travi d'acciaio che sostenevano un tratto di strada di cemento e andavano da una sponda all'altra, senza sostegni intermedi. Il cemento era un peso morto: erano le travi a reggere lo sforzo. Sarebbe stato sufficiente spezzarle per rovinare il ponte.

Ellis cominciò i preparativi. Il tritolo era confezionato in stecche gialle di circa mezzo chilo ciascuna. Fece un fascio di dieci stecche e le unì con il nastro adesivo; poi mise insieme altri tre fasci identici, usando tutto l'esplosivo di cui disponeva. Usava il tritolo perché era quello che si trovava più spesso nelle bombe, nei proiettili, nelle mine e nelle granate a mano, e i guerriglieri se lo procuravano utilizzando il materiale russo inesploso. L'esplosivo plastico sarebbe stato più adatto, perché si poteva infilarlo nelle buche, avvolgerlo intorno alle travi, modellarlo nella forma voluta... ma erano costretti a lavorare con ciò che riuscivano a trovare o a rubare. Ogni tanto si procuravano un po' di *plastique*: l'ottenevano dai genieri russi in cambio della marijuana coltivata nella valle. Ma quel commercio, che comportava il ricorso a intermediari dell'esercito regolare afgano, era molto rischioso; e quindi le forniture erano limitate. Ellis aveva saputo tutti questi particolari dall'agente della CIA a Peshawar: ed erano esatti.

I supporti, sopra di lui, erano travi a I spaziate a una distanza di circa due metri e mezzo. Ellis disse in dari: «Portatemi un bastone di quella lunghezza». E indicò lo spazio fra le travi. Uno dei guerriglieri s'incamminò lungo il fiume e sdradicò un alberello. «Me ne occorre un altro uguale» disse Ellis.

Piazzò un fascio di stecche di tritolo sull'orlo inferiore d'una delle travi a I e chiese a un guerrigliero di tenerlo fermo. Mise un altro fascio sull'altra trave, nella stessa posizione; poi inserì a forza l'alberello per tenerli bloccati.

Quando ebbe terminato, attraversò a guado il fiume e ripeté la manovra all'estremità opposta del ponte.

Ellis descriveva tutto ciò che andava facendo via via in un miscuglio di dari, francese e inglese, augurandosi che capissero qualcosa: ma l'importante era che vedessero ciò che faceva, e i risultati che avrebbe ottenuto. Fissò alle cariche il Primacord, la miccia detonante potentissima che bruciava alla velocità di 6400 metri al secondo, e unì i quattro fasci di tritolo perché esplodessero simultaneamente. Poi formò un anello avvolgendo su se stesso il Primacord: così, spiegò in francese a Masud, il Primacord sarebbe bruciato fino al tritolo da entrambe le estremità, e anche se il cavo si fosse tranciato in un punto la carica sarebbe esplosa comunque. Era una precauzione da prendere abitualmente, disse.

Mentre lavorava, si sentiva stranamente felice. Quel lavoro meccanico e il calcolo del peso degli esplosivi avevano un bizzarro effetto rasserenante. E adesso che finalmente era comparso Masud, avrebbe potuto svolgere la sua missione.

Portò il Primacord attraverso l'acqua, perché fosse meno visibile (e avrebbe bruciato normalmente anche immerso nel fiume), e quando fu a riva fissò una capsula detonante all'estremità; quindi vi aggiunse un pezzo di normale miccia a combustione lenta, che si sarebbe consumata in quattro minuti.

«Pronto?» chiese a Masud.

«Sì.»

Ellis accese la miccia.

Tutti si allontanarono in fretta, e risalirono la riva del fiume verso monte. Ellis provava una segreta soddisfazione infantile al pensiero dell'enorme esplosione che stava per causare. Anche gli altri sembravano eccitati: e si chiedeva se anche lui era altrettanto maldestro nel nascondere l'entusiasmo. All'improvviso, mentre li guardava, li vide cambiare espressione di colpo. Erano tutti all'erta, come uccelli che ascoltano il movimento dei vermi nel terreno. E poi anche Ellis sentì che era il rombo lontano dei cingoli dei carri armati.

La strada non era visibile, dal punto dove si trovavano, ma uno dei guerriglieri si arrampicò su un albero. «Due» riferì.

Masud strinse il braccio di Ellis. «Puoi distruggere il ponte mentre passano?» chiese.

Oh, merda, pensò Ellis. Vuole mettermi alla prova. «Sì» disse avventatamente.

Masud annuì con un vago sorriso. «Bene.»

Ellis si arrampicò sull'albero insieme al guerrigliero e guardò in direzione della strada. Due carri armati neri avanzavano pesantemente sulla stretta strada sassosa che veniva da Kabul. Si sentiva teso: era la prima volta che vedeva il nemico. Con quei cannoni enormi e la massiccia blindatura apparivano invulnerabili, soprattutto in contrasto con i guerriglieri laceri e i loro fucili; eppure la valle era costellata dai rottami dei carri armati che i ribelli avevano distrutto con mine improvvisate, bombe a mano piazzate nel punto giusto e razzi rubati.

I carri armati non erano accompagnati da altri veicoli. Non erano in servizio di pattugliamento e non andavano a compiere un'incursione. Probabilmente venivano portati a Rokha dopo essere stati riparati a Bagram, o forse erano appena arrivati dall'Unione Sovietica.

Ellis incominciò i calcoli.

I carri armati procedevano a una quindicina di chilometri orari, quindi avrebbero raggiunto il ponte tra un minuto e mezzo. La miccia bruciava da meno d'un minuto, e avrebbe continuato per altri tre. I carri armati avrebbero avuto il tempo di attraversare il ponte e di giungere a distanza di sicurezza prima dell'esplosione.

Ellis saltò giù dall'albero e si mise a correre. E intanto si chiedeva: Quanti anni sono passati dall'ultima volta che mi sono trovato in zona di combattimento?

Sentì un suono di passi alle sue spalle. Girò la testa. Alì lo rincorreva sogghignando, e due uomini gli stavano alle calcagna. Gli altri si erano messi al coperto lungo la riva.

Un attimo dopo Ellis raggiunse il ponte, piegò un ginocchio a terra accanto alla miccia a combustione lenta, si sfilò dalle spalle lo zaino. Continuò a calcolare mentre apriva lo zaino e annaspava alla ricerca del temperino. I carri armati sarebbero arrivati sul ponte tra un minuto, pensò. La miccia bruciava alla velocità di un centimetro, un centimetro e mezzo al secondo. Quel rotolo, in particolare, era più o meno veloce della media? Gli sembrava di ricordare che lo fosse di più. Allora una trentina di centimetri, per trenta secondi. In trenta secondi avrebbe fatto in tempo a percorrere centocinquanta metri e a mettersi al sicuro... appena appena.

Aprì il temperino e lo porse ad Alì, che si era inginocchiato al suo fianco; poi afferrò la miccia a una trentina di centimetri dal punto dov'era unita alla capsula detonante, e la tenne con entrambe le mani perché Alì la tagliasse. Strinse con la sinistra l'estremità tranciata, con l'altra la parte di miccia che bruciava. Non sapeva se avrebbe avuto il tempo di riaccendere l'estremità recisa. Doveva vedere quanto erano lontani i carri armati.

Si arrampicò sull'argine, continuando a stringere i due pezzi di miccia. Dietro di lui, il Primacord s'immergeva nel fiume. Sporse la testa al di sopra del parapetto. I grandi carri armati neri continuavano a avvicinarsi. Tra quanto? si chiese, calcolando convulsamente. Contò i secondi e misurò il movimento dei veicoli; poi rinunciò a calcolare, si affidò alla fortuna e accostò l'estremità incendiata della miccia recisa al capo che era ancora collegato all'esplosivo.

Posò delicatamente a terra la miccia accesa e si lanciò di corsa.

Alì e gli altri due guerriglieri lo seguirono.

In un primo momento la riva del fiume li nascose; ma quando i carri armati furono più vicini, i quattro uomini che correvano divennero chiaramente visibili. Ellis stava contando i secondi che non passavano mai, mentre il rombo diventava assordante.

Gli artiglieri esitarono solo per un istante: gli afgani che fuggivano potevano essere soltanto guerriglieri, e quindi erano bersagli ideali per le esercitazioni di tiro. Echeggiò un doppio *bum*, e due proiettili volarono sopra la testa di Ellis. Cambiò direzione, correndo per allontanarsi dal fiume, e intanto pensava: Adesso l'artigliere corregge la gittata... punta verso di me... mira... adesso... Deviò di nuovo, si diresse verso il fiume, e dopo un secondo udì un altro *bum*. Il proiettile gli cadde abbastanza vicino, lo innaffiò di terriccio e di sassi. Il prossimo mi colpirà, pensò Ellis, a meno che prima non scoppino quelle maledette cariche. Merda. Perché devo dimostrare a Masud che sono un fottuto *macho*? Poi sentì una mitragliatrice aprire il fuoco. È difficile mirare con precisione da un carro armato in movimento, pensò: ma forse si fermeranno. Immaginò le raffiche dei proiettili che arrivavano verso di lui, e incominciò a correre zigzagando. All'improvviso si rese conto che poteva prevedere con precisione ciò che avrebbero fatto i russi: avrebbero fermato i loro mezzi nel punto dove si vedevano meglio i guerriglieri in fuga, e cioè sul ponte. Ma le cariche sarebbero esplose prima che i mitraglieri colpissero il bersaglio? Corse ancora più svelto. Il cuore gli martellava in gola; ansimava. Non voglio morire, anche se Jane ama quell'altro, pensò. Vide i proiettili scheggiare un macigno quasi davanti a lui. Deviò di scatto, ma il torrente di fuoco lo seguì. Sembrava non ci fossero speranze: era un bersaglio facile. Udì uno dei guerriglieri gridare dietro di lui. E poi fu colpito, due volte. Sentì un dolore bruciante al fianco e poi un impatto violento alla natica destra. Il secondo proiettile gli paralizzò per un momento la gamba. Incespicò, cadde e batté dolorosamente il petto, poi si rotolò sulla schiena. Si sollevò a sedere sforzandosi di ignorare la sofferenza e cercò di muoversi. I due carri armati si erano fermati sul ponte. Alì, che era dietro di lui, gli infilò le mani sotto le ascelle e tentò di alzarlo. Erano due bersagli immobili: i mitraglieri non potevano mancarli.

Poi le cariche esplosero.

Fu magnifico.

I quattro scoppi simultanei tranciarono il ponte alle estremità, lasciando senza sostegno la campata centrale, con i due carri armati. All'inizio cadde lentamente, mentre le parti tranciate stridevano e scricchiolavano: poi si staccò e piombò in modo spettacolare nel fiume vorticoso, atterrando di piatto con uno spruzzo gigantesco. L'acqua si schiuse maestosamente, per un attimo lasciò scoperto il letto del fiume, poi si richiuse con uno scroscio di tuono.

Quando il fragore si attenuò, Ellis sentì le grida di trionfo dei guerriglieri.

Alcuni uscirono allo scoperto e corsero verso i carri armati semisommersi. Alì aiutò Ellis ad alzarsi. All'improvviso riacquistò la sensibilità alla gamba, e con la sensibilità venne la sofferenza. «Non credo di farcela a camminare» disse ad Alì in dari. Mosse un passo, ma sarebbe caduto se l'altro non l'avesse sorretto. «Oh, merda» disse in inglese, «credo di avere una pallottola nel sedere.»

Sentì sparare. Alzò la testa e vide i russi sopravvissuti alla caduta che cercavano di fuggire dai carri armati, e i guerriglieri che li falciavano via via che uscivano. Erano bastardi dal sangue freddo, quegli afgani. Poi riabbassò lo sguardo e vide che la gamba destra dei calzoni era intrisa di sangue. Doveva essere la ferita superficiale, pensò. Sentiva che l'altra pallottola non era uscita.

Masud gli si avvicinò con un gran sorriso. «Ben fatto, il ponte» disse in francese dal forte accento. «Magnifico!»

«Grazie» disse lui. «Ma non sono venuto per far saltare i ponti.» Era debole e un po' stordito; ma quello era il momento di annunciare lo scopo della sua missione. «Sono venuto per concludere un accordo.»

Masud lo guardò, incuriosito. «Da dove vieni?»

«Washington. La Casa Bianca. Rappresento il presidente degli Stati Uniti.»

Masud annuì. Non sembrava affatto sorpreso. «Bene. Ne sono lieto.»

In quel momento Ellis svenne.

Quella notte fece il suo discorsetto a Masud.

I guerriglieri improvvisarono una barella e lo trasportarono nella valle fino ad Astana, dove si fermarono all'imbrunire. Masud aveva già mandato un messaggero a Banda per chiamare Jean-Pierre, che l'indomani sarebbe venuto a estrargli la pallottola. Si sistemarono tutti nel cortile d'una fattoria. I dolori si erano attenuati, ma il viaggio lo aveva indebolito. I guerriglieri gli avevano fasciato alla meglio le ferite.

Dopo quasi un'ora gli portarono una tazza di tè verde, caldo e molto dolce, che lo rianimò un poco; più tardi tutti ebbero more di gelso e yogurt per cena. Di solito i guerriglieri facevano sempre così; Ellis l'aveva notato mentre viaggiava con il convoglio, dal Pakistan alla valle: un'ora o due dopo l'inizio della sosta arrivava il cibo. Ellis non sapeva se lo compravano, lo requisivano o lo ricevevano in dono; ma immaginava che venisse dato loro gratis: a volte spontaneamente, a volte con riluttanza.

Quando ebbero mangiato, Masud venne a sedersi accanto a Ellis e quasi tutti gli altri guerriglieri si allontanarono alla spicciolata, lasciando il capo e due suoi luogotenenti in compagnia dell'americano. Ellis sapeva che doveva parlare subito a Masud, perché poteva darsi che l'occasione non si ripetesse per una settimana almeno. Eppure si sentiva troppo debole ed esausto per un compito tanto delicato e difficile.

«Molti anni fa» disse Masud, «durante una guerra un paese straniero chiese al re dell'Afghanistan che gli inviasse in aiuto cinquecento guerrieri. Il re afgano gli mandò cinque uomini dalla nostra valle con un messaggio che diceva che è meglio avere cinque leoni piuttosto che cinquecento volpi. Ecco perché la nostra valle si chiama Valle dei Cinque Leoni.» Masud sorrise. «Oggi tu sei stato un leone.»

Ellis disse: «Ho sentito una leggenda secondo la quale c'erano cinque grandi guerrieri conosciuti come i Cinque Leoni e ognuno sorvegliava una delle cinque vie della valle. E ho saputo che è per questo che ti chiamano il Sesto Leone».

«Ma ora basta con le leggende» disse Masud sorridendo. «Che cosa devi dirmi?»

Ellis si era preparato tante volte a quel dialogo; ma nel suo copione non incominciava così all'improvviso. Senza dubbio Masud non amava le elusive sottigliezze orientali. Ellis disse: «Innanzi tutto sono venuto per chiederti la tua opinione sull'andamento della guerra».

Masud annuì, rifletté per qualche secondo, poi rispose: «I russi hanno dodicimila uomini nella città di Rokha, la porta d'accesso alla valle. Il piazzamento è il solito: prima i campi minati, poi le truppe afgane, quindi le truppe russe per impedire agli afgani di fuggire. Aspettano rinforzi, altri milleduecento uomini. Contano di lanciare una grande offensiva nella valle entro due settimane. Mirano a annientare le nostre forze.»

Ellis si chiese come mai Masud aveva informazioni tanto precise: ma sarebbe stata una grave scorrettezza domandarglielo. Chiese invece: «E l'offensiva riuscirà?».

«No» disse Masud, con tranquilla sicurezza. «Quando loro attaccano, noi ci dileguiamo fra le colline, e quindi non trovano nessuno contro cui combattere. Quando si fermano, siamo noi a attaccarli dall'alto e tagliamo le loro linee di comunicazione. Li logoriamo a poco a poco. Così si trovano a sprecare risorse enormi per tenere un territorio che non garantisce loro nessun vantaggio militare. Alla fine si ritirano. È sempre così.»

Sembrava una descrizione della guerriglia tratta da un manuale, pensò Ellis. E non c'era dubbio: Masud poteva insegnare molte cose agli altri leader tribali. «Per quanto tempo credi che i russi possano continuare con i loro attacchi inutili?»

Masud alzò le spalle. «È nelle mani di Dio.»

«Riuscirete mai a scacciarli dal vostro paese?»

«I vietnamiti hanno scacciato gli americani» disse Masud con un sorriso.

«Lo so... c'ero anch'io» disse Ellis. «E sai come ci sono riusciti?»

«Un fattore fondamentale, secondo me, è che i vietnamiti ricevevano dai russi forniture più moderne, specialmente i missili portatili terra-aria. Solo così i guerriglieri possono combattere contro aerei e elicotteri.»

«Sono d'accordo» disse Ellis. «E soprattutto è d'accordo il governo degli Stati Uniti. Vorremmo aiutarvi a procurarvi armi migliori. Ma avremmo bisogno di vedervi fare veri progressi contro i vostri nemici, con quelle armi. Il popolo americano vuole vedere che cosa ottiene in cambio del suo denaro. Tra quanto credi che la Resistenza afgana sarà in grado di sferrare contro i russi attacchi unificati in tutto il paese, come facevano i vietnamiti verso la fine della guerra?»

Masud scosse la testa con aria dubbiosa. «L'unificazione della Resistenza è ancora nella fase iniziale.»

«Quali sono i principali ostacoli?» Ellis trattenne il fiato e si augurò che Masud desse la risposta attesa.

«L'ostacolo principale è la diffidenza tra i vari gruppi di combattenti.»

Ellis sospirò di sollievo, senza darlo a vedere.

Masud continuò: «Siamo divisi in tribù diverse e nazioni diverse; abbiamo comandanti diversi. Altre formazioni di guerriglieri tendono agguati ai miei convogli e rubano i miei rifornimenti.»

«La diffidenza» ripeté Ellis. «Che altro?»

«Le comunicazioni. Abbiamo bisogno d'una rete regolare di messaggeri. Poi dovremmo avere anche i contatti radio, ma questo avverrà in futuro.»

«La diffidenza e le comunicazioni inadeguate.» Era ciò che aveva sperato Ellis. «Parliamo di un'altra cosa.» Era spaventosamente stanco: aveva perso parecchio sangue. Dovette lottare contro il desiderio fortissimo di chiudere gli occhi. «Qui, nella valle, hai portato l'arte della guerriglia a una perfezione superiore a quella che si riscontra nel resto dell'Afghanistan. Vi sono ancora altri capi che sprecano le risorse difendendo territori di pianura e attaccando posizioni saldissime. Vorremmo che tu addestrassi nelle tattiche della guerriglia moderna uomini di altre parti del paese. Saresti disposto?»

«Sì... e credo di capire a cosa volete arrivare» disse Masud. «Dopo circa un anno, in ogni zona della Resistenza ci sarebbero quadri addestrati nella Valle dei Cinque Leoni. Potrebbero creare una rete di comunicazioni. Sarebbero in grado di capirsi, si fiderebbero di me...» Masud non finì la frase, ma non era difficile comprendere, dalla sua espressione, che continuava a considerare mentalmente le implicazioni.

«Bene» disse Ellis. Era sfinito, ma aveva quasi concluso. «Ecco la proposta. Se riuscirai a ottenere il consenso di altri comandanti e a costituire il programma di addestramento, gli Stati Uniti vi forniranno lanciarazzi RPG-7, missili terra-aria e radio. Ma ci sono due altri comandanti, in particolare, che devono assolutamente partecipare all'accordo. Jahan Kamil, nella Valle di Pich, e Amal Azizi, il comandante di Faizabad.»

Masud sorrise malinconicamente. «Avete scelto i più duri.»

«Lo so» disse Ellis. «Potrai farlo?»

«Dammi il tempo di pensarci» rispose Masud.

«Sta bene.» Esausto, Ellis si abbandonò sulla terra fredda e chiuse gli occhi. Un attimo dopo si addormentò.

10

Jean-Pierre camminava senza una meta tra i campi, sotto la luce della luna e si sentiva precipitare in uno stato di totale abbattimento. Una settimana prima era soddisfatto e felice, padrone della situazione, e svolgeva un lavoro utile mentre attendeva la sua grande occasione. Adesso era tutto finito, e si sentiva inutile, un fallito, un incapace.

Non c'erano vie d'uscita. Riesaminò più volte le possibilità: ma arrivava sempre alla stessa conclusione. Doveva lasciare l'Afghanistan.

Come spia non era più utile. Non aveva modo di contattare Anatoly: e anche se Jane non avesse fracassato la radio, non avrebbe potuto allontanarsi dal villaggio per incontrarlo, perché Jane avrebbe intuito immediatamente la verità e l'avrebbe detto a Ellis. Forse sarebbe riuscito a ridurre al silenzio Jane (*Non ci pensare, non ci pensare neppure!*) ma se le fosse accaduto qualcosa, Ellis avrebbe voluto sapere il perché. Ellis era il nocciolo del problema. Mi piacerebbe ucciderlo, pensò, se ne avessi il coraggio. Ma come? Non ho un'arma. Cosa dovrei fare? Tagliargli la gola con un bisturi? È molto più forte di me... non potrei sopraffarlo.

Pensò all'accaduto. Lui e Anatoly si erano comportati con imprudenza. Avrebbero dovuto incontrarsi in un luogo che permettesse di sorvegliare tutte le vie d'accesso, per accorgersi in tempo utile se qualcuno si avvicinava. Ma chi poteva pensare che Jane l'avrebbe seguito? Era stata tutta una catena di circostanze terribilmente disastrose: il fatto che il ragazzo ferito fosse allergico alla penicillina, che Jane avesse sentito parlare Anatoly, e avesse riconosciuto l'accento russo; e che fosse comparso Ellis a darle coraggio. Era sfortuna. Ma i libri di storia non parlano degli uomini che hanno quasi raggiunto la grandezza. Ho fatto del mio meglio, papà. E gli sembrava di sentire la risposta del padre: Non mi interessa che tu abbia fatto del tuo meglio. Io voglio sapere se sei riuscito o no.

Era vicino al villaggio. Decise di andare a casa. Dormiva male, ma non poteva far altro che andare a letto. Si avviò.

Inspiegabilmente, il fatto di avere ancora Jane non era una grande consolazione. La scoperta del segreto sembrava averli allontanati ancora di più. Fra loro c'era una distanza nuova, anche se progettavano di tornare a casa e parlavano della nuova vita che li attendeva in Europa.

Almeno si abbracciavano ancora a letto, di notte. Era già qualcosa.

Si aspettava che Jane fosse andata a dormire. Ma era ancora alzata. Gli parlò non appena lui entrò. «È arrivato un messaggero per te, mandato da Masud. Devi andare a Astana. Ellis è stato ferito.»

Ellis è stato ferito. Il cuore di Jean-Pierre batté più forte. «Come?»

«Non è grave. A quanto ho capito, si è buscato una pallottola nel didietro.»

«Andrò domattina presto.»

Jane annuì. «Il messaggero verrà con te. Potrai essere di ritorno prima di notte.»

«Capisco.» Jane voleva assicurarsi che lui non avesse la possibilità d'incontrarsi con Anatoly. Ma era una precauzione superflua: Jean-Pierre non poteva combinare un appuntamento, Jane si premuniva contro un pericolo trascurabile e ignorava quello più grave. Ellis era ferito. Questo lo rendeva vulnerabile. E cambiava tutto.

Ora lui poteva ucciderlo.

Jean-Pierre rimase sveglio tutta la notte a riflettere. Immaginava Ellis, steso su un materasso sotto un fico. Digrignava i denti per il dolore causato da un osso fracassato o forse era pallido e sfinito per l'emorragia. Vedeva se stesso preparare un'iniezione. È un antibiotico per prevenire l'infezione della ferita, avrebbe detto, e poi gli avrebbe iniettato un'*overdose* di digitale che avrebbe causato un attacco cardiaco.

Un attacco cardiaco era poco probabile ma non era impossibile in un uomo di trentaquattro anni, soprattutto se si era sottoposto a intensi sforzi fisici dopo un lungo periodo di attività relativamente sedentaria. Comunque non ci sarebbero state inchieste, autopsie, sospetti. In Occidente nessuno avrebbe dubitato che Ellis era stato ferito in azione ed era morto per le ferite. Lì nella valle, tutti avrebbero accettato la diagnosi di Jean-Pierre. Lo consideravano fidato come i luogotenenti di Masud... ed era naturale, se si teneva conto dei sacrifici che faceva per la causa, ai loro occhi. No, l'unica a avere dubbi sarebbe stata Jane. E cosa avrebbe potuto fare?

Non poteva prevederlo. Jane era un'avversaria formidabile, se spalleggiata da Ellis; ma da sola non lo era. Jean-Pierre avrebbe potuto convincerla a restare ancora un anno nella valle; avrebbe potuto prometterle di non tradire i convogli e poi avrebbe trovato un modo di ristabilire i contatti con Anatoly, e attendere l'occasione che gli avrebbe permesso di far cadere Masud nelle mani dei russi.

Alle due del mattino diede il poppatoio a Chantal e tornò a letto. Non tentò neppure di addormentarsi. Era troppo ansioso, troppo agitato e impaurito. Attese lo spuntar del sole e passò in rassegna tutte le cose che potevano andargli male: Ellis poteva rifiutare di farsi curare, lui poteva sbagliare la dose, Ellis poteva avere solo un graffio e essersi già ristabilito, Ellis e Masud potevano già aver lasciato Astana.

Il sonno di Jane era turbato dai sogni. Si rigirava e si agitava nel letto accanto a lui, e ogni tanto mormorava sillabe incomprensibili. Chantal era l'unica che riposava tranquilla.

Poco prima dell'alba Jean-Pierre si alzò, accese il fuoco e scese al fiume per lavarsi. Quando tornò, il messaggero era nel cortile. Beveva il tè preparato da Fara e mangiava un pezzo di pane avanzato dal giorno prima. Jean-Pierre prese un po' di tè, ma non riuscì a mangiare nulla.

Jane era sul letto e allattava Chantal. Jean-Pierre salì a salutarle con un bacio. Ogni volta che toccava Jane ricordava come l'aveva picchiata, e si sentiva tremare per la vergogna. Sembrava che lei l'avesse perdonato; ma lui non era capace di perdonare se stesso.

Attraversò il villaggio conducendo per le briglie la vecchia cavalla, scese fino al fiume e poi, con il messaggero al fianco, proseguì nel senso della corrente. Tra quel punto e Astana c'era una strada, o qualcosa che veniva considerata una strada nella Valle dei Cinque Leoni: un nastro di terra pietrosa, largo due metri e mezzo o tre e più o meno piatto, adatto per i carretti di legno e le jeep dell'esercito, anche se avrebbe messo fuori uso in pochi minuti una macchina normale. La valle era una serie di strette gole rocciose che si allargavano a intervalli per formare piccole piane coltivate, lunghe da un chilometro e mezzo a due chilometri e ampie meno di ottocento metri, dove gli abitanti del villaggio strappavano al suolo ingrato abbastanza da vivere con il lavoro arduo e l'irrigazione. La strada era abbastanza percorribile perché Jean-Pierre potesse montare in groppa alla cavalla nei tratti in discesa: in salita non c'era neppure da parlarne.

Un tempo la valle doveve essere stata un luogo idilliaco, pensò mentre si dirigeva a sud nella luce fulgida del mattino. Bagnata dal fiume dei Cinque Leoni, protetta dalle montagne, organizzata secondo le tradizioni antiche, indisturbata se non da qualche carovana che portava il burro dal Nuristan e da qualche merciaio di Kabul, doveva essere stata un angolo di Medioevo. Adesso il ventesimo secolo se n'era impadronito con violenza. Quasi tutti i villaggi erano stati danneggiati dai bombardamenti: un mulino a acqua in rovina, un pascolo crivellato di crateri, un antico acquedotto di legno finito in schegge, un ponte di pietrisco e calce ridotto a poche beole che emergevano dal fiume vorticoso. L'effetto sulla vita economica della valle apparve evidente allo sguardo attento di Jean-Pierre. Una casa era stata la macelleria ma non c'era carne in vendita. Un prato pieno di erbacce era stato un orto, ma il padrone era fuggito in Pakistan. C'era un frutteto con la frutta che marciva per terra, anziché seccare su un tetto in attesa di venire conservata per il lungo inverno gelido; la donna e i ragazzini che avevano curato il frutteto erano morti, e il marito era diventato guerrigliero. Un mucchio d'argilla e legname era stato una moschea, e gli abitanti del villaggio avevano deciso che era inutile ricostruirla, perché tanto sarebbe stata bombardata di nuovo. E tutte quelle devastazioni erano dovute al fatto che uomini come Masud cercavano di opporsi alla marcia della storia, e inducevano i contadini ignoranti a appoggiarli. Quando Masud fosse stato tolto di mezzo, tutto ciò sarebbe finito. E quando fosse stato tolto di mezzo Ellis, Jean-Pierre avrebbe potuto eliminare Masud.

Mentre si avvicinavano a Astana, verso mezzogiorno, si chiese se gli sarebbe stato difficile fare l'iniezione. L'idea di uccidere un paziente era così grottesca che non sapeva come avrebbe reagito. Aveva visto morire molti suoi pazienti, certo, e si era rammaricato di non averli potuti salvare. Quando avesse avuto davanti Ellis completamente indifeso, e lui avesse avuto in mano la siringa, sarebbe stato tormentato dagli scrupoli, o avrebbe vacillato come Raskolnikov in *Delitto e castigo*?

Attraversarono Sangana, con il cimitero e la spiaggia sabbiosa che fiancheggiava la strada intorno a un'ansa del fiume. Davanti a loro c'erano un tratto di terreno coltivato e un gruppo di case, in alto sul fianco della collina. Dopo un paio di minuti un ragazzo di undici o dodici anni si avvicinò dalla parte dei campi e li condusse, anziché al villaggio, a una grande casa al limitare del terreno coltivato.

Jean-Pierre continuava a non provare dubbi o esitazioni, ma solo una specie di apprensione ansiosa, come se fosse sul punto di affrontare un esame importante.

Scaricò dalla cavalla la borsa, consegnò le redini al ragazzetto ed entrò nel cortile della fattoria.

C'erano venti o più guerriglieri sparsi qua e là. Stavano accosciati e guardavano nel vuoto. Attendevano con atavica pazienza. Masud non c'era, ma c'erano due dei suoi luogotenenti. Ellis era in un angolo in ombra, sdraiato su una coperta.

Jean-Pierre s'inginocchiò accanto a lui. Evidentemente, la pallottola lo faceva soffrire. Stava bocconi, e aveva la faccia tesa, i denti stretti. Era pallido e sudato. Il respiro aveva un suono aspro.

«Fa male, eh?» chiese Jean-Pierre in inglese.

«Hai maledettamente ragione» disse Ellis, fra i denti.

Jean-Pierre gli tolse il lenzuolo di dosso. I guerriglieri gli avevano tagliato i calzoni e avevano fasciato alla meglio la ferita. Jean-Pierre tolse la benda, e vide subito che non era niente di grave. Aveva perso parecchio sangue e il proiettile, ancora incastrato nel muscolo, doveva fargli un male d'inferno, ma era lontano dalle ossa o dai vasi sanguigni importanti... Sarebbe guarito in fretta.

No, si disse Jean-Pierre. Non guarirà.

«Prima ti darò qualcosa per alleviare i dolori» disse.

«Te ne sarei grato» disse Ellis, fervidamente.

Jean-Pierre sollevò la coperta. Ellis aveva sul dorso una cicatrice enorme, a croce. Chissà come se l'era procurata.

Non lo saprò mai, pensò Jean-Pierre.

Aprì la borsa. Ora lo ucciderò, si disse. Non ho mai ucciso nessuno, neppure accidentalmente. Che cosa si prova a essere un assassino? Succede ogni giorno in tutto il mondo: uomini che uccidono le mogli, donne che uccidono i figli, sicari che uccidono i politici, ladri che uccidono i derubati, carnefici che uccidono gli assassini. Prese una grossa siringa e incominciò a riempirla di digitoxin. La sostanza era confezionata in fiale minuscole, e dovette vuotarne quattro per ottenere una dose letale.

Cosa avrebbe provato nel veder morire Ellis? Il primo effetto sarebbe stato un'accelerazione del battito cardiaco. Ellis l'avrebbe avvertito e si sarebbe agitato. Quindi, via via che il veleno influiva sul meccanismo del cuore, si sarebbero aggiunte altre pulsazioni, una più ridotta dopo ogni pulsazione regolare. Ellis si sarebbe sentito malissimo. Finalmente i battiti cardiaci sarebbero diventati del tutto irregolari e i ventricoli e le orecchiette avrebbero palpitato indipendentemente. Ellis sarebbe morto tra le sofferenze e il terrore. Che cosa farò, si chiese Jean-Pierre, quando griderà e mi chiederà di aiutarlo? Gli dirò che lo voglio morto? Intuirà che l'ho avvelenato? Cercherò di calmarlo comportandomi da medico premuroso, e cercherò di alleviargli il trapasso? *Rilassati, è un normale effetto collaterale dell'analgesico, andrà tutto bene.*

La siringa era pronta.

Posso farcela, pensò Jean-Pierre. Posso ucciderlo. Ma non so cosa sarà di me, dopo.

Scoprì il braccio di Ellis e, per abitudine, lo stropicciò con l'alcol.

In quel momento arrivò Masud.

Jean-Pierre non l'aveva sentito avvicinarsi e gli parve che si fosse materializzato all'improvviso. Sussultò. Masud gli posò una mano sul braccio. «Ti ho spaventato, *monsieur le docteur*» disse. S'inginocchiò accanto a Ellis. «Ho pensato alla proposta del governo americano» gli disse in francese.

Jean-Pierre restò immobile, paralizzato, con la siringa nella mano destra. Quale proposta? Cosa diavolo significava quella storia? Masud parlava apertamente, come se Jean-Pierre fosse un altro dei suoi compagni di lotta... ma Ellis... Ellis avrebbe potuto chiedergli di parlare a quattr'occhi.

Ellis si sollevò a fatica su un gomito. Jean-Pierre trattenne il respiro. Ma Ellis disse solo: «Continua».

È troppo esausto e soffre troppo, pensò Jean-Pierre, per ricordare le precauzioni della sicurezza; e del resto non ha motivi di sospettare di me più di quanti ne abbia Masud.

«Mi sembra buona» stava dicendo Masud. «Mi sono chiesto come farò a mantenere il mio impegno.»

Ma certo! pensò Jean-Pierre. Gli americani non hanno mandato un abile agente della CIA solo per insegnare a pochi guerriglieri come si fanno saltare ponti e gallerie. Ellis è qui per concludere un accordo!

Masud continuò: «Il piano per addestrare i quadri venuti da altre zone dev'essere spiegato agli altri comandanti. Non sarà facile. S'insospettiranno... soprattutto se sarò io a esporre la proposta. Credo che dovresti farlo tu dicendo loro che cosa offre in cambio il tuo governo».

Jean-Pierre era ancora immobile, inchiodato. Un piano per addestrare quadri di altre zone! Che razza di idea era?

Ellis parlò con una certa difficoltà. «Lo farò con piacere. Ma tu dovresti provvedere a riunirli.»

«Sì.» Masud sorrise. «Indirò una conferenza con tutti i capi della Resistenza, e si terrà qui, nella Valle dei Cinque Leoni, nel villagggio di Darg, tra otto giorni. Oggi stesso manderò un corriere con l'annuncio che un rappresentante del governo degli Stati Uniti è venuto per discutere le forniture di armi.»

Una conferenza! Le forniture d'armi! Jean-Pierre incominciava a avere un quadro abbastanza chiaro. Cosa doveva fare?

«Credi che verranno?» chiese Ellis.

«Verranno in molti» rispose Masud. «Ma i nostri compagni di lotta dei deserti dell'ovest non verranno... è troppo lontano, e non ci conoscono.»

«E i due che a noi interessano in particolare... Kamil e Azizi?»

Masud alzò le spalle. «È nelle mani di Dio.»

Jean-Pierre tremava per l'eccitazione. Sarebbe stato l'avvenimento più importante nella storia della Resistenza afgana.

Ellis stava frugando nello zaino posato a terra accanto a lui. «Forse riuscirò ad aiutarti a convincere Kamil e Azizi» disse. Estrasse due pacchetti e ne aprì uno. Conteneva un rettangolo piatto di metallo giallo. «Oro» disse Ellis. «Ognuno di questi vale cinquemila dollari.»

Era un patrimonio: cinquemila dollari erano più di due anni di reddito medio d'un afgano.

Masud prese il pezzo d'oro e lo soppesò nella mano. «Che cos'è?» chiese, indicando un simbolo impresso al centro del rettangolo.

«Il sigillo del presidente degli Stati Uniti» disse Ellis.

Molto ingegnoso, pensò Jean-Pierre. Il sistema più adatto per far colpo sui capi delle tribù e al tempo stesso suscitare in loro la curiosità irresistibile di incontrarsi con Ellis.

«Potrà servire per persuadere Kamil e Azizi?» chiese Ellis.

Masud annuì. «Credo che verranno.»

Puoi scommetterci la vita che verranno, pensò Jean-Pierre. E all'improvviso, capì esattamente cosa doveva fare. Masud, Kamil e Azizi, i tre maggiori esponenti della Resistenza, si sarebbero incontrati nel villaggio di Darg fra otto giorni.

Doveva dirlo a Anatoly.

E Anatoly avrebbe potuto farli uccidere tutti.

Ecco, pensò Jean-Pierre: ecco il momento che ho atteso da quando sono arrivato nella valle. Sono riuscito a portare Masud dove voglio io... e anche altri due capi ribelli.

Ma come posso dirlo a Anatoly?

«Una riunione al vertice» stava dicendo Masud con un sorriso d'orgoglio. «Sarà un inizio per la nuova unità della Resistenza, non credi?»

O forse il principio della fine, pensò Jean-Pierre. Abbassò la mano, puntò l'ago verso il suolo e premette lo stantuffo per vuotare la siringa. Guardò la terra polverosa assorbire il veleno. Un inizio, o il principio della fine.

Jean-Pierre somministrò a Ellis un anestetico, estrasse il proiettile, pulì la ferita, la medicò e iniettò una dose di antibiotici per prevenire l'infezione. Poi curò due guerriglieri che avevano riportato anch'essi lievi ferite. Intanto, nel villaggio si era sparsa la voce che c'era il dottore, e un gruppo di pazienti si radunò nel cortile. Jean-Pierre dovette occuparsi d'un bambino bronchitico, di tre infezioni di scarsa entità e di un mullah che soffriva di vermi. Poi pranzò. Verso la metà del pomeriggio preparò la borsa e montò in groppa a Maggie per ritornare.

Aveva lasciato Ellis. Per lui sarebbe stato meglio rimanere lì per qualche giorno... la ferita si sarebbe rimarginata prima. Adesso, paradossalmente, aveva bisogno che restasse in buona salute: se fosse morto, la conferenza sarebbe stata annullata.

Mentre risaliva la valle continuò a tormentarsi la mente alla ricerca d'un modo per mettersi in contatto con Anatoly. Naturalmente, avrebbe potuto limitarsi a far cambiare direzione alla cavalla e scendere fino a Rokha per consegnarsi ai russi. Purché non gli sparassero a vista, sarebbe arrivato presto alla presenza di Anatoly. Ma Jane avrebbe intuito dov'era andato e che cosa aveva fatto, e l'avrebbe riferito a Ellis che avrebbe cambiato il tempo e il luogo della conferenza.

Doveva riuscire a far arrivare una lettera a Anatoly. Ma chi l'avrebbe consegnata?

C'era sempre un flusso costante di gente che attraversava la valle per andare a Charikar, la città occupata dai russi che si trovava a un centinaio di chilometri nella pianura, oppure a Kabul, la capitale, a centosessanta chilometri. Erano gli allevatori del Nuristan che portavano burro e formaggi; mercanti che vendevano pentole e padelle; pastori che conducevano al mercato piccoli greggi di pecore; e famiglie di nomadi impegnate nei loro misteriosi commerci. Uno di loro avrebbe accettato, a pagamento, di portare una lettera a un ufficio postale, o addirittura di metterla nelle mani d'un soldato russo. Kabul era a tre giorni di viaggio, Charikar a due. Rokha, dove c'erano i soldati russi ma non l'ufficio postale, era a un giorno appena. Jean-Pierre era quasi sicuro di trovare qualcuno disposto a accettare l'incarico. Naturalmente c'era il pericolo che la lettera venisse aperta e letta, e allora lui sarebbe stato scoperto, torturato e ucciso. Forse sarebbe stato anche disposto a correre il rischio; ma c'era un altro pericolo. Il messaggero, dopo aver preso il denaro, avrebbe recapitato la lettera? Non c'era nulla che gli impedisse di perderla lungo la strada. Lui non avrebbe mai saputo cos'era successo. Il piano era troppo incerto.

Non aveva ancora trovato una soluzione al problema quando raggiunse Banda all'imbrunire. Jane era sul tetto della casa a prendere il fresco, e teneva Chantal sulle ginocchia. Jean-Pierre salutò con la mano, poi entrò in casa e posò la borsa sul banco del magazzino. E mentre la vuotava, nel momento in cui vide le compresse di diamorfina, si accorse che c'era una persona alla quale poteva affidare la lettera per Anatoly.

Prese una matita. Strappò l'incarto a un pacchetto di ovatta e ne ricavò un rettangolo... nella valle la carta per scrivere non esisteva. Scrisse in francese:

Al colonnello Anatoly del KGB

Gli sembrava stranamente melodrammatico, ma non sapeva come incominciare se non così. Non conosceva il nome completo di Anatoly, e non aveva un indirizzo.

Continuò a scrivere:

Masud ha convocato una conferenza di leader ribelli. Si incontreranno fra otto giorni, giovedì 27 agosto, a Darg, il primo villaggio a sud di Banda. Probabilmente quella notte dormiranno tutti nella moschea e resteranno insieme tutto il venerdì che è una festa religiosa. La conferenza è stata indetta per discutere con un agente della CIA che io conosco sotto il nome di Ellis Thaler e che è arrivato nella valle una settimana fa.
Ecco la nostra occasione!

Aggiunse la data e firmò *Simplex*.

Non aveva una busta... non ne aveva più viste da quando era partito dall'Europa. Si guardò intorno, chiedendosi dove poteva mettere la lettera. Il suo sguardo si posò su una confezione di contenitori di plastica per distribuire le compresse. Avevano etichette adesive che Jean-Pierre non aveva mai usato perché non conosceva la scrittura persiana. Arrotolò la lettera in un cilindretto e la mise in uno dei contenitori.

Si chiese che cosa avrebbe potuto scrivere. A un certo punto il pacchetto sarebbe finito nelle mani di un militare russo di bassa forza. Jean-Pierre immaginava un soldato occhialuto e ansioso in un gelido ufficio, o un omaccione dall'aria bovina che montava di sentinella davanti a una recinzione di filo spinato. Senza dubbio l'arte dello scaricabarile era tenuta in grande onore nell'esercito russo come lo era stata in quello francese quando Jean-Pierre aveva fatto il servizio di leva. Pensò come poteva fare in modo che la missiva apparisse abbastanza interessante da finire in mano a un ufficiale superiore. Era inutile scrivere "Importante" o "KGB" o altro in francese o in inglese o persino in dari, perché il soldato non sarebbe stato in grado di leggere i caratteri europei né quelli persiani. Jean-Pierre non conosceva i caratteri cirillici. Era ironico pensare che la donna lassù sul tetto, intenta a cantare una ninna-nanna, parlava correntemente il russo e avrebbe potuto scrivere qualunque cosa, se fosse stata disposta a aiutarlo. Alla fine scrisse "Anatoly – KGB", inserì l'etichetta nel contenitore, e poi lo mise in una scatola di medicinali vuota che recava l'avvertimento *Veleno!* in quindici lingue e tre simboli internazionali. Legò la scatola con lo spago.

Poi, in fretta, rimise tutto nella borsa e sostituì il materiale che aveva usato ad Astana. Prese una manciata di compresse di diamorfina e le mise nella tasca della camicia. Infine avvolse la scatola con la scritta *Veleno!* in una salvietta lisa.

Uscì. «Vado al fiume, a lavarmi» gridò a Jane.

«Va bene.»

Attraversò il villaggio, scambiando cenni di saluto con un paio di persone, e si incamminò per i campi. Adesso era ottimista. Il suo piano comportava parecchi rischi; ma ancora una volta poteva sperare in un trionfo. Aggirò un prato di trifoglio che apparteneva al mullah e scese una serie di terrazze. A un chilometro e mezzo dal villaggio, su uno sperone roccioso della montagna, c'era una casetta solitaria, semidistrutta dalle bombe. Era già l'imbrunire quando Jean-Pierre la scorse. Si avvicinò a passo lento, muovendosi con molta cautela sul terreno irregolare. Cominciò a rimpiangere di non aver portato una lampada.

Si fermò davanti al mucchio di macerie che un tempo era la facciata della casa. Pensò di entrare, ma il lezzo e il buio lo dissuasero. «Ehi!» chiamò.

Una sagoma informe si alzò da terra davanti ai suoi piedi, spaventandolo. Arretrò con un'imprecazione.

Il *malang* si raddrizzò.

Jean-Pierre scrutò la faccia scheletrica e la barba scomposta del pazzo. Ritrovò con uno sforzo la compostezza e disse in dari: «Dio sia con te, sant'uomo».

«E con te, dottore.»

Jean-Pierre l'aveva trovato in una fase di lucidità. Bene. «Come sta il tuo stomaco?»

L'uomo mimò un'acuta sofferenza. Come al solito, voleva la medicina. Jean-Pierre gli diede una compressa di diamorfina, lasciò che vedesse le altre e le rimise in tasca. Il *malang* sgranocchiò la droga, poi disse: «Ancora».

«Potrai averne ancora. Molte di più.»

Il *malang* tese la mano.

«Ma dovrai farmi un favore» disse Jean-Pierre.

L'uomo annuì prontamente.

«Devi andare a Charikar e dare questo a un soldato russo.» Jean-Pierre aveva optato per Charikar, anche se comportava un giorno di marcia in più, perché temeva che Rokha, un centro ribelle occupato temporaneamente dai russi, fosse in uno stato di confusione e il pacchetto andasse perso. Charikar, invece, era sempre stata in territorio russo. E aveva scelto come destinatario un soldato, anziché un ufficio postale, perché probabilmente il *malang* non sapeva neppure come comprare un francobollo e spedire qualcosa.

Scrutò con attenzione la faccia sporca dell'uomo. Si era domandato se sarebbe stato in grado di capire anche quelle istruzioni semplicissime: tuttavia, l'espressione di paura che gli era apparsa negli occhi nel sentir parlare d'un soldato russo indicava che aveva capito perfettamente.

E adesso, cosa poteva fare per assicurarsi che il *malang* obbedisse all'ordine? Anche lui avrebbe potuto gettar via il pacchetto e ritornare giurando di aver eseguito la commissione che gli era stata affidata, perché se era abbastanza intelligente per capire cosa doveva fare, forse lo era anche quanto bastava per mentire.

Jean-Pierre ebbe un'idea. «E compra un pacchetto di sigarette russe» continuò.

Il *malang* mostrò le mani vuote. «Non ho denaro.»

Questo Jean-Pierre lo sapeva. Gli diede cento *afghani*. Così avrebbe avuto la certezza che sarebbe andato veramente a Charikar. C'era un sistema per costringerlo a consegnare il pacchetto?

«Se lo farai» disse, «ti darò tutte le pillole che vuoi. Ma non imbrogliarmi... perché io verrò a saperlo, e allora non ti darò più le pillole, e il tuo mal di stomaco peggiorerà sempre più e ti gonfierai, e poi il ventre ti scoppierà come una bomba a mano e morirai tra le sofferenze. Hai capito?»

«Sì.»

Jean-Pierre lo fissò nella luce fioca. Il pazzo aveva gli occhi stralunati, sembrava in preda al terrore. Jean-Pierre gli diede le altre compresse di diamorfina. «Prendine una ogni mattina fino a quando tornerai a Banda.»

Il *malang* annuì vigorosamente.

«Ora vai, e non cercare d'ingannarmi.»

L'uomo gli voltò le spalle e incominciò a scendere correndo lungo il sentiero accidentato con quella sua strana andatura animalesca. Mentre lo guardava sparire nell'oscurità che si infittiva, Jean-Pierre pensò: Il futuro di questo paese è nelle tue mani luride, povero disgraziato. Che Dio ti accompagni.

Una settimana dopo il *malang* non era ritornato.

Mercoledì, alla vigilia della conferenza, Jean-Pierre era fuori di sé per l'angoscia. Ogni ora si diceva che il pazzo avrebbe potuto tornare tra pochi minuti. Al termine d'ogni giornata si era detto che sarebbe venuto l'indomani.

L'attività aerea nella valle s'era intensificata, come per aggravare le sue preoccupazioni. Per tutta la settimana i reattori erano passati rombando per andare a bombardare i villaggi. Banda aveva avuto fortuna: era caduta un'unica bomba, e non aveva fatto altro danno che aprire un cratere nel prato di trifoglio di Abdullah: ma il fragore continuo e il pericolo tenevano tutti in agitazione. La tensione generale portò all'ambulatorio di Jean-Pierre un numero prevedibilmente alto di pazienti con una sintomatologia da stress: aborti, incidenti domestici, vomito inspiegabile, mal di testa. Erano soprattutto i bambini a accusare i mal di testa: in Europa, Jean-Pierre avrebbe consigliato un trattamento psichiatrico, qui li mandava dal mullah. Ma né la psichiatria né l'Islam avrebbero dato buoni risultati: la colpa era della guerra.

Quella mattina Jean-Pierre si occupò meccanicamente dei pazienti, fece le solite domande in dari, comunicò le diagnosi a Jane in francese, medicò le ferite, praticò iniezioni e distribuì contenitori di plastica con le compresse e boccette di rimedi colorati. Il *malang* avrebbe dovuto impiegare due giorni per raggiungere a piedi Charikar. Si poteva tener conto di un giorno perché trovasse il coraggio di abbordare un soldato russo, e una notte per superare la paura di averlo fatto. Se fosse ripartito l'indomani mattina, avrebbe dovuto camminare per altri due giorni. Quindi avrebbe dovuto ritornare l'altro ieri. Che cos'era successo? Aveva perso il pacchetto e si era nascosto per la paura? Aveva preso tutte le compresse in una volta e si era sentito male? Era caduto nel fiume ed era annegato? Oppure i russi l'avevano usato come bersaglio per il tiro a segno?

Jean-Pierre diede un'occhiata all'orologio. Erano le dieci e mezzo. Il *malang* poteva comparire da un momento all'altro portando un pacchetto di sigarette russe per provare che era andato a Charikar. Jean-Pierre si chiese come avrebbe potuto spiegare a Jane le sigarette, dato che non fumava; ma poi decise che non erano necessarie spiegazioni per il comportamento d'un pazzo.

Stava fasciando un bambino della valle vicina che si era scottato una mano quando sentì all'esterno un rumore di passi e uno scambio di saluti. Era arrivato qualcuno. Represse l'eccitazione e continuò a fasciare la mano del piccolo paziente. Quando sentì parlare Jane si voltò e rimase profondamente deluso nel vedere che non era il *malang*. Erano due sconosciuti.

Uno di loro disse: «Dio sia con te, dottore».

«E con te» rispose Jean-Pierre. Per evitare un lungo scambio di convenevoli, chiese subito: «Cos'è successo?».

«C'è stato un terribile bombardamento a Skabun. Ci sono parecchi morti e molti feriti.»

Jean-Pierre guardò Jane. Non poteva ancora lasciare Banda senza il suo permesso, perché lei temeva che cercasse di mettersi in contatto con i russi. Ma non poteva aver concordato quella chiamata. «Devo andare?» le domandò in francese. «Oppure ci vai tu?» Per la verità non voleva andare, perché con ogni probabilità avrebbe dovuto fermarsi la notte, e era ansioso di rivedere il *malang*.

Jane esitò. Lui sapeva cosa stava pensando: se fosse andata avrebbe dovuto portare con sé Chantal. E non era in grado di curare le ferite gravi.

«Decidi tu» disse Jean-Pierre.

«Vai» rispose lei.

«Bene.» Skabun era a un paio d'ore di marcia. Se avesse lavorato in fretta, se i feriti non fossero stati troppo numerosi, forse sarebbe riuscito a ripartire al crepuscolo. «Cercherò di tornare in serata» disse.

Jane gli andò vicino e gli baciò la guancia. «Grazie» disse.

Jean-Pierre controllò in fretta la borsa: morfina per il dolore, penicillina per prevenire infezioni, ago e filo per suture, e una quantità di garza e di fasce. Mise un berretto in testa e si buttò una coperta sulle spalle.

«Non prendo Maggie» disse. «Skabun non è lontano, e la pista è tremenda.» Baciò Jane e si rivolse ai due messaggeri. «Andiamo.»

Scesero al villaggio, poi guadarono il fiume e salirono la ripida scalinata sull'altra riva. Jean-Pierre pensava a Jane. Se il suo piano fosse riuscito e se i russi avessero ucciso Masud, lei come avrebbe reagito? Avrebbe capito che era opera sua. Ma non l'avrebbe tradito: di questo era certo. L'avrebbe amato ancora? Lui la voleva. Da quando erano insieme aveva sofferto sempre meno per le cupe depressioni che un tempo lo tormentavano regolarmente. Lo aveva guarito con il suo amore. Aveva bisogno di lei. Ma voleva che la sua missione riuscisse. E pensò: Devo augurarmi il successo più della felicità, ecco perché sono disposto a perdere Jane, pur di uccidere Masud.

Continuarono a procedere verso sud-ovest lungo il sentiero che si snodava sulla cima dello strapiombo. Lo scroscio del fiume saliva fino a loro. Jean-Pierre chiese: «Quanti morti?»

«Tanti» disse uno dei messaggeri.

Lui era abituato a quel genere di risposta. Con pazienza chiese: «Cinque? Dieci? Venti? Quaranta?».

«Cento.»

Jean-Pierre non gli credette: Skabun non aveva cento abitanti. «Quanti feriti?»

«Duecento.»

Era assurdo. Possibile che l'uomo non lo sapesse? si chiese. O forse esagerava per timore che altrimenti il dottore decidesse di tornare indietro? Forse, più semplicemente, non sapeva contare oltre il dieci. «Che genere di ferite?» insistette Jean-Pierre.

«Fori, tagli, tanto sangue.»

Sembravano ferite da combattimento. Le bombe producevano ustioni, commozioni cerebrali, schiacciamenti causati dal crollo degli edifici. Quell'uomo non doveva aver fatto molta attenzione. Era inutile interrogarlo ancora.

A circa tre chilometri da Banda lasciarono il sentiero sul precipizio e si diressero a nord, lungo una pista che lui non conosceva. «È questa la strada per Skabun?» chiese.

«Sì.»

Evidentemente era una scorciatoia che non aveva mai scoperto: la direzione, comunque, era quella giusta.

Pochi minuti più tardi giunsero in vista d'una delle casupole di pietra dove i viaggiatori usavano riposare o passare la notte. Con grande sorpresa di Jean-Pierre i messaggeri si avviarono verso l'entrata. «Non abbiamo tempo per riposare» esclamò, irritato. «I feriti mi aspettano.»

Poi Anatoly uscì dalla casupola.

Jean-Pierre restò senza parole. Non sapeva se doveva rallegrarsi perché avrebbe potuto parlare a Anatoly della conferenza, o spaventarsi perché gli afgani avrebbero ucciso il russo.

«Non preoccuparti» disse Anatoly nel vedere la sua espressione. «Sono soldati dell'esercito regolare afgano. Li ho mandati a prenderti.»

«Mio Dio!» Era una trovata geniale. Non c'era stato nessun bombardamento a Skabun... era stato un trucco ideato da Anatoly per farlo venire all'incontro. «Domani» disse Jean-Pierre, eccitatissimo «domani succederà qualcosa di tremendamente importante...»

«Lo so, lo so... ho ricevuto il tuo messaggio. Perciò sono qui.»

«Quindi prenderete Masud...»

Anatoly sorrise freddamente, mettendo in mostra i denti macchiati di nicotina. «Prenderemo Masud. Calmati.»

Jean-Pierre si rese conto che si stava comportando come un bambino la mattina di Natale. Con uno sforzo dominò l'entusiasmo. «Quando ho visto che il *malang* non tornava ho creduto...»

«È arrivato a Charikar soltanto ieri» disse Anatoly. «Dio sa cosa ha fatto lungo il percorso. Perché non hai usato la radio?»

«Si è rotta» rispose Jean-Pierre. Per il momento non voleva spiegare quello che era successo con Jane. «Il *malang* è disposto a fare qualunque cosa per me, perché gli fornisco l'eroina.»

Anatoly lo guardò negli occhi per un momento, con aria d'ammirazione. «Sono contento che tu sia dalla mia parte» disse.

Jean-Pierre sorrise.

«Voglio saperne qualcosa di più» disse il russo. Gli passò un braccio intorno alle spalle e lo condusse nella casupola. Sedettero sul pavimento di terra battuta e Anatoly accese una sigaretta. «Come hai saputo della conferenza?» chiese.

Jean-Pierre gli riferì di Ellis e della ferita, di Masud che era andato a parlargli mentre lui stava per fargli un'iniezione, dei lingotti d'oro e del programma di addestramento e del promesso invio di armi.

«È fantastico» commentò Anatoly. «E adesso Masud dov'è?»

«Non lo so. Ma probabilmente arriverà a Darg oggi, o al più tardi domani.»

«Come lo sai?»

«È stato lui a indire la conferenza... come può mancare?»

Anatoly annuì. «Descrivimi l'uomo della CIA.»

«Ecco, poco meno di uno e ottanta, settanta chili, capelli biondi e occhi azzurri. Ha trentaquattro anni ma ne dimostra qualcuno di più. Studi universitari.»

«Passerò tutti questi dati al computer» Anatoly si alzò. Uscì, e Jean-Pierre lo seguì.

Il russo estrasse dalla tasca una piccola ricetrasmittente, estese l'antenna telescopica, premette un pulsante e borbottò in russo per qualche istante. Poi si rivolse di nuovo a Jean-Pierre. «Amico mio, la tua missione è riuscita» disse.

È vero, pensò lui. È riuscita.

«Quando attaccherete?» chiese.

«Domani, naturalmente.»

Domani. Jean-Pierre si sentì pervadere da un'ondata di gioia feroce. Domani.

Gli altri stavano guardando il cielo. Seguì i loro sguardi e vide un elicottero che scendeva: probabilmente Anatoly l'aveva chiamato via radio. Il russo stava abbandonando la prudenza: la partita era quasi conclusa, quella era l'ultima mano, e la furtività e l'inganno stavano per lasciare il posto all'audacia e alla prontezza. L'apparecchio atterrò a fatica in un piccolo tratto di terreno pianeggiante, a un centinaio di metri di distanza.

Jean-Pierre si avvicinò all'elicottero con gli altri tre. Si chiese dove avrebbe dovuto andare dopo la loro partenza. A Skabun non aveva nulla da fare; ma non poteva tornare subito a Banda senza rivelare che non aveva trovato nessuna vittima del bombardamento da curare. Decise che avrebbe fatto bene ad attendere qualche ora nella casupola, prima di ritornare a casa.

Tese la mano ad Anatoly. «*Au revoir*.»

Anatoly non si mosse. «Sali.»

«Cosa?»

«Sali sull'elicottero.»

Jean-Pierre era sbalordito. «Perché?»

«Verrai con noi.»

«Dove? A Bagram? In territorio russo?»

«Sì.»

«Ma non posso...»

«Finiscila di balbettare e ascoltami» disse Anatoly in tono paziente. «Innanzi tutto, il tuo lavoro è finito. La tua missione in Afghanistan è terminata. Hai realizzato il tuo scopo. Domani cattureremo Masud. Tu puoi tornare in patria. In secondo luogo, ora sei un rischio per la sicurezza. Sai cosa contiamo di fare domani. Per ragioni di prudenza non puoi restare in territorio ribelle.»

«Ma non lo dirò a nessuno!»

«E se ti torturassero? Se torturassero tua moglie davanti a te? Se facessero a pezzi tua figlia davanti a tua moglie?»

«Ma cosa sarà di loro, se verrò con voi?»

«Domani, durante l'incursione, le cattureremo e le porteremo da te.»

«Non posso crederlo.» Jean-Pierre capiva che Anatoly aveva ragione; ma l'idea di non ritornare a Banda era così inaspettata che lo disorientava. Jane e Chantal non avrebbero corso pericoli? I russi le avrebbero portate via davvero? Anatoly li avrebbe lasciati tornare tutti e tre a Parigi? Quando sarebbero partiti?

«Sali» ripeté Anatoly.

I due messaggeri afgani si erano piazzati ai fianchi di Jean-Pierre. Non poteva far nulla. Se si fosse rifiutato di salire lo avrebbero caricato con la forza.

Salì sull'elicottero.

Anatoly e gli afgani balzarono a bordo dopo di lui, e l'apparecchio s'innalzò nell'aria. Nessuno chiuse il portello.

Mentre l'elicottero guadagnava quota, Jean-Pierre vide per la prima volta dall'alto la Valle dei Cinque Leoni. Il fiume bianco che zigzagava attraverso la terra bruna gli ricordava la cicatrice d'una vecchia ferita d'arma da taglio sulla fronte bruna di Shahazai Gul, il fratello della levatrice. Poteva scorgere il villaggio di Banda, con i suoi campi gialli e verdi. Guardò fissamente la collina dove si aprivano le grotte, ma non vide tracce di presenze umane. Gli abitanti del villaggio avevano scelto bene il nascondiglio. L'elicottero salì ancora più in alto e virò, Jean-Pierre non poté più vedere Banda. Cercò altri punti di riferimento. Ho passato qui un anno della mia vita, pensò, e adesso non lo rivedrò più. Identificò il villaggio di Darg, con la moschea sovrastata da una cupola. La valle era la roccaforte della Resistenza, pensò. L'indomani sarebbe diventata il monumento funebre d'una ribellione fallita. E tutto per merito mio.

All'improvviso l'elicottero virò verso sud e superò la montagna. Pochi secondi più tardi, Jean-Pierre non scorse più la valle.

11

Quando Fara seppe che Jane e Jean-Pierre sarebbero partiti con il prossimo convoglio, pianse per un'intera giornata. Era molto attaccata a Jane e aveva un grande affetto per Chantal. A Jane questo faceva piacere, ma la metteva anche in imbarazzo: a volte sembrava che Fara la preferisse alla propria madre. Comunque, sembrava che la ragazzina incominciasse a abituar-si all'idea che lei se ne sarebbe andata; e l'indomani tornò a essere la solita, devota come sempre ma non più disperata.

Jane era un po' preoccupata per il viaggio di ritorno. Dalla valle al Passo Khyber c'era una marcia di duecentocinquanta chilometri. Quando erano arrivati c'erano voluti quattordici giorni, e lei era stata tormentata dalla diarrea e dalle vesciche ai piedi, oltre agli inevitabili dolori muscolari. Ora avrebbe dovu-to rifare lo stesso percorso all'inverso, portando in braccio una bimba di due mesi, Ci sarebbero stati i cavalli, ma per gran parte del viaggio sarebbe stato pericoloso montarli perché i convogli viaggiavano lungo i sentieri di montagna più ripidi e stretti, quasi sempre di notte.

Preparò una specie di amaca di cotone da appendersi al collo per mettervi Chantal. Jean-Pierre avrebbe dovuto portare le provviste necessarie durante il giorno perché, come lei aveva scoperto all'andata, cavalli e uomini procedevano a velocità diverse. I cavalli erano più svelti degli uomini in salita e più lenti in discesa, quindi per lunghi periodi si restava separati dai bagagli.

Quel pomeriggio, mentre Jean-Pierre era a Skabun, lei deci-se le provviste che avrebbero portato con loro. Medicinali, antibiotici, bende, morfina... di questo si sarebbe occupato Jean-Pierre. Avrebbero dovuto portare anche un po' di viveri. All'andata avevano avuto a disposizione parecchie razioni a alto contenuto energetico, tipicamente occidentali, cioccolato e minestre liofilizzate, e Kendal's Mint Cake, sempre preferita in queste circostanze. Al ritorno avrebbero potuto contare soltanto su ciò che si poteva trovare nella valle: riso, frutta secca, formaggi, pane duro, più quello che avrebbero potuto comprare lungo il cammino. Per fortuna non doveva preoccuparsi del cibo per Chantal.

Ma la presenza della bambina comportava altri problemi. Lì le madri non usavano i pannolini: lasciavano scoperto il bambino per metà, e poi lavavano l'asciugamani su cui stava sdraiato. Lei pensava che fosse una soluzione più igienica del sistema occidentale, ma non andava bene per viaggiare. Aveva ricavato tre pannolini da un asciugamani e aveva improvvisato un paio di mutandine impermeabili con gli involti in politene dei medicinali. Avrebbe dovuto lavare un pannolino ogni sera, nell'acqua fredda, e cercare di asciugarlo durante la notte. Se non si fosse asciugato in tempo, ce ne sarebbe stato uno di ricambio; e se fossero stati bagnati tutti e due, a Chantal sarebbe venuto un eritema. Nessun bambino era mai morto per così poco, si diceva lei. Il convoglio non si sarebbe certamente fermato per far dormire o mangiare o cambiare una bambina, e quindi avrebbe dovuto poppare e dormire durante la marcia, e lei l'avrebbe cambiata quando ne avesse avuto l'occasione.

Sotto molti aspetti, Jane era diventata più resistente rispetto a un anno prima. La pelle dei piedi era più dura e il suo intestino era immune ai batteri locali più comuni. Le gambe che le avevano fatto tanto male durante la marcia di andata, adesso erano abituate a camminare per chilometri. Ma la gravidanza le aveva lasciato uno strascico di dolori di schiena, e la preoccupava l'idea di dover portare la bambina tutto il giorno. Il suo organismo si era ripreso dal trauma della nascita. Sentiva che avrebbe potuto far l'amore, anche se a Jean-Pierre non l'aveva detto... e non sapeva il perché.

All'andata aveva fatto moltissime fotografie con la sua Polaroid. La macchina l'avrebbe lasciata lì, tanto valeva poco; ma voleva portarsi via quasi tutte le foto. Le guardò e si chiese quali avrebbe dovuto eliminare. Aveva fotografato tutti gli abitanti del villaggio. C'erano i guerriglieri, Mohammed e Alishan e Matullah, in pose ridicolmente eroiche e feroci. C'erano le donne, la voluttosa Zahara, la vecchia Rabia, Halima dagli occhi scuri, e tutte e tre ridevano intimidite come ragazzine. C'erano i bambini: le tre figlie di Mohammed, e Mousa; i piccini di Zahara, di due, tre, quattro, cinque anni, e i quattro figli del mullah. Non poteva eliminarne neppure una: avrebbe dovuto portarle tutte con sé.

Incominciò a riporre gli indumenti in una borsa mentre Fara spazzava e Chantal dormiva nella stanza accanto. Erano venute presto dalle grotte per sbrigare il lavoro. Ma non c'era molto da portar via: oltre ai pannolini di Chantal, un paio di mutande pulite per lei e uno per Jean-Pierre, e un paio di calzini per ciascuno. Non avrebbero portato abiti di ricambio: Chantal, comunque, non aveva nulla perché stava sempre nuda o avvolta in uno scialle. Per loro due un paio di calzoni, una camicia, una sciarpa e una coperta tipo *pattu* sarebbero bastati per tutto il viaggio; e con ogni probabilità li avrebbero bruciati in un albergo di Peshawar per festeggiare il ritorno alla civiltà.

Quel pensiero le avrebbe dato forza durante la marcia. Ricordava vagamente di aver pensato che il Dean's Hotel di Peshawar era primitivo, ma adesso era difficile ricordare che cosa non andava. Era possibile che lei si fosse lamentata perché l'impianto dell'aria condizionata era rumoroso? In quell'albergo c'erano le docce, santo cielo!

«La civiltà» disse a voce alta, e Fara la guardò con aria interrogativa. Jane sorrise e disse in dari: «Sono felice perché torno in una grande città».

«A me piacciono le grandi città» disse Fara. «Una volta sono andata a Rokha.» Continuò a spazzare. «Mio fratello è andato a Jalalabad» soggiunse in tono di invidia.

«Quando tornerà?» chiese Jane, ma adesso Fara taceva, imbarazzata, e dopo un momento Jane comprese il perché. Dal cortile giunsero un fischiettio e un suono di passi. Poi bussarono alla porta e la voce di Ellis Thaler chiese: «C'è nessuno?».

«Avanti» disse Jane. Lui entrò, zoppicando. Anche se non aveva più un interesse sentimentale per lui, si era preoccupata per la ferita. Ellis era rimasto a Astana in attesa di guarire, e avrebbe dovuto tornare appunto quel giorno. «Come va?» gli chiese.

«Mi sento molto stupido» rispose lui con un sorriso di rammarico. «Buscarsi una pallottola nel didietro è imbarazzante.»

«Se non provi altro che imbarazzo, allora devi stare meglio.»

Lui annuì. «C'è il dottore?»

«È andato a Skabun» disse Jane. «C'è stato un bombardamento terribile e l'hanno mandato a chiamare. C'è qualcosa che posso fare?»

«Volevo solo dirgli che la mia convalescenza è finita.»

«Tornerà stanotte o domattina.» Jane lo stava osservando: con quella criniera bionda e la barba ricciuta e dorata sembrava un leone. «Perché non ti tagli i capelli?»

«I guerriglieri mi hanno detto di farmeli crescere e di non radermi.»

«Dicono sempre così. Dovrebbe servire a far passare inosservati gli occidentali. Ma nel tuo caso ha l'effetto opposto.»

«In questo paese darei nell'occhio comunque portassi i capelli.»

«È vero.» Jane ricordò che era la prima volta che lei e Ellis si trovavano insieme senza che fosse presente anche Jean-Pierre. Erano tornati con molta facilità al vecchio modo di parlare, e era difficile rammentare che era stata così furiosa con lui.

Ellis guardò incuriosito ciò che stava facendo. «Come mai fai i bagagli?»

«Per il viaggio di ritorno.»

«Come viaggerete?»

«Con un convoglio, come all'andata.»

«I russi hanno occupato parecchio territorio durante gli ultimi giorni» disse Ellis. «Non lo sapevi?»

Jane fu scossa da un brivido d'apprensione. «Che cosa stai cercando di dirmi?»

«I russi hanno lanciato l'offensiva d'estate. Sono avanzati su vasti tratti dove passano normalmente i convogli.»

«Quindi la strada per il Pakistan è chiusa?»

«La strada regolare è chiusa. È impossibile arrivare da qui al Passo Khyber. Ci sono altri percorsi...»

Jane vide svanire il sogno di ritornare a casa. «Nessuno me l'ha detto!» esclamò irritata.

«Immagino che Jean-Pierre non lo sapesse. Ho parlato spesso con Masud, quindi sono aggiornato.»

«Sì» disse Jane, senza guardarlo. Forse Jean-Pierre non lo sapeva. O forse lo sapeva benissimo ma non gliel'aveva detto perché non voleva tornare in Europa. Comunque, lei non si sarebbe rassegnata. Innanzi tutto voleva scoprire se Ellis aveva ragione. Poi avrebbe cercato un modo per risolvere il problema.

Andò allo stipo di Jean-Pierre e tirò fuori le sue carte topografiche dell'Afghanistan stampate in America. Erano arrotolate e trattenute da un elastico. Ruppe l'elastico con un gesto impaziente e lasciò cadere le mappe sul pavimento. In fondo alla sua mente una voce disse: Forse era l'unico elastico che esisteva in un raggio di centocinquanta chilometri.

Si impose di rimanere calma.

S'inginocchiò e incominciò a esaminare le carte. Erano su grande scala, e quindi dovette accostarne diverse per avere sotto gli occhi tutto il territorio tra la valle e il Passo Khyber. Ellis guardava sopra la sua spalla. «Sono carte ottime» disse. «Dove le hai prese?»

«Le ha portate Jean-Pierre da Parigi.»

«Sono migliori di quelle di Masud.»

«Lo so. Mohammed le usa sempre per decidere i percorsi dei convogli. Bene. Mostrami fin dove sono arrivati i russi.»

Ellis s'inginocchiò sul tappeto accanto a lei e tracciò con l'indice una linea attraverso le carte.

Jane sentì rinascere la speranza. «Non mi pare che il Passo Khyber sia tagliato fuori» disse. «Perché non potremmo passare di qui?» Tracciò una linea immaginaria, un po' a nord del fronte russo.

«Non so se c'è una strada» osservò Ellis. «Forse la zona non è transitabile... dovresti chiederlo ai guerriglieri. Ma c'è il fatto che le informazioni di Masud risalgono almeno a uno o due giorni fa, e i russi stanno ancora avanzando. Una valle o un passo potrebbe essere aperto un giorno e chiuso l'indomani.»

«Accidenti!» Jane non voleva darsi per vinta. Si chinò sulle mappe e scrutò con attenzione la zona della frontiera. «Guarda: il Passo Khyber non è l'unico.»

«C'è la valle di un fiume che si estende lungo tutto il confine, e dalla parte afgana ci sono montagne. Forse gli altri passi si possono raggiungere soltanto da sud... e cioè dal territorio occupato dai russi.»

«È inutile fare ipotesi» disse Jane. Raccolse le carte e le arrotolò. «Qualcuno deve sapere.»

«Penso di sì.»

Lei si alzò. «Ci deve essere più d'una strada per uscire da questo maledetto paese» disse. Mise le carte sotto il braccio e uscì, lasciando Ellis inginocchiato sul tappeto.

Le donne e i bambini erano tornati dalle grotte e il villaggio aveva ripreso a vivere. Il fumo dei fuochi aleggiava sopra i muri dei cortili. Davanti alla moschea cinque bambini stavano seduti in cerchio e facevano un gioco che veniva chiamato "Melone" senza una ragione logica. Un bambino incominciava a raccontare una storia, poi s'interrompeva e un altro doveva continuare. Jane vide che c'era anche Mousa, il figlio di Mohammed. Portava alla cintura il coltello che gli aveva regalato il padre dopo l'incidente con la mina. Adesso era Mousa che stava parlando. Jane sentì: «... e l'orso cercò di staccare con un morso la mano del ragazzo, ma il ragazzo prese il coltello...».

Si diresse alla casa di Mohammed. Forse lui non c'era (non lo vedeva da diverso tempo), ma con lui vivevano i fratelli, secondo la consuetudine afgana; e anche loro erano guerriglieri, come tutti i giovani abili, quindi se erano a casa avrebbero potuto darle qualche informazione.

Esitò prima di entrare. Secondo l'uso locale avrebbe dovuto fermarsi in cortile a parlare con le donne che stavano preparando il pasto della sera; poi, dopo uno scambio di convenevoli, la donna più vecchia sarebbe entrata in casa a chiedere se gli uomini acconsentivano a parlare con lei. Le sembrava di sentire la voce di sua madre che raccomandava: «Non essere sfacciata!». A voce alta, disse: «Vai all'inferno, mamma». Entrò, senza badare alle donne nel cortile e passò direttamente nella prima stanza della casa, il salotto degli uomini.

Ce n'erano tre: il fratello diciottenne di Mohammed, Kahmir Khan, che aveva un bel volto e la barba rada; il cognato di Mohammed, Matullah, e lo stesso Mohammed. Era strano trovare a casa tanti guerriglieri. Tutti alzarono la testa e la guardarono sbalorditi.

«Dio sia con te, Mohammed Khan» disse Jane. E senza lasciargli il tempo di rispondere continuò: «Quando sei tornato?».

«Oggi» rispose lui automaticamente.

Jane si accosciò, come loro. I tre uomini erano troppo allibiti per parlare. Lei stese le mappe sul pavimento. Istintivamente, i tre si tesero per guardarle; stavano già dimenticando la violazione dell'etichetta. «Guardate» disse Jane. «I russi sono avanzati fin qui... è esatto?» Tracciò con l'indice la linea che le aveva mostrato Ellis.

Mohammed annuì.

«Quindi la strada regolare dei convogli è bloccata.»

Mohammed annuì di nuovo.

«Qual è il percorso migliore per lasciare il paese, adesso?»

I tre assunsero un'aria dubbiosa e scrollarono la testa. Questo era normale: quando si parlava di difficoltà, amavano discuterne a lungo. Jane pensava che lo facevano perché la conoscenza del territorio era l'unico loro potere sugli stranieri come lei. Di solito era tollerante, ma quel giorno non intendeva perdere tempo. «Perché non di qua?» chiese in tono perentorio, tracciando una linea parallela al fronte russo.

«Troppo vicino ai russi» disse Mohammed.

«Allora qui?» Jane indicò un percorso più prudente, seguendo le caratteristiche del terreno.

«No» disse Mohammed.

«Perché?»

«Qui...» Mohammed indicò un punto, tra gli inizi di due valli, dove Jane aveva passato il dito sopra una catena montuosa. «Qui non c'è nessuna sella.» Una sella era un passo.

Jane tracciò un percorso più a nord. «Di qua?»

«Anche peggio.»

«Deve esserci un'altra via d'uscita!» esclamò Jane. Aveva l'impressione che i tre si divertissero a vederla così frustrata. Decise di dire qualcosa di leggermente offensivo per pungolarli. «Allora questo paese è una casa con una sola porta, tagliato fuori dal resto del mondo perché non si può raggiungere il Passo Khyber?» La frase "una casa con una sola porta" era un eufemismo per indicare la latrina.

«No, naturalmente» replicò brusco Mohammed. «In estate c'è la Pista del Burro.»

«Mostramela.»

Mohammed indicò un complesso percorso che all'inizio si snodava a est della valle, attraverso una serie di alti valichi e di fiumi in secca, poi deviava a nord addentrandosi nell'Himalaya e finiva per attraversare il confine presso l'imboccatura del disabitato Corridoio Waikhan, prima di piegare a sud-est per raggiungere la cittadina pakistana di Chitral. «È da qui che gli abitanti del Nuristan portano il burro, lo yogurt e il formaggio ai mercati del Pakistan.» Mohammed sorrise e si toccò il berretto rotondo. «È là che prendiamo questi.» Jane ricordava che venivano chiamati berretti chitrali.

«Bene» disse lei. «Torneremo a casa per quella strada.»

Mohammed scrollò la testa. «Non potete.»

«E perché?»

Kahmir e Matullah sorrisero con aria saputa. Jane li ignorò. Dopo un momento, Mohammed disse: «Il primo problema è l'altitudine. Il percorso passa al di sopra della linea dei ghiacci. Questo significa che la neve non si scioglie mai e non c'è acqua, neppure in estate. Poi c'è il territorio: le colline sono molto scoscese, i sentieri stretti e insicuri. È difficile orientarsi: persino le guide locali possono perdersi. Ma il problema più grave è rappresentato dalla popolazione. La regione viene chiamata Nuristan, ma un tempo si chiamava Kafiristan, perché gli abitanti erano infedeli e bevevano vino. Ora sono veri credenti ma sono ancora subdoli e derubano i viaggiatori, a volte li uccidono. È un percorso non adatto agli europei, e impossibile per le donne. Solo gli uomini più giovani e più forti possono seguirlo... e anche così, molti vengono uccisi.»

«Manderete i convogli per quella strada?»

«No. Aspetteremo che si riapra il percorso a sud.»

Jane lo guardò in faccia. Mohammed non esagerava affatto, non era difficile capirlo. Si era attenuto ai fatti. Si alzò e incominciò a radunare le carte. Era amaramente delusa. Il ritorno a casa era rinviato a tempo indeterminato. La tensione della vita nella valle le sembrò di colpo insopportabile. Aveva voglia di piangere.

Arrotolò le carte topografiche e si sforzò di essere compita. «Sei stato via a lungo» disse a Mohammed.

«Sono andato a Faizabad.»

«È un lungo viaggio.» Faizabad era una città piuttosto grande, al nord. Là la Resistenza era molto forte: l'esercito si era ammutinato e i russi non l'avevano mai ripresa. «Non sei stanco?»

Era una domanda rituale, e Mohammed diede la risposta altrettanto rituale: «Sono ancora vivo!».

Jane mise sotto il braccio le mappe arrotolate e uscì.

Le donne nel cortile la guardarono spaventate mentre passava. Rivolse un cenno di saluto a Halima, la moglie di Mohammed, e Halima la ricambiò con un sorriso nervoso.

I guerriglieri viaggiavano parecchio, in quegli ultimi tempi. Mohammed era stato a Faizabad, il fratello di Fara era andato a Jalalabad... Jane ricordava che una delle sue pazienti, una donna di Dasht-i-Rewat, aveva detto che suo marito era stato mandato a Pagman, presso Kabul. E il cognato di Zahara, Yussuf Gul, il fratello del marito morto, era andato nella Valle di Logar dall'altra parte di Kabul. E quelle quattro località erano roccaforti dei ribelli.

Stava succedendo qualcosa di insolito.

Per un po', Jane dimenticò il proprio disappunto e cercò di ricostruire ciò che stava accadendo. Masud aveva mandato messaggeri a molti altri comandanti della Resistenza, forse a tutti. Era una coincidenza, il fatto che fosse avvenuto così poco tempo dopo l'arrivo di Ellis nella valle? E se non era così, che altro era venuto a fare Ellis? Forse gli Stati Uniti collaboravano con Masud per organizzare un'offensiva concertata. Se tutti i ribelli avessero agito insieme, con ogni probabilità avrebbero realizzato qualcosa d'importante... avrebbero potuto prendere Kabul e tenerla per qualche tempo.

Jane tornò a casa e ributtò le mappe nello stipo. Chantal continuava a dormire. Fara preparava la cena: pane, yogurt e mele. Jane le chiese: «Perchè tuo fratello è andato a Jalalabad?».

«Lo hanno mandato» rispose Fara, con l'aria di chi afferma la cosa più ovvia del mondo.

«Chi l'ha mandato?»

«Masud.»

«Perché?»

«Non lo so.» Fara sembrava sorpresa da quella domanda: chi poteva essere così sciocco da immaginare che un uomo confidasse alla sorella il motivo della sua partenza?

«Aveva qualcosa da fare laggiù, oppure portava un messaggio, o che altro?»

«Non lo so» ripeté Fara. Adesso sembrava innervosita.

«Lascia stare» disse Jane con un sorriso. Tra tutte le donne del villaggio, Fara era probabilmente l'ultima a sapere quel che succedeva. Chi poteva saperlo meglio di tutte? Zahara, certo.

Jane prese un asciugamani e scese al fiume.

Zahara non era più tanto disperata per la morte del marito, sebbene fosse diventata molto meno vivace e gaia. Jane si chiese tra quanto si sarebbe risposata. Zahara e Ahmed erano stati l'unica coppia afgana, tra le tante che aveva conosciute, che sembrasse davvero innamorata. Comunque Zahara era una donna molto sensuale, che avrebbe avuto difficoltà a vivere a lungo senza un uomo. Il fratello minore di Ahmed, Yussuf il cantore, abitava nella stessa casa di Zahara, e a diciotto anni era ancora scapolo. Le donne del villaggio pensavano che forse avrebbe finito per sposare Zahara.

Lì i fratelli vivevano insieme; le sorelle erano sempre separate. Una sposa andava a vivere con il marito nella casa dei suoceri. Era uno dei tanti modi in cui i maschi di quel paese opprimevano le loro donne.

C'erano alcuni uomini che lavoravano nella luce serotina. Il raccolto era quasi terminato. Tra poco sarebbe stato comunque troppo tardi per percorrere la Pista del Burro, pensò Jane: Mohammed aveva detto che era praticabile solo in estate.

Arrivò alla spiaggia delle donne. Otto o dieci donne del villaggio facevano il bagno nel fiume o nelle grandi pozze sulla riva. Zahara era in mezzo alla corrente, come al solito, e sollevava grandi spruzzi. Ma non rideva e non scherzava.

Jane buttò a terra l'asciugamani e si immerse. Decise di adottare con Zahara un approccio meno diretto di quello che aveva usato con Fara. Non sarebbe riuscita a ingannare Zahara, naturalmente, ma avrebbe cercato di dare l'impressione di spettegolare più che di interrogarla. Non l'avvicinò subito. Quando le altre uscirono dall'acqua, Jane attese ancora un paio di minuti, poi le seguì e si asciugò in silenzio. Parlò solo quando Zahara e qualche altra donna incominciarono a avviarsi verso il villaggio. «Yussuf tornerà presto?» chiese in dari.

«Oggi o domani. È andato alla Valle di Logar.»

«Lo so. È andato solo?»

«Sì... ma ha detto che forse al ritorno avrebbe portato qualcuno.»

«Chi?»

Zahara alzò le spalle. «Una moglie, forse.»

Per un momento, Jane rimase sorpresa. Zahara era troppo fredda e indifferente. Quindi era preoccupata: non voleva che Yussuf portasse a casa una moglie. Sembrava che le chiacchiere del villaggio fossero vere. Jane se lo augurava. Zahara aveva bisogno di un uomo. «Io non credo che sia andato a cercare moglie» disse Jane.

«Perché?»

«Sta succedendo qualcosa d'importante. Masud ha fatto partire molti messaggeri. Non è possibile che siano andati tutti a cercarsi una moglie.»

Zahara continuò a sforzarsi di apparire indifferente, ma Jane capì che era soddisfatta. Che significato poteva avere, comunque, la possibilità che Yussuf fosse andato nella Valle di Logar per chiamare qualcuno?

Quando si avvicinarono al villaggio, ormai scendeva la notte.

Dalla moschea giungeva un salmodiare sommesso, lo strano suono della preghiera degli uomini più sanguinari del mondo. A Jane ricordava sempre Josef, un giovane soldato russo che era sopravvissuto quando il suo elicottero era precipitato oltre la montagna, non lontano da Banda. Alcune donne l'avevano portato nella casa del bottegaio (era inverno, prima che trasferissero l'ambulatorio nella grotta) e Jean-Pierre e Jane l'avevano curato mentre un messaggero andava da Masud per chiedere cosa si doveva fare. Jane aveva conosciuto la risposta di Masud quando, una sera, Alishan Karin era entrato nella prima stanza della casa del bottegaio, dove giaceva Josef avvolto nelle bende, gli aveva puntato la canna del fucile all'orecchio e gli aveva fatto saltare le cervella. Era accaduto a quell'ora, e il suono delle preghiere degli uomini aleggiava nell'aria mentre Jane lavava il sangue dal muro e ripuliva il pavimento dalla materia cerebrale.

Le donne salirono l'ultimo tratto del sentiero e si soffermarono davanti alla moschea per finire le conversazioni prima di andarsene nelle rispettive case. Jane sbirciò all'interno della moschea. Gli uomini pregavano inginocchiati, guidati dal mullah Abdullah. Le armi, il solito assortimento di fucili vecchissimi e di moderni mitra, erano ammucchiate in un angolo. Le preghiere stavano terminando. Quando gli uomini si alzarono, Jane vide che molti erano sconosciuti. Chiese a Zahara: «Chi sono?».

«Guardando i turbanti, devono venire dalla Valle di Pich e da Jalalabad» rispose. «Sono pushtun... normalmente sono nostri nemici. Perché sono qui?» Mentre parlava, uscì dalla folla un uomo altissimo, con un occhio coperto da una benda. «Quello dev'essere Jahan Kamil... il più grande nemico di Masud!»

«Però Masud sta parlando con lui» disse Jane, e soggiunse in inglese: «Pensa un po'!».

Zahara la imitò. «Pensuppò!»

Era la prima volta che Zahara scherzava, dopo la morte del marito. Era un buon segno: si stava riprendendo.

Gli uomini incominciarono a uscire, e tutte le donne corsero furtivamente a casa, eccettuata Jane. Le sembrava d'incominciare a capire cosa stava succedendo: e voleva una conferma. Quando uscì Mohammed, gli si accostò e gli parlò in francese. «Avevo dimenticato di chiederti se il tuo viaggio a Faizabad è andato bene.»

«È andato bene» rispose lui senza rallentare. Non voleva che i suoi compagni e i pushtun lo vedessero rispondere alle domande di una donna.

Jane gli si affiancò, mentre lui si avviava verso casa. «Dunque il comandante di Faizabad è qui?»

«Sì.»

Allora la sua intuizione era esatta: Masud aveva invitato lì tutti i comandanti ribelli. «Cosa pensi di questa idea?» chiese. Stava ancora cercando di scoprire qualche dettaglio.

Mohammed assunse un'aria pensierosa e abbandonò l'alterigia, come faceva sempre quando una conversazione lo interessava. «Tutto dipende da quello che farà domani Ellis» rispose. «Se dà a tutti l'impressione di essere un uomo d'onore e conquista il loro rispetto, credo che approveranno il suo piano.»

«E tu credi che il piano sia buono?»

«Senza dubbio sarà un'ottima cosa, se la Resistenza sarà unita e riceverà armi dagli americani.»

Dunque era così! Armi americane per i ribelli, a condizione che lottassero insieme contro i russi invece di passare metà del tempo a battersi tra loro.

Arrivarono alla casa di Mohammed, e Jane proseguì con un cenno di saluto. Aveva i seni gonfi: era l'ora di allattare Chantal. Il seno destro era un po' più pesante, perché l'ultima volta aveva incominciato a attaccare Chantal al sinistro, e la piccina vuotava sempre il primo.

Entrò in casa e andò in camera da letto. Chantal era nuda su un asciugamani piegato, nella culla che in realtà era uno scatolone tagliato a metà. Non aveva bisogno d'indumenti, nella calda estate afgana. Di notte bastava coprirla con un lenzuolo. I ribelli e la guerra, Ellis e Mohammed e Masud si dileguarono sullo sfondo mentre Jane guardava sua figlia. Aveva sempre pensato che i bambini piccoli fossero brutti, ma Chantal le sembrava molto carina. Mentre la guardava, Chantal si mosse, aprì la bocca e strillò. Subito, dal seno destro di Jane uscì qualche goccia di latte, e una chiazza calda dilagò sulla camicia. Slacciò i bottoni e prese in braccio la bimba.

Jean-Pierre diceva che avrebbe dovuto lavarsi i seni con l'alcol prima di allattare, ma lei non lo faceva mai perché sapeva che a Chantal non sarebbe piaciuto il sapore. Sedette su un tappeto, appoggiandosi a una parete, e sostenne Chantal con il braccio destro. La piccola agitò le braccine paffute e mosse la testa, cercando freneticamente con la bocca aperta. Jane la guidò al capezzolo. Le gengive si strinsero e la bambina incominciò a succhiare avidamente. Jane rabbrividì alla prima succhiata e alla seconda. La terza fu più gentile. Una manina si alzò, si posò sul seno gonfio, lo premette in una cieca, goffa carezza. Jane si rilassò.

Allattare la bambina la faceva sentire terribilmente tenera e protettiva. Ed era anche una sensazione erotica. All'inizio si era sentita in colpa per l'eccitazione che le causava, ma poi aveva concluso che se era naturale non c'era nulla di male, e l'aveva apprezzata.

Non vedeva l'ora di mostrare Chantal a tutti, se mai fossero tornati in Europa. La madre di Jean-Pierre le avrebbe detto senza dubbio che sbagliava tutto, e sua madre avrebbe preteso che la piccola venisse battezzata, ma suo padre avrebbe adorato Chantal tra i fumi dell'alcol, e sua sorella sarebbe stata fiera e entusiasta. Chi altro c'era? Il padre di Jean-Pierre era morto...

Dal cortile giunse una voce. «C'è nessuno?»

Era Ellis. «Avanti» gridò Jane. Non pensò a coprirsi. Ellis non era un afgano, e comunque era stato il suo amante.

Lui entrò, vide che stava allattando, e si fermò di colpo. «Devo andarmene via?»

Jane scosse il capo. «Le mie tette le hai già viste.»

«Non mi pare» disse Ellis. «Devi averle cambiate.»

Lei rise. «La gravidanza le ingrossa.» Ellis era stato sposato, lo sapeva, e aveva un figlio, sebbene le avesse lasciato credere che non aveva più rivisto né il figlio né la madre. Era una delle cose di cui non parlava quasi mai. «Non ricordi quando era incinta tua moglie?»

«Non c'ero» rispose lui, con il tono che usava quando voleva troncare una discussione. «Ero lontano.»

Jane era troppo rilassata per ribattere nello stesso tono. In realtà le faceva un po' di compassione. Si era rovinato la vita, ma non era stata tutta colpa sua: e sicuramente era stato punito per i suoi peccati... anche da lei.

«Jean-Pierre non è tornato» disse Ellis.

«No.» La piccola smise di poppare, dopo aver svuotato un seno. Jane estrasse dolcemente il capezzolo dalla bocca di Chantal e se la sollevò sulla spalla, battendole la mano sulla schiena per farla ruttare.

«Masud vorrebbe prendere in prestito le sue carte topografiche» disse Ellis.

«Certo. Sai dove sono.» Chantal ruttò clamorosamente. «Brava» disse Jane, e se l'attaccò al seno sinistro. Di nuovo affamata dopo il rutto, Chantal cominciò a succhiare. Cedendo a un impulso improvviso, Jane chiese: «Perché non vedi mai tuo figlio?».

Ellis prese la mappa, richiuse lo stipo e si rialzò. «Lo faccio» rispose. «Ma non molto spesso.»

Jane era sbalordita. Ho praticamente vissuto con lui per sei mesi, pensò, eppure non l'ho mai conosciuto davvero. «Maschio o femmina?»

«È una femmina.»

«Deve avere...»

«Tredici anni.»

«Mio Dio.» Ormai era grande. All'improvviso Jane s'incuriosì. Perché non gli aveva mai fatto domande? Forse non le era mai interessato, prima di avere una creatura sua. «Dove abita?»

Ellis esitò.

«Non dirmelo» fece Jane. Gli leggeva in faccia. «Stavi per mentirmi.»

«Sì» disse lui. «Ma capisci perché devo mentire?»

Jane rifletté un momento. «Temi che i tuoi nemici possano colpirti attraverso tua figlia?»

«Sì.»

«È una buona ragione.»

«Grazie. E grazie anche per queste» Ellis sventolò le carte e uscì.

Chantal s'era addormentata con il capezzolo in bocca. Jane la staccò dolcemente, se l'appoggiò alla spalla. La bimba ruttò senza svegliarsi. Avrebbe continuato a dormire qualunque cosa succedesse.

Avrebbe voluto che Jean-Pierre fosse tornato. Era sicura che non poteva fare nulla di male; ma si sarebbe sentita più tranquilla se l'avesse avuto sotto gli occhi. Non poteva contattare i russi perché lei gli aveva fracassato la radio. Non c'erano altri mezzi di comunicazione tra Banda e il territorio russo. Masud, naturalmente, poteva mandare i suoi messaggeri; ma Jean-Pierre non ne aveva, e comunque se avesse mandato qualcuno l'intero villaggio l'avrebbe saputo. La sola cosa che Jean-Pierre avrebbe potuto fare era arrivare a piedi fino a Rokha, e non ne aveva avuto il tempo.

A parte l'ansia, non le piaceva dormire sola. In Europa non avrebbe avuto importanza; ma lì aveva paura degli uomini brutali e imprevedibili per i quali il fatto che un uomo picchiasse la moglie era normale come il fatto che una madre sculacciasse il figlio. E lei, ai loro occhi, non era una donna normale: con la sua mentalità emancipata, i suoi sguardi diretti e i suoi atteggiamenti spavaldi era un simbolo di piaceri sessuali proibiti. Non aveva mai seguito le convenzioni del comportamento sessuale; e le uniche donne che agivano così, per loro, erano le puttane.

Quando c'era Jean-Pierre, Jane tendeva la mano per toccarlo prima di addormentarsi. Lui dormiva sempre raggomitolato, voltandole le spalle, e anche se nel sonno si muoveva molto, non la toccava mai. L'unico uomo con il quale aveva diviso un letto per un lungo periodo era Ellis, e lui era stato esattamente l'opposto: per tutta la notte la toccava, l'abbracciava e la baciava, a volte nel dormiveglia, a volte quando era addormentato. Per due o tre volte aveva tentato persino di far l'amore con lei nel sonno; e lei aveva riso e aveva cercato di assecondarlo, ma dopo pochi secondi lui s'era staccato e aveva incominciato a russare, e l'indomani mattina non aveva ricordato nulla. Com'era diverso da Jean-Pierre. Ellis la toccava con goffa tenerezza, come un bambino che gioca con la bestiola preferita; Jean-Pierre la toccava come un violinista che maneggia uno Stradivari. L'avevano amata in modo diverso, ma l'avevano tradita nello stesso modo.

Chantal gorgogliò. Era sveglia. Jane se la sistemò sulle ginocchia, sostenendole la testolina in modo che potessero guardarsi, e incominciò a parlarle, un po' a sillabe prive di senso, un po' a parole. A Chantal piaceva. Dopo un po', Jane non seppe più cosa dirle e incominciò a cantare. Era arrivata a metà di *Daddy's gone to London in a puffer train* quando fu interrotta da una voce che risuonava dall'esterno. «Avanti» gridò. Poi, a Chantal: «Abbiamo sempre visite, vero? È come vivere nella National Gallery». Chiuse i lembi della camicia per nascondere il seno.

Mohammed entrò. «Dov'è Jean-Pierre?» chiese in dari.

«È andato a Skabun. Posso fare qualcosa?»

«Quando tornerà?»

«Domattina, credo. Vuoi dirmi di cosa si tratta, oppure intendi continuare a parlare come un poliziotto di Kabul?»

Mohammed le sorrise. Quando gli parlava così irrispettosamente la trovava sexy, e non era l'effetto che lei voleva. «Alishan è arrivato con Masud. Vuole altre pillole.»

«Ah, sì.» Alishan Karim era il fratello del mullah, e soffriva di angina. Naturalmente non voleva rinunciare alle sue attività di guerrigliero, perciò Jean-Pierre gli dava la trinitrina da prendere prima di affrontare battaglie o grosse fatiche. «Te la darò io» disse Jane. Si alzò e gli porse Chantal.

Mohammed prese automaticamente la bambina e poi assunse un'aria imbarazzata. Jane sorrise e andò nella stanza d'ingresso. Trovò le pillole sotto il banco. Ne versò un centinaio in un contenitore e tornò in soggiorno. Chantal stava fissando Mohammed, affascinata. Jane la riprese e gli porse i medicinali. «Di' ad Alishan che deve riposare di più.»

Mohammed scosse la testa. «Io non gli faccio abbastanza paura» obiettò. «Dovrai dirglielo tu.»

Jane rise. Sulla bocca di un afgano, quella battuta era quasi femminista.

Poi Mohammed chiese: «Perché Jean-Pierre è andato a Skabun?».

«C'è stato un bombardamento questa mattina.»

«No, non c'è stato.»

«Ma certo, c'è...» Jane s'interruppe di colpo.

Mohammed scrollò le spalle. «Sono stato là tutto il giorno con Masud. Ti sarai sbagliata.»

Jane si sforzò di non tradire l'agitazione. «Sì. Avrò capito male.»

«Grazie per le pillole.» Mohammed uscì.

Jane si lasciò cadere pesantemente su uno sgabello. Skabun non era stata bombardata. Jean-Pierre era andato a un incontro con Anatoly. Non riusciva a capire come avesse combinato l'appuntamento, ma non c'erano dubbi.

Cosa doveva fare?

Se Jean-Pierre sapeva della conferenza dell'indomani, e avesse avvertito i russi, allora i russi avrebbero potuto sferrare un attacco...

E in un solo giorno avrebbero tolto di mezzo tutti i capi della Resistenza afgana.

Doveva parlare con Ellis.

Avvolse Chantal in uno scialle, perché l'aria era un po' più fresca, e uscì per andare alla moschea. Ellis era in cortile con gli altri e studiava le carte topografiche di Jean-Pierre con Masud e Mohammed e l'uomo con la benda sull'occhio. Alcuni guerriglieri si passavano di mano in mano un *hookah*, altri mangiavano. Sgranarono gli occhi per la sorpresa quando la videro entrare con la bambina sul fianco. «Ellis» disse lei. Ellis alzò la testa. «Ti devo parlare. Puoi uscire un momento?»

Ellis si alzò. Varcarono l'arcata e si fermarono davanti alla moschea.

«Cos'è successo?» chiese lui.

«Jean-Pierre sa della conferenza di tutti i capi dei ribelli?»

«Sì... quando io e Masud ne abbiamo parlato la prima volta, lui era presente. Stava per estrarmi la pallottola dal sedere. Perché?»

Jane provò una stretta al cuore. La sua ultima speranza era stata che Jean-Pierre non sapesse nulla. Ora non aveva più scelta. Si guardò intorno. Non c'era nessuno che potesse sentirli, e comunque stavano parlando in inglese. «Devo dirti una cosa» annunciò. «Ma voglio la tua promessa che non gli succederà niente di male.»

Ellis la fissò per un momento. «Oh, merda» disse di scatto. «Oh, merda, maledizione. Lavora per loro. Ma certo! Perché non l'ho pensato? A Parigi doveva essere stato lui a condurre quei porci al mio appartamento! Li avvertiva quando partivano i convogli... ecco perché ne hanno attaccati tanti! Bastardo...» Si interruppe di colpo e continuò in tono più gentile: «Per te dev'essere stato terribile».

«Sì» disse Jane. Non riuscì più a controllarsi. Le lacrime le salirono agli occhi e cominciò a singhiozzare. Si sentiva debole e sciocca e si vergognava di piangere, ma aveva l'impressione di essersi liberata da un peso enorme.

Ellis cinse con le braccia lei e Chantal. «Povera cara» mormorò.

«Sì» singhiozzò Jane. «È stato spaventoso.»

«Lo sai da molto tempo?»

«Qualche settimana.»

«Quando l'hai sposato non lo sapevi.»

«No.»

«Tutti e due» disse Ellis. «Ti abbiamo mentito tutti e due.»

«Sì.»

«Ti sei messa con gli uomini sbagliati.»

«Sì.»

Jane gli nascose la faccia contro il petto e pianse senza freno, per tutte le menzogne e i tradimenti, e il tempo e l'amore sprecati. Anche Chantal piangeva. Ellis la tenne stretta, accarezzandole i capelli, fino a che Jane smise di tremare, si calmò un poco e si asciugò il naso sulla manica. «Gli ho fracassato la radio, capisci?» disse. «E allora ho pensato che non avesse più la possibilità di mettersi in contatto con loro. Ma oggi sono venuti a chiamarlo perché andasse a Skabun, a curare i feriti del bombardamento, ma non ci sono stati bombardamenti a Skabun...»

Mohammed uscì dalla moschea. Ellis lasciò Jane, imbarazzato. «Cosa succede?» chiese a Mohammed in francese.

«Stanno discutendo» rispose Mohammed. «Alcuni dicono che il piano è buono e ci aiuterà a sconfiggere i russi. Altri chiedono perché Masud è considerato l'unico comandante degno, e vogliono sapere chi è Ellis Thaler e perché dovrebbe avere il diritto di giudicare i capi afgani. Devi tornare a parlare con loro.»

«Aspetta» disse Ellis. «C'è uno sviluppo nuovo.»

Jane pensò: Oh, Dio, Mohammed ucciderà qualcuno, quando saprà...

«C'è stata una fuga di notizie.»

«Cosa vorresti dire?» chiese minacciosamente Mohammed.

Ellis esitò, come se fosse riluttante a confidarsi. «Forse i russi sanno della conferenza...»

«Chi?» volle sapere Mohammed. «Chi ha tradito?»

«Forse il dottore, ma...»

Mohammed si voltò di scatto verso Jane. «Da quanto tempo lo sapevi?»

«Parlami educatamente o stai zitto» ribatté lei.

«Calma» disse Ellis.

Jane non intendeva permettere che Mohammed continuasse a usare quel tono d'accusa. «Ti avevo messo in guardia, no?» chiese. «Ti ho detto di cambiare il percorso del convoglio. Ti ho salvato la vita, quindi non prendertela con me!»

Mohammed si calmò di colpo. Sembrava intimidito.

Ellis disse: «Ecco perché il percorso era stato cambiato». Guardò Jane con ammirazione.

Mohammed domandò: «Adesso dov'è?».

«Non lo sappiamo» rispose Ellis.

«Se tornerà dovremo ucciderlo.»

«No!» gridò Jane.

Ellis le posò una mano sulla spalla e si rivolse a Mohammed. «Vorreste uccidere un uomo che ha salvato la vita a tanti tuoi compagni?»

«Deve affrontare la giustizia» insistette Mohammed.

Mohammed aveva detto "se tornerà"; e Jane si rese conto che lei aveva sempre pensato che sarebbe tornato. Senza dubbio, non avrebbe abbandonato lei e la bambina!

Ellis stava dicendo: «Se è un traditore e se è riuscito a contattare i russi, li ha informati della conferenza di domani. Attaccheranno sicuramente e cercheranno di prendere Masud».

«Questo è molto grave» disse Mohammed. «Masud deve partire immediatamente. La conferenza verrà annullata...»

«Non è necessario» disse Ellis. «Rifletti. Potremmo approfittare della situazione.»

«Come?»

Ellis continuò: «Più ci penso, e più l'idea mi piace. Forse è la cosa migliore che potesse capitarci...».

12

All'alba evacuarono il villaggio di Darg. Gli uomini di Masud andarono di casa in casa, svegliarono tutti e avvertirono che quel giorno i russi avrebbero attaccato il loro villaggio, e quindi dovevano risalire la valle e andare a Banda, portando le cose di maggior valore. Al levar del sole un corteo disordinato di donne, bambini, vecchi e bestiame uscì dal villaggio e si snodò sulla strada sterrata che fiancheggiava il fiume.

Darg era diversa da Banda. A Banda le case erano raggruppate al limitare orientale della pianura, dove la valle si restringeva e il terreno diventava pietroso. A Darg tutte le case erano ammassate su una stretta fascia tra i piedi delle rupi e la riva del fiume. C'era un ponte proprio di fronte alla moschea, e i campi si estendavano sull'altra sponda.

Era un posto ideale per un'imboscata.

Masud aveva ideato il piano durante la notte, e adesso Mohammed e Alishan davano le disposizioni. Si muovevano con silenziosa efficienza, Mohammed alto, bello, elegante, Alishan basso e maligno. Entrambi comunicavano gli ordini a voce bassa, imitando lo stile del loro comandante.

Mentre posava le cariche, Ellis si chiedeva se i russi sarebbero venuti. Jean-Pierre non era ricomparso, e quindi sembrava certo che fosse riuscito a contattare i suoi padroni; ed era quasi inconcepibile che quelli resistessero alla tentazione di catturare o uccidere Masud. Ma erano indizi circostanziali, nulla di più. E se i russi non fossero venuti, Ellis avrebbe fatto una figura ridicola perché aveva indotto Masud a tendere una trappola complicata per una vittima che non si era fatta vedere. I guerriglieri non avrebbero mai concluso un patto con uno sciocco. Ma se i russi compariranno, pensò Ellis, e se l'imboscata riuscirà, allora io guadagnerò abbastanza prestigio e Masud abbastanza potere per arrivare all'accordo.

Si sforzava di non pensare a Jane. Quando aveva stretto fra

le braccia lei e la bambina e Jane gli aveva bagnato di lacrime la camicia, aveva sentito riaccendersi la passione. Era stato come buttare petrolio sul fuoco. Avrebbe voluto restare così per sempre, con un braccio intorno alle sue spalle fragili mentre lei gli teneva la testa sul petto. Povera Jane. Era sempre così sincera, e i suoi uomini erano così infidi.

Fece passare attraverso il fiume la miccia e ne estrasse l'estremità nella sua postazione, una casettta di legno sulla riva a un paio di centinaia di metri dalla moschea. Fissò una capsula detonante al Primacord, poi aggiunse un semplice congegno a strappo in dotazione all'esercito.

Approvava il piano di Masud. Ellis aveva tenuto lezioni sulle imboscate e le controimboscate a Fort Bragg per un anno, tra i due turni di servizio in Asia, e avrebbe dato all'idea di Masud un punteggio di nove su dieci. Il punto in meno del massimo assoluto era dovuto al fatto che Masud non era in grado di assicurare una via d'uscita alle sue truppe, nel caso che il combattimento volgesse male per loro. Ma, naturalmente, Masud non lo considerava un errore.

Alle nove tutto era pronto, e i guerriglieri fecero colazione. Anche questo faceva parte dell'imboscata: avrebbero potuto raggiungere le loro posizioni in pochi minuti se non in pochi secondi; e del resto il villaggio visto dall'alto sarebbe sembrato più naturale, come se gli abitanti corressero tutti a nascondersi all'arrivo degli elicotteri e abbandonassero ciotole e tappeti e fuochi. Così il comandante delle forze russe non avrebbe avuto motivo di sospettare che era una trappola.

Ellis mangiò un po' di pane e bevve qualche tazza di tè verde; poi incominciò ad attendere, mentre il sole s'innalzava sopra la valle. Le attese erano sempre lunghe. Ricordava quel che era accaduto in Asia orientale. A quei tempi ricorreva spesso alla droga: marijuana, o eroina o cocaina, e allora gli sembrava che l'attesa non avesse importanza, perché era piacevole. Era strano, pensava, che non avesse più sentito il bisogno della droga dopo la guerra.

Prevedeva che l'attacco sarebbe venuto nel pomeriggio o all'alba dell'indomani. Se fosse stato al posto del comandante russo avrebbe pensato che i capi ribelli si erano radunati ieri e l'indomani sarebbero partiti, e avrebbe deciso di attaccare abbastanza tardi per prendere anche gli ultimi arrivati, ma non tanto da lasciare che qualcuno se ne andasse nel frattempo.

Verso metà mattina arrivarono le armi pesanti: un paio di Dashoka, mitragliere contraeree da 12,7 mm, ognuna trainata da un guerrigliero. Poi veniva un asino, carico di cassette di proiettili cinesi 5-0 che trapassavano le blindature.

Masud annunciò che una delle mitragliere era assegnata a Yussuf il cantore che, secondo le chiacchiere del villaggio, avrebbe sposato probabilmente Zahara, l'amica di Jane; e l'altra a un guerrigliero della Valle di Pich, un certo Abdur che Ellis non conosceva. Yussuf, a quanto si diceva, aveva già abbattuto tre elicotteri con il suo Kalashnikov. Ellis era piuttosto scettico; in Asia aveva pilotato gli elicotteri, e sapeva che era quasi impossibile abbatterne uno con un fucile. Ma Yussuf spiegava sogghignando che il trucco consisteva nel piazzarsi più in alto del bersaglio e sparare dal fianco di una montagna: una tattica che in Vietnam non si poteva adottare perché il territorio aveva una conformazione diversa.

Sebbene quel giorno Yussuf avesse un'arma più potente, avrebbe usato la stessa tecnica. Le mitragliere furono smontate dagli affusti e portate da due uomini su per i ripidi gradini intagliati nello strapiombo che incombeva sopra il villaggio. Poi vennero gli affusti e le munizioni.

Ellis li guardò dal basso mentre rimontavano le mitragliere. Alla sommità della rupe c'era un cornicione ampio tre o quattro metri, oltre il quale il fianco della montagna continuava a salire con una pendenza più dolce. I guerriglieri piazzarono le armi contraeree a tre metri l'una dall'altra su quella cengia e poi le mimetizzarono. I piloti degli elicotteri avrebbero scoperto molto presto dove si trovavano, naturalmente; ma sarebbe stato difficile metterle fuori uso in quella posizione.

Poi Ellis tornò nella casetta di legno in riva al fiume. Ripensava continuamente agli anni Sessanta. Aveva incominciato quel decennio da studente e l'aveva finito da soldato. Nel 1967 s'era iscritto a Berkeley, sicuro di sapere ciò che il futuro gli riservava: voleva diventare produttore di documentari televisivi. E poiché era intelligente e fantasioso, e quella era la California dove chiunque poteva aver successo se si impegnava, non aveva immaginato che la sua ambizione non si sarebbe realizzata. Invece si era lasciato travolgere dal pacifismo e dai figli dei fiori, dalle marce contro la guerra e i *love-ins*, i jeans scampanati e l'LSD; e ancora una volta aveva creduto di sapere cosa l'attendeva nel futuro. Avrebbe cambiato il mondo. Anche quel sogno era durato poco, e ancora una volta lui era stato travolto... dalla cieca brutalità dell'esercito e dall'orrore drogato del Vietnam. Ogni volta che ripensava al passato, adesso, si accorgeva che proprio quando si sentiva sicuro e sistemato, la vita gli presentava i cambiamenti più radicali.

Mezzogiorno passò senza il pranzo. Senza dubbio, i guerriglieri non avevano viveri. Ellis aveva faticato a abituarsi all'idea sostanzialmente semplice che quando non c'erano viveri nessuno pranzava. Forse era per quella ragione che quasi tutti i guerriglieri erano fumatori accaniti: il tabacco serviva a smorzare l'appetito.

Faceva molto caldo, persino all'ombra. Ellis sedette sulla soglia della casetta di legno, cercando di captare la brezza leggera. Vedeva i campi, il fiume con il ponte arcuato di pietrisco e calce, il villaggio con la moschea, e lo strapiombo. Quasi tutti i guerriglieri erano nelle posizione assegnate che davano loro riparo dal sole, oltre alla copertura. In maggioranza erano nelle case vicino alla rupe, dove gli elicotteri avrebbero avuto difficoltà a mitragliarli; ma alcuni si trovavano inevitabilmente nelle posizioni più vulnerabili, nei pressi del fiume. La rozza facciata di pietra della moschea era traforata da tre portali ad arco, e sotto ogni arcata sedeva un guerrigliero a gambe incrociate. Sembravano quasi sentinelle nelle garitte. Ellis li conosceva tutti e tre: c'era Mohammed, sotto l'arcata più lontana; al centro suo fratello Kahmir; e poi, Alì Ghanim, quello che aveva la gobba e quattordici figli, e che era stato ferito con Ellis giù nella pianura. Ognuno dei tre teneva un Kalashnikov sulle ginocchia e una sigaretta tra le labbra. Ellis si chiese quali di loro sarebbero stati ancora vivi l'indomani.

Il primo tema che aveva scritto al college era stato sull'attesa prima della battaglia nelle descrizioni di Shakespeare. Aveva contrapposto due discorsi prima dei combattimenti: quello ardente e ispirato dell'*Enrico V*, dove il re dice: «Ancora alla breccia, cari amici, ancora alla breccia; o suggelliamo il varco con i nostri caduti inglesi» e il cinico soliloquio di Falstaff sull'onore nella I parte dell'*Enrico IV*: «L'onore può guarire una gamba? No. Oppure un braccio? No. Dunque l'onore non ha esperienza nella chirurgia? No... Chi l'ha? Colui che è morto di mercoledì». Il diciannovenne Ellis aveva preso il massimo dei voti... per la prima volta e anche per l'ultima, perché in seguito era stato troppo impegnato a sostenere che

Shakespeare, anzi l'intero corso d'inglese era "irrilevante".

I suoi pensieri furono interrotti da una successione di grida. Non capiva le parole in dari, ma non era necessario: capiva dal tono che le sentinelle piazzate sulle colline circostanti avevano avvistato in distanza gli elicotteri e li avevano segnalati a Yussuf, sulla sommità dello strapiombo, e Yussuf aveva passato parola. Nel villaggio vi fu un rapido movimento: i guerriglieri si piazzarono ai loro posti, si annidarono meglio al coperto, controllarono le armi, accesero le sigarette. I tre uomini che erano sotto le arcate della moschea si dileguarono nell'interno buio. Ora, dall'alto, il villaggio sarebbe parso deserto, com'era normale, nella parte più calda della giornata, quando la gente riposava.

Ellis tese l'orecchio e ascoltò il rombo minaccioso degli elicotteri che si avvicinavano. Si sentì torcere le viscere: era un effetto dei nervi. Era ciò che provavano i vietnamiti nascosti nella giungla, pensò, quando sentivano il mio elicottero che si avvicinava tra le nubi. Ora raccogli quello che hai seminato, caro mio.

Tolse le sicure al congegno a strappo.

Gli elicotteri si avvicinarono ruggendo. Ma non poteva ancora vederli. Si chiese quanti fossero: dal rumore era impossibile capirlo. Scorse qualcosa con la coda dell'occhio e si voltò: un guerrigliero si tuffò nel fiume sull'altra riva e incominciò a nuotare verso di lui. Quando risalì sul greto, Ellis lo riconobbe. Era il vecchio, sfregiato Shahazai Gul, il fratello della levatrice. La specialità di Shahazai erano le mine. Passò correndo accanto a Ellis e si mise al coperto in una casa.

Per qualche istante nel villaggio dominò il silenzio, rotto dal rombo regolare dei rotori, e Ellis si chiese: *Gesù, quanti ne hanno mandati?* Poi il primo apparve fulmineamente al di sopra del dirupo, velocissimo, e scese volteggiando verso il villaggio. Al di sopra del ponte esitò, come un colibrì gigantesco.

Era un Mi-24, conosciuto in Occidente come Hind (i russi lo chiamavano "il gobbo" a causa dei voluminosi motori turbo gemelli, montati sopra l'abitacolo). L'artigliere stava seduto in basso, nel muso, e il pilota era dietro di lui, più in alto. Sembravano due bambini che giocassero a cavalluccio. I finestrini, tutto intorno alla cabina di comando, sembravano gli occhi sfaccettati d'un insetto mostruoso. L'apparecchio aveva un carrello a tre ruote e corte ali tozze sotto le quali erano appesi i razzi.

Come diavolo era possibile che pochi laceri selvaggi combattessero contro simili mezzi tecnologici?

Apparvero altri cinque Hind, in rapida successione. Sorvolarono il villaggio e il terreno circostante; sicuramente, pensò Ellis, cercavano di scoprire le postazioni nemiche. Era una precauzione elementare: i russi non avevano motivo di attendersi una resistenza massiccia, perché erano convinti che il loro attacco sarebbe stato una sorpresa.

Incominciarono a apparire anche elicotteri di un secondo tipo. Ellis riconobbe l'Mi-8, conosciuto come Hip. Era più grande dell'Hind ma incuteva meno paura; poteva ospitare a bordo dai venti ai trenta uomini, e serviva come trasporto truppe più che per andare all'attacco. Il primo esitò al di sopra del villaggio, poi all'improvviso scese obliquamente e si posò in un campo d'orzo. Lo seguirono altri cinque. Centocinquanta uomini, calcolò Ellis. Via via che gli Hip si posavano, gli uomini balzavano fuori e si gettavano bocconi e puntavano le armi verso l'abitato, ma senza sparare.

Per occupare il villaggio dovevano varcare il fiume, e per varcare il fiume dovevano prendere il ponte. Ma questo non lo sapevano. Agivano così solo per prudenza: si aspettavano che il fattore sorpresa avrebbe dato loro una vittoria facile.

Ellis temeva che il villaggio apparisse troppo deserto. Ormai, un paio di minuti dopo la comparsa del primo elicottero, normalmente si sarebbe visto qualcuno che fuggiva. Tese l'orecchio per captare il primo sparo. Non era più impaurito. Si concentrava troppo intensamente su troppe cose, per sentire la paura. Dal profondo della sua mente affiorò un pensiero: È sempre così, quando incomincia.

Shahazai aveva disposto le mine nel campo d'orzo, Ellis lo rammentava. Perché finora non ne era esplosa nessuna? Un attimo dopo ebbe la risposta. Uno dei militari si alzò (era un ufficiale, probabilmente) e gridò un ordine. Venti o trenta uomini si rialzarono e corsero verso il ponte. All'improvviso vi fu un boato assordante, ancora più forte del rombo degli elicotteri, e poi un altro e un altro ancora, mentre il suolo sembrava esplodere sotto i piedi dei soldati (*Shahazai ha aggiunto altro tritolo alle mine*, pensò Ellis) e nuvole di terriccio scuro e d'orzo dorato li nascosero tutti... tutti tranne un uomo che venne scagliato in alto nell'aria e ricadde lentamente, roteando come un acrobata fino a quando piombò al suolo e vi rimase. Mentre gli echi si spegnevano giunse un altro suono, un tamburaggiare sordo e profondo che proveniva dal cornicione. Yussuf e Abdur avevano aperto il fuoco. I russi ripiegarono in disordine mentre i guerriglieri nel villaggio incominciavano a sparare con i Kalashnikov attraverso il fiume.

La sorpresa aveva dato ai guerriglieri un enorme vantaggio iniziale, ma non sarebbe durato in eterno; il comandante russo avrebbe riorganizzato le sue truppe. Ma per ottenere qualcosa avrebbe dovuto sgomberare l'accesso al ponte.

Uno degli Hip posati nel campo d'orzo esplose, e Ellis comprese che Yussuf e Abdur dovevano averlo centrato. Era impressionante: per quanto le Dashoka avessero la gittata di un miglio e gli elicotteri fossero a meno di ottocento metri, occorreva un'ottima mira per distruggerne uno a quella distanza.

Gli Hind, gli elicotteri gobbi, erano ancora in aria e volteggiavano sopra il villaggio. Il comandante russo li fece entrare in azione. Uno passò oltre il fiume volando a bassa quota, e sparò contro il campo minato di Shahazai. Yussuf e Abdur cercarono di colpirlo ma lo mancarono. Le mine di Shahazai esplodevano una dopo l'altra, senza far danni. Ellis pensò ansiosamente: Vorrei che avessero eliminato un maggior numero di nemici... venti uomini o poco più su centocinquanta non sono molti. L'Hind riprese quota, per evitare le raffiche di Yussuf, ma un altro scese a mitragliare il campo minato. Yussuf e Abdur continuarono a sparare furiosamente. All'improvviso l'apparecchio sussultò, perse un frammento d'ala e piombò in picchiata nel fiume. Bel colpo, Yussuf! pensò Ellis. Ma la via d'accesso al ponte era sgombra, e i russi avevano ancora più di cento uomini e dieci elicotteri, e con un brivido di paura Ellis si rese conto che i guerriglieri avrebbero potuto perdere.

I russi si fecero coraggio. Quasi tutti, un'ottantina d'uomini o più, secondo i suoi calcoli approssimativi, incominciarono a avanzare strisciando verso il ponte, senza smettere di sparare. Non possono essere demoralizzati e indisciplinati come scrivono i giornali americani, pensò Ellis, a meno che questo sia un contingente scelto. Poi si accorse che tutti i soldati avevano la pelle bianca. Non c'era neppure un afgano tra loro. Proprio come in Vietnam, dove gli Arvin venivano sempre esclusi da tutte le operazioni davvero importanti.

All'improvviso vi fu una sorta di pausa. I russi nel campo d'orzo e i guerriglieri nel villaggio si sparavano fiaccamente attraverso il fiume: i russi tiravano più o meno a casaccio, i guerriglieri usavano con parsimonia le munizioni. Ellis alzò gli occhi. Gli Hind che erano in volo stavano puntando verso Yussuf e Abdur, sul dirupo. Il comandante russo aveva identificato esattamente il bersaglio principale nelle pesanti mitragliere.

Mentre un Hind scendeva in picchiata verso la postazione sulla cengia, Ellis provò uno slancio d'ammirazione per il pilota, perché stava volando direttamente verso l'artiglieria nemica; e lui sapeva quanto coraggio era necessario. L'apparecchio virò e si allontanò: il risultato era un nulla di fatto.

Le probabilità, approssimativamente, si equivalevano: per Yussuf era più agevole prendere la mira perché lui era fermo, mentre l'elicottero si muoveva; ma per la stessa ragione era un bersaglio più facile. Ellis ricordava che nell'Hind i razzi montati sulle ali venivano lanciati dal pilota, mentre l'artigliere sparava con la mitragliatrice del muso. Per un pilota doveva essere molto difficile prendere bene la mira in circostanze simili; e siccome le Dashoka avevano una gittata molto superiore alla mitragliatrice a quattro canne di tipo Gatling dell'elicottero, forse Yussuf e Abdur avevano un leggero margine di vantaggio.

Me lo auguro nell'interesse di tutti, pensò Ellis.

Un altro Hind scese verso lo strapiombo come un falco che si avventa su un coniglio, ma le mitragliere crepitarono e l'elicottero esplose a mezz'aria. Ellis provò l'impulso di gridare evviva... ed era un'ironia, perché conosceva così bene il terrore, il panico controllato a stento degli equipaggi degli elicotteri sotto il fuoco nemico.

Scese in picchiata un altro degli Hind. Questa volta Yussuf e Abdur spararono raffiche un po' troppo ampie, ma tranciarono la coda dell'elicottero che sfuggì al controllo e andò a sfracellarsi contro la roccia. Cristo, pensò Ellis, può darsi che riusciamo a liquidarli tutti! Ma il crepitio delle mitragliere contraeree era cambiato; e dopo un istante Ellis comprese che ne sparava una sola. L'altra era stata messa fuori combattimento. Scrutò attraverso la polvere e vide muoversi un berretto chitrali. Yussuf era ancora vivo. Abdur era stato colpito.

I tre Hind superstiti volarono in cerchio e si riportarono in posizione. Uno salì in alto, al di sopra della battaglia: lì doveva esserci il comandante russo, pensò Ellis. Gli altri due scesero verso Yussuf in una manovra a tenaglia. Ingegnoso, pensò Ellis ansiosamente: perché Yussuf non poteva sparare nello stesso tempo su entrambi. Li vide avventarsi. Quando Yussuf prendeva di mira uno, l'altro si portava ancora più in basso. I russi volavano con i portelli aperti, come facevano gli americani nel Vietnam.

Gli Hind scattarono. Uno sfrecciò verso Yussuf e poi virò, ma fu centrato in pieno e esplose tra le fiamme; quindi saettò in picchiata il secondo, sparando con i razzi e le mitragliatrici e Ellis pensò *Yussuf non ha una sola possibilità di cavarsela!* Poi il secondo Hind parve esitare a mezz'aria. Era stato colpito? All'improvviso piombò giù, in verticale, per otto o dieci metri («Quando il motore vi pianta» aveva detto l'istruttore alla scuola di volo, «il vostro elicottero plana come un pianoforte a coda») e sbatté sul cornicione a pochi metri da Yussuf; ma poi il motore parve riprendersi e, con immensa sorpresa di Ellis, incominciò a sollevarsi. È più duro di un Huey, pensò. Gli elicotteri sono stati perfezionati parecchio in questi ultimi dieci anni. Il mitragliere aveva continuato a sparare all'impazzata, ma ora aveva smesso. Ellis vide il perché, e provò una stretta al cuore. Una Dashoka precipitò dall'orlo del dirupo, tra arbusti e rami, e fu seguita immediatamente da una sagoma inerte e bruna che era Yussuf. Mentre cadeva nello strapiombo, il corpo urtò contro una roccia, e il berretto chitrali volò via. Dopo un istante sparì alla vista di Ellis. Aveva quasi vinto la battaglia da solo: per lui non ci sarebbero state medaglie, ma la sua storia sarebbe stata ripetuta per un secolo intorno ai fuochi dei bivacchi tra le fredde montagne dell'Afghanistan.

I russi avevano perduto quattro Hind su sei, un Hip e circa venticinque uomini; ma i guerriglieri avevano perduto entrambi i pezzi d'artiglieria pesante, e non avevano più difese mentre i due Hind rimasti incominciavano a mitragliare il villaggio. Ellis si rannicchiò nella casetta, rammaricandosi che fosse di legno. Il mitragliamento era una tattica per disorientare gli avversari; dopo un minuto o due, come a un segnale, i russi che si trovavano nel campo d'orzo si alzarono e corsero verso il ponte.

Ci siamo, pensò Ellis: questa è la fine, in un modo o nell'altro.

Dal villaggio, i guerriglieri sparavano contro i fanti lanciati alla carica; ma erano impediti dalla copertura aerea, e cadevano solo pochi russi. Quasi tutti gli altri erano in piedi, adesso, ottanta o novanta in tutto, e sparavano alla cieca oltre il fiume mentre correvano. Gridavano soddisfatti, incoraggiati dalla fragilità della difesa. I tiri dei guerriglieri divennero un po' più precisi quando i russi raggiunsero il ponte, e ne caddero altri. Ma non abbastanza per arrestare la carica. Qualche secondo più tardi i primi russi avevano attraversato il fiume e si gettavano al riparo tra le case del villaggio.

C'era una sessantina di uomini sul ponte o nelle vicinanze immediate quando Ellis tirò la maniglia del congegno a strappo.

Le antiche strutture murarie del ponte esplosero come un vulcano.

Ellis aveva calcolato le cariche per uccidere, non per demolire il ponte; e l'esplosione irradiò letali frammenti di muratura, come una raffica d'una mitragliatrice gigantesca, e falciò tutti gli uomini sul ponte e molti di quelli che si trovavano ancora nel campo d'orzo. Ellis si acquattò nella casetta mentre le macerie grandinavano sul villaggio. Quando la pioggia cessò, tornò a affacciarsi.

Al posto del ponte c'era un basso mucchio di pietre e di corpi, in una macabra mescolanza. Anche una parte della moschea e due case del villaggio erano crollate. E i russi erano in ritirata.

Mentre Ellis guardava la scena, i venti o trenta uomini ancora vivi si arrampicarono a bordo degli Hip. Non poteva dargli torto. Se fossero rimasti allo scoperto nel campo d'orzo, sarebbero stati spazzati via a poco a poco dai guerriglieri piazzati in buona posizione nel villaggio; e se avessero tentato di attraversare il fiume sarebbero stati eliminati nell'acqua, uno dopo l'altro.

Pochi secondi più tardi i cinque Hip rimasti decollarono dal campo, raggiunsero i due Hind nell'aria e, senza sparare un altro colpo, gli apparecchi sorvolarono lo strapiombo e scomparvero.

Mentre il rombo dei motori si affievoliva in lontananza Ellis sentì un altro suono. Dopo un istante comprese che erano acclamazioni. Abbiamo vinto, pensò. Diavolo, abbiamo vinto. Anche lui incominciò a gridare.

13

«E dove sono finiti tutti i guerriglieri?» chiese Jane.

«Si sono dispersi» rispose Ellis. «È la tecnica di Masud. Si dilegua tra i monti prima che i russi possano tirare il fiato. Può darsi che tornino con i rinforzi, può darsi persino che in questo momento siano a Darg... ma non troveranno nessuno. I guerriglieri se ne sono andati, a parte questi.»

Nell'ambulatorio di Jane c'erano sette feriti. Nessuno di loro sarebbe morto. Altri dodici erano stati medicati per ferite ancora più leggere e si erano già allontanati. Nella battaglia erano morti solo due uomini: ma purtroppo uno di essi era Yussuf. Zahara si sarebbe disperata di nuovo... ancora una volta per colpa di Jean-Pierre.

Nonostante l'euforia di Ellis, Jane si sentiva depressa. Devo smettere di rodermi così, si disse. Jean-Pierre se n'è andato e non tornerà, ed è inutile che mi addolori. Devo pensare in modo positivo. Devo interessarmi alla vita degli altri.

«E la conferenza?» chiese a Ellis. «Se tutti i guerriglieri si sono dileguati...»

«Hanno accettato» disse Ellis. «Erano così euforici, dopo la riuscita dell'imboscata, che sarebbero stati pronti a consentire a qualunque proposta. In un certo senso la battaglia ha dimostrato ciò che alcuni di loro ancora dubitavano: che Masud è un leader geniale e che unendosi sotto il suo comando potranno avere grandi vittorie. Inoltre, mi ha conferito credenziali di *macho*, e questo è stato utile.»

«Allora sei riuscito nell'intento.»

«Sì. Ho persino ottenuto un trattato, firmato da tutti i capi ribelli e attestato dal mullah.»

«Devi essere molto orgoglioso.» Jane gli strinse il braccio, poi ritrasse in fretta la mano. Era così felice che Ellis fosse lì a salvarla dalla solitudine che provava rimorso per il rancore nutrito per tanto tempo contro di lui. Ma temeva di dargli l'impressione che lo amava ancora come un tempo; sarebbe stato imbarazzante.

Gli voltò le spalle e girò lo sguardo nella grotta. Le bende e le siringhe erano negli astucci, i medicinali nella borsa. I guerriglieri feriti riposavano tranquilli su tappeti e coperte. Sarebbero rimasti tutta la notte nella caverna perché era troppo difficile trasportarli giù per la collina. Avevano acqua e un po' di pane, e due o tre stavano abbastanza bene per potersi alzare e preparare il tè per tutti. Mousa, il figlio monco di Mohammed, stava accovacciato all'ingresso della grotta e faceva un gioco misterioso nella polvere con il coltello regalatogli dal padre. Sarebbe rimasto con gli uomini e, nell'eventualità remota che uno di loro avesse bisogno di assistenza medica durante la notte, sarebbe corso al villaggio a chiamare Jane.

Era tutto in ordine. Jane augurò la buonanotte ai feriti, accarezzò la testa di Mousa e uscì. Ellis la seguì. La brezza serotina portava un alito di freddo. Era il primo segno della fine dell'estate. Guardò le vette lontane dell'Hindu Kush, dalle quali sarebbe venuto l'inverno. Le cime innevate erano colorate di rosa dal riflesso del tramonto. Era una terra bellissima, anche se era facile dimenticarlo, soprattutto nei giorni troppo intensi. Sono felice di averla vista, pensò Jane, anche se ora vorrei tanto tornare a casa.

Scese la collina con Ellis al fianco. Ogni tanto lo sbirciava. Il tramonto faceva apparire il suo volto abbronzato e irregolare. Con ogni probabilità non aveva dormito molto, la notte prima. «Hai l'aria stanca» gli disse.

«Era molto tempo che non partecipavo a una guerra vera» rispose Ellis. «La pace fa rammollire.»

Ne parlava in modo sbrigativo. Almeno, non si entusiasmava per il massacro come facevano gli afgani. Le aveva riferito semplicemente che aveva fatto saltare il ponte di Darg; ma uno dei guerriglieri feriti le aveva descritto i dettagli, e aveva spiegato che il tempismo perfetto dell'esplosione aveva rovesciato le sorti della battaglia. Aveva raccontato la carneficina in termini molto coloriti.

Nel villaggio di Banda c'era un'atmosfera di festa. Uomini e donne erano all'aperto e parlavano in gruppi animati, anziché ritirarsi nei cortili. I bambini giocavano rumorosamente alla guerra e tendevano imboscate agli immaginari soldati russi, imitando i fratelli più grandi. Un uomo, chissà dove, cantava al ritmo di un tamburo. Il pensiero di trascorrere la sera da sola sembrò improvvisamente insopportabile a Jane. D'impulso, disse a Ellis: «Vieni a prendere il tè con me... se non ti dispiace che allatti Chantal».

«Con piacere» disse lui.

La bimba stava piangendo quando entrarono in casa, e come sempre il corpo di Jane reagì; da uno dei seni uscì un fiotto di latte. Disse in fretta: «Siedi. Fara ti porterà il tè» poi corse nell'altra stanza prima che Ellis notasse quella macchia imbarazzante sulla camicia.

Slacciò in fretta i bottoni e prese la bambina. Ci fu il solito momento di panico cieco mentre Chantal cercava il capezzolo e poi incominciava a succhiare, dapprima dolorosamente e poi con dolcezza. Jane si sentiva impacciata all'idea di tornare nell'altra stanza. Non essere sciocca, si disse; l'hai invitato tu, e lui ha detto che andava bene e comunque per tanto tempo hai passato quasi tutte le notti nel suo letto... Ma nonostante tutto si sentì arrossire leggermente quando varcò la soglia.

Ellis stava esaminando le carte topografiche di Jean-Pierre. «Questa era la trovata più ingegnosa» disse. «Lui conosceva sempre i percorsi perché Mohammed si serviva delle sue mappe.» Alzò la testa, vide la sua espressione e disse in fretta: «Ma non parliamone più. Ora cosa farai?».

Jane sedette sul cuscino, con la schiena appoggiata al muro; era la sua posizione preferita quando allattava. Ellis non sembrava imbarazzato nel vederla a seno scoperto, e lei incominciò a sentirsi più a suo agio. «Dovrò aspettare» disse. «Non appena la strada per il Pakistan sarà aperta e rincominceranno a viaggiare i convogli, andrò a casa. E tu?»

«Anch'io. Il mio compito qui è finito. Naturalmente dovrà esserci qualcuno che faccia da supervisore all'accordo, ma c'è qualcuno dell'Agenzia nel Pakistan che potrà occuparsene.

Fara portò il tè. Jane si chiese quale sarebbe stata la prossima missione di Ellis: tramare un colpo di stato in Nicaragua, oppure ricattare un diplomatico sovietico a Washington, o addirittura assassinare un comunista africano? Nel periodo in cui erano amanti, gli aveva chiesto di quando era andato nel Vietnam; e Ellis aveva risposto che tutti si aspettavano che se ne andasse per non farsi arruolare, ma siccome era un tipo dispettoso aveva fatto l'opposto. Jane non era sicura che fosse vero: ma anche se lo era non spiegava perché avesse continuato a svolgere quel genere di lavoro anche dopo il congedo. «Dunque, cosa farai quando tornerai in patria?» gli chiese. «Tornerai a ideare qualche grazioso sistema per liquidare Fidel Castro?»

«Gli assassinii politici non rientrano tra i compiti dell'Agenzia» disse lui.

«Ma in pratica è quel che succede.»

«C'è qualche elemento pazzo che ci dà una cattiva fama. Purtroppo i presidenti non sanno resistere alla tentazione di giocare agli agenti segreti, e questo incoraggia la fazione più demenziale.»

«Perché non gli volti le spalle e non entri a far parte del genere umano?»

«Senti, l'America è piena di gente convinta che anche gli altri paesi abbiano il diritto di essere liberi... ma è gente che "volta le spalle e entra a far parte della razza umana". Di conseguenza l'Agenzia arruola troppi psicopatici e troppi cittadini onesti e generosi. Poi, quando l'Agenzia fa cadere un governo straniero al cenno d'un presidente, tutti si domandano come può essere accaduta una cosa simile. La risposta è che sono stati loro a permetterlo. Il mio paese è una democrazia, quindi la colpa è esclusivamente nostra quando le cose vanno male: e se le cose vanno rimesse a posto, devo farlo perché è la mia responsabilità.»

Jane non era convinta. «Secondo te, il sistema per riformare il KGB consiste nell'entrarci?»

«No, perché in ultima analisi il KGB non è sottoposto al controllo del popolo, ma l'Agenzia sì.»

«Il controllo non è tanto semplice» disse Jane. «La CIA racconta menzogne al popolo. E il popolo non può controllarla se non sa quello che fa.»

«Ma in fondo l'Agenzia è nostra, e la responsabilità è nostra.»

«Potresti darti da fare per abolirla, invece di aiutarla.»

«Ma noi abbiamo bisogno d'un servizio segreto centrale. Viviamo in un mondo ostile e abbiamo bisogno d'informazioni sul conto dei nostri nemici.»

Jane sospirò. «Ma pensa alle conseguenze» disse. «Stai progettando di mandare altre armi più efficaci a Masud, perché possa uccidere più gente e più in fretta. È ciò che finiscono sempre per fare quelli come te.»

«Non gli faremo avere le armi solo perché possa uccidere più gente e più in fretta» ribatté Ellis. «Gli afgani lottano per la loro libertà... e combattono contro un branco di assassini...»

«*Tutti* lottano per la loro libertà» l'interruppe Jane. «L'OLP, gli esuli cubani, i Weathermen, l'IRA, i sudafricani bianchi e l'esercito del Libero Galles.»

«Alcuni hanno ragione, e altri no.»

«E la CIA conosce la differenza?»

«Dovrebbe conoscerla...»

«Ma non la conosce. Per la libertà di chi si batte Masud?»

«Per la libertà di tutti gli afgani.»

«Stronzate!» ribatté sdegnosamente Jane. «È un musulmano fanatico, e se mai arriverà al potere la prima cosa che farà sarà opprimere le donne. Non concederà mai loro il voto... vuol abolire anche quei pochi diritti che hanno. E come credi che tratterà gli avversari politici, dato che il suo modello ideale è l'ayatollah Komeini? Gli scienziati e gli insegnanti godranno della libertà accademica? I gay maschi e femmine avranno la libertà sessuale? Che ne sarà degli induisti, dei buddisti, degli atei e dei Fratelli di Plymouth?»

Ellis chiese: «Tu pensi veramente che il regime di Màsud sarebbe peggiore di quello russo?».

Jane rifletté per un momento. «Non lo so. So soltanto che il regime di Masud sarà una tirannia afgana anziché una tirannia russa. E non vale la pena di ammazzare tanta gente per sostituire un dittatore locale a uno straniero.»

«Gli afgani sembrano convinti del contrario.»

«A molti nessuno l'ha mai chiesto.»

«Io credo che sia ovvio. Comunque, di solito non faccio questo genere di lavoro. Sono più che altro un investigatore.»

Era questo che incuriosiva Jane da più di un anno. «Qual era la tua missione a Parigi?»

«Quando spiavo tutti i nostri amici?» Ellis sorrise a denti stretti. «Jean-Pierre non te l'ha detto?»

«Mi ha detto che non sapeva niente di preciso.»

«Forse è vero. Davo la caccia ai terroristi.»

«Fra i nostri amici?»

«È proprio lì che si trovano di solito... fra i dissidenti, gli eccentrici, i criminali.»

«Rahmi Coskun era un terrorista?» Jean-Pierre aveva detto che Rahmi era stato arrestato per colpa di Ellis.

«Sì. Aveva fatto esplodere la bomba incendiaria nella sede delle aviolinee turche in avenue Félix Faure.»

«Rahmi? E tu come lo sai?»

«Me l'aveva detto lui. E quando è stato arrestato stava progettando un altro attentato dinamitardo.»

«Ti aveva detto anche questo?»

«Mi aveva chiesto di aiutarlo a realizzare la bomba.»

«Mio Dio. Il bel Rahmi, con gli occhi ardenti e quell'odio appassionato contro lo sciagurato governo del suo paese...»

Ellis non aveva ancora finito. «Ti ricordi di Pepe Gozzi?»

Jane aggrottò la fronte. «Vuoi dire quel piccolo corso ridicolo che andava in giro in Rolls-Royce?»

«Sì. Forniva armi e esplosivi a tutti i pazzi di Parigi. Era pronto a venderli a chiunque fosse in grado di pagarli; ma era specializzato nella clientela "politica".»

Jane era sgomenta. Aveva immaginato che Pepe fosse un tipo poco raccomandabile per il semplice fatto che era ricco e corso; ma aveva creduto che nel peggiore dei casi fosse coinvolto in reati comuni come il contrabbando e lo spaccio di droga. Pensare che vendeva armi agli assassini... Jane incominciava a avere la sensazione d'essere vissuta in un sogno mentre nel mondo reale, intorno a lei, dominavano l'intrigo e la violenza. Sono così ingenua? si chiese.

Ellis insistette. «E ho anche fatto arrestare un russo che aveva finanziato parecchi omicidi e sequestri di persona. Poi, quando Pepe è stato interrogato, ha vuotato il sacco sul conto di metà dei terroristi d'Europa.»

«Era questo che facevi, mentre eravamo amanti» disse Jane assorta. Ricordava le feste, i concerti rock, le dimostrazioni, le discussioni politiche nei *cafés*, le innumerevoli bottiglie di *vin rouge ordinaire* nelle mansarde... Dopo la rottura tra loro aveva vagamente pensato che avesse scritto rapporti sul conto di tutti i radicali, dicendo quali erano influenti, quali estremisti e quali ricchi, quali avevano un maggior ascendente tra gli studenti, quali avevano legami con il partito comunista e così via. Era difficile accettare l'idea che avesse cercato di smascherare delinquenti autentici, e che ne avesse trovati alcuni tra i loro amici. «Non posso crederlo» disse, sbalordita.

«È stato un grande trionfo, se vuoi sapere la verità.»

«Probabilmente non dovresti dirmelo.»

«Non dovrei. Ma quando ti ho mentito in passato ho dovuto pentirmene... a dir poco.»

Jane era imbarazzata. Non sapeva cosa rispondere. Spostò Chantal al seno sinistro, poi notò lo sguardo di Ellis e si coprì il seno destro con la camicia. La conversazione stava diventando troppo personale, ma era curiosa di saperne di più. Ora capiva come Ellis si giustificava, anche se non poteva essere d'accordo con quel modo di ragionare: tuttavia si chiedeva quale fosse la sua motivazione. Se non la scoprirò adesso, pensò, forse non ne avrò più l'occasione. Disse: «Non capisco cosa possa spingere un uomo a passare la vita facendo un lavoro simile».

Ellis distolse gli occhi. «So farlo bene e ne vale la pena, e lo stipendio è ottimo.»

«E immagino che avrai apprezzato anche il piano di pensionamento e il menù della mensa. Non importa... non sei obbligato a spiegarti, se non vuoi.»

Lui la guardò con durezza, come se cercasse di leggerle nel pensiero. «Voglio dirtelo. Ma tu, sei sicura di voler ascoltare?»

«Sì. Ti prego.»

«È stato a causa della guerra» cominciò Ellis, e all'improvviso Jane comprese che stava per dirle qualcosa che non aveva mai rivelato a nessuno. «Una delle cose tremende, quando volavo nel Vietnam, era la difficoltà di distinguere tra i vietcong e i civili. Quando davamo appoggio aereo alle truppe a terra, diciamo, o minavamo un sentiero nella giungla, o dichiaravamo una zona di fuoco libero, sapevamo che avremmo ucciso più donne e bambini e vecchi che non guerriglieri. Dicevamo che avevano dato asilo ai nemici, ma chi poteva saperlo? E a chi importava? Li uccidevamo. *Allora i terroristi eravamo noi*. E non sto parlando di casi isolati, anche se ho visto molte atrocità... parlo della normale tattica quotidiana. E non c'era giustificazione, capisci: quello era il guaio. Facevamo tutte quelle cose terribili per una causa che alla fine risultò basata sulle menzogne, la corruzione e l'inganno. Eravamo dalla parte sbagliata.» Ellis aveva il volto tirato, come se soffrisse per una ferita interna permanente. Nella luce inquieta della lampada, la pelle era in ombra, quasi livida. «Non ci sono giustificazioni, capisci? Non c'è perdono.»

Dolcemente, Jane l'incoraggiò a continuare. «E allora perché sei rimasto?» chiese. «Perché ti sei offerto volontario per un secondo turno?»

«Perché allora tutto questo non lo capivo chiaramente; perché combattevo per il mio paese e non ci si può allontanare da una guerra; perché ero un buon ufficiale e se fossi tornato a casa, al mio posto sarebbe forse venuto un buono a nulla e i miei uomini sarebbero stati uccisi: e nessuna di queste ragioni è davvero valida, naturalmente, quindi a un certo punto mi sono chiesto: "Che cosa intendi fare?" Volevo... a quel tempo non me ne rendevo conto, ma volevo fare qualcosa per riscattarmi. Una specie di complesso di colpa.»

«Sì, ma...» Ellis sembrava così insicuro e vulnerabile che Jane trovava difficile rivolgergli domande dirette; ma lui aveva bisogno di parlare e lei voleva sapere. Perciò insistette: «Perché *questo*?».

«Verso la fine ero nel servizio informazioni, e mi offrirono la possibilità di continuare lo stesso lavoro nella vita civile. Mi dissero che avrei potuto lavorare clandestinamente perché conoscevo quel genere di ambiente. Sapevano del mio passato radicale, vedi. E mi sembrava che catturando i terroristi avrei potuto rimediare a alcune delle cose che avevo fatto. Così diventai un esperto dell'antiterrorismo. Sembra semplicistico, a dire così... ma ho avuto molti successi, sai. All'Agenzia non hanno molta simpatia per me, perché qualche volta rifiuto una missione, come la volta che venne ucciso il presidente cileno, e gli agenti non dovrebbero rifiutare le missioni. Ma sono riuscito a mandare in galera parecchi personaggi disgustosi, e sono fiero di me stesso.»

Chantal si era addormentata. Jane l'adagiò nello scatolone che serviva da culla e disse a Ellis: «Immagino di dover dire che... che a quanto sembra ti avevo giudicato male».

Lui sorrise. «Dio sia ringraziato.»

Per un momento Jane si lasciò prendere dalla nostalgia, pensando al tempo in cui, appena un anno e mezzo prima, lei e Ellis erano felici, e non era ancora successo nulla di tutto questo... niente CIA, niente Jean-Pierre, niente Afghanistan. «Non puoi cancellare tutto, però» disse. «Tutto quello che è successo... le tue menzogne, la mia rabbia.»

«No.» Ellis era seduto sullo sgabello e la guardava, la studiava intento. Le tese le braccia, esitò, poi le posò le mani sui fianchi in un gesto che poteva essere d'affetto, oppure qualcosa di più. In quel momento Chantal borbottò: «Mumumu-mummm...» Jane si voltò a guardarla e Ellis lasciò ricadere le mani. La piccola era sveglia, e agitava le braccia e le gambe. Jane la prese, e Chantal ruttò immediatamente.

Jane si voltò verso Ellis, che aveva incrociato le braccia sul petto e la guardava sorridendo. All'improvviso non voleva che lui se ne andasse. Impulsivamente disse: «Perché non resti a cena con me? Ma posso offrirti solo pane e caglio».

«D'accordo.»

Lei gli porse Chantal. «Aspetta, vado a avvertire Fara» Ellis prese la bambina e lei uscì nel cortile. Fara stava scaldando l'acqua per il bagno di Chantal. Jane controllò la temperatura con il gomito: andava bene. «Prepara il pane per due persone, per favore» disse in dari. Fara sgranò gli occhi, e Jane si rese conto che doveva essere scandaloso, il fatto che una donna sola invitasse a cena un uomo. Al diavolo, pensò. Prese la pentola e la portò in casa.

Ellis si era seduto sul grande cuscino sotto la lampada a olio e faceva saltellare Chantal sulle ginocchia mentre le recitava sottovoce una filastrocca. Le grosse mani villose cingevano il corpicino roseo. La bimba lo guardava e gorgogliava felice, agitando i piedini. Jane si fermò sulla porta, e un pensiero le attraversò la mente: Ellis avrebbe dovuto essere il padre di Chantal.

È vero? si chiese mentre li guardava. Lo vorrei davvero? Ellis finì di recitare la filastrocca, alzò la testa e le sorrise un po' intimidito e Jane pensò: Sì, lo vorrei davvero.

A mezzanotte salirono sulla montagna. Jane procedeva per prima, Ellis la seguiva tenendo sotto il braccio il grande sacco a pelo. Avevano fatto il bagno a Chantal e consumato la parca cena di pane e caglio, e poi avevano messo a dormire la piccola sul tetto, dove adesso dormiva profondamente a fianco di Fara, che l'avrebbe protetta a costo della vita. Ellis aveva provato l'impulso di condurre Jane lontano dalla casa dov'era vissuta come moglie di un altro, e Jane aveva avuto la stessa sensazione, perciò aveva detto: «Conosco un posto dove possiamo andare».

A un certo punto abbandonò il sentiero e guidò Ellis attraverso il pendio pietroso fino al suo rifugio segreto, il cornicione nascosto dove aveva preso il sole nuda e si era unta il ventre prima della nascita di Chantal. Lo trovò senza difficoltà, sotto il chiaro di luna. Guardò il villaggio dove le braci dei fuochi brillavano nei cortili e qualche lampada palpitava ancora dietro le finestre prive di vetri. Riusciva appena a distinguere la sagoma della sua casa. Tra qualche ora, allo spuntar del giorno, avrebbe potuto scorgere sul tetto le figure addormentate di Chantal e di Fara. Ne sarebbe stata lieta: era la prima volta che lasciava Chantal di notte.

Si girò. Ellis aveva aperto completamente la lampo del sacco a pelo e lo stava stendendo a terra come una coperta. Jane provò un senso di disagio. Lo slancio di calore e di desiderio che l'aveva sopraffatta in casa quando l'aveva visto recitare una filastrocca alla bambina era passato. Erano ritornati momentaneamente tutti i sentimenti di un tempo, il desiderio di toccarlo, l'amore per il suo modo di sorridere quand'era intimidito, il bisogno di sentire sulla pelle le sue mani, la smania ossessiva di vederlo nudo. Qualche settimana prima della nascita di Chantal aveva perduto la voglia di sesso, e non le era tornata fino a quel momento. Ma quello stato d'animo si era dissipato a poco a poco nelle ore successive, mentre si accordavano goffamente per restare soli, come due adolescenti che cercano di sfuggire ai genitori per amoreggiare.

«Vieni a sederti qui» disse Ellis.

Jane gli sedette accanto sul sacco a pelo. Guardarono il villaggio immerso nel buio. Non si toccavano. Per un momento vi fu un silenzio forzato. «Nessun altro è mai venuto qui» commentò Jane, tanto per dire qualcosa.

«Perché ci venivi?»

«Oh, mi sdraiavo al sole senza pensare a niente» disse Jane; poi pensò *Oh, al diavolo*, e disse: «Non è vero. Mi masturbavo».

Ellis rise, la cinse con un braccio e la strinse a sé. «Mi fa piacere che tu non abbia ancora imparato a misurare le parole» disse.

Jane si girò verso di lui. Ellis le baciò la bocca, dolcemente. Gli piacio per i miei difetti, pensò Jane, per la mia mancanza di tatto e i miei scatti e le mie imprecazioni, la mia cocciutaggine e i miei pregiudizi. «Non vorrai cambiarmi» disse.

«Oh, Jane, mi sei mancata tanto.» Ellis chiuse gli occhi e parlò sottovoce. «Molte volte non mi accorgevo neppure che mi mancavi.» Si sdraiò attirandola a sé, e Jane gli finì addosso e gli baciò dolcemente la faccia. L'impaccio si dileguò rapidamente. Pensò: L'ultima volta che l'ho baciato non aveva la barba. Sentì le mani di Ellis muoversi per sbottonarle la camicia. Non portava reggiseno, perché non ne aveva uno abbastanza grande, e si sentiva i seni molto nudi. Gli insinuò una mano nella camicia per toccargli i peli intorno al capezzolo. Aveva quasi dimenticato le sensazioni del contatto con un uomo. Per molti mesi la sua vita era stata popolata dalle voci tenui e dalle facce lisce delle donne e dei bambini, e adesso voleva toccare una pelle ruvida, cosce dure, guance ispide. Gli affondò le dita nella barba e gli aprì la bocca con la lingua. Le mani di Ellis le toccarono i seni gonfi, e lei provò una fitta di piacere... e allora capì ciò che stava per accadere e si sentì incapace di evitarlo, perché al momento stesso in sui si scostava bruscamente da lui sentì i fiotti di latte caldo che le sprizzavano dai capezzoli sulle mani di Ellis, e arrossì di vergogna e disse: «Oh, Dio, scusa, è disgustoso, non è colpa mia...».

Ellis la fece tacere posandole l'indice sulle labbra. «Non importa» disse. Mentre parlava le accarezzò i seni che divennero completamente bagnati. «È normale. Succede sempre. È sexy.»

Non può essere sexy, pensò Jane, ma lui cambiò posizione e le accostò la faccia al seno e incominciò a baciarglielo e a accarezzarglielo, e a poco a poco lei si rilassò e la sensazione incominciò a sembrarle gradevole. Poi sentì un'altra fitta acuta di piacere quando dai seni uscì un altro fiotto, ma questa volta non si agitò. Ellis mormorò «Aaah» e la superficie ruvida della lingua toccò il capezzolo delicato e Jane pensò: Se li succhia, credo che verrò.

Come se le avesse letto nella mente, Ellis chiuse le labbra intorno a un lungo capezzolo e lo succhiò mentre teneva l'altro tra pollice e indice e stringeva dolcemente e ritmicamente. Jane si abbandonò impotente a quella sensazione; e mentre i suoi seni sprizzavano latte, uno nella mano di Ellis e l'altro nella sua bocca, rabbrividì irrefrenabilmente e gemette fino a quando la sensazione finì e lei giacque su Ellis.

Per un po' si lasciò pervadere dalle sensazioni: l'alito caldo sui seni bagnati, la barba che le graffiava la pelle, l'aria fresca della notte sulle guance accaldate, il sacco a pelo di nailon e il suolo duro. Dopo un po' la voce smorzata di Ellis disse: «Sto soffocando».

Jane si staccò. «Siamo strani» disse.

«Sì.»

Lei ridacchiò. «Lo avevi già fatto altre volte?»

Ellis esitò un momento, poi disse: «Sì».

«Che...» Jane si sentiva ancora un po' imbarazzata. «Che sapore ha?»

«Caldo e dolce. Come il latte in scatola. Sei venuta?»

«Non te ne sei accorto?»

«Non ero sicuro. Qualche volta è difficile capirlo.»

Jane lo baciò. «Sono venuta. Un piccolo orgasmo, ma inconfondibile. Un orgasmo mammellare.»

«Io stavo quasi per venire.»

«Davvero?» Jane gli passò le mani sul corpo. Ellis indossava soltanto la camicia e i calzoni ampi, come gli afgani. Sentì sotto le dita le costole e l'osso dell'anca: aveva perduto lo strato di grasso sotto la pelle che hanno tutti gli occidentali, eccettuati i più magri. La mano incontrò il pene eretto all'interno dei calzoni. Disse «Ahhh!» e lo afferrò. «È piacevole» disse.

«Anche per me.».

Jane voleva dargli lo stesso piacere che aveva dato a lei. Si sollevò a sedere, gli slacciò il cordone dei calzoni e tirò fuori il pene. Lo accarezzò dolcemente, si chinò a baciare la punta. Poi, in un guizzo malizioso, domandò: «Quante donne hai avuto dopo di me?».

«Continua a fare così e te lo dirò.»

«D'accordo.» Jane riprese a accarezzarlo e baciarlo. Ellis taceva. «Bene» disse lei dopo un momento. «Quante?»

«Aspetta, sto ancora contando.»

«Bastardo!» disse Jane, e gli morsicò il pene.

«Ahi! Non molte, davvero... lo giuro!»

«Che cosa fai quando non hai una donna?»

«Prova a indovinare. Ti concedo tre tentativi.»

Jane non si lasciò smontare. «Lo fai con le mani.»

«Oh, su, signorina Janey, mi vergogno.»

«È così che fai» disse lei, trionfante. «A che cosa pensi mentre lo fai?»

«Lo crederesti se ti dicessi che penso alla principessa Diana?»

«No.»

«Adesso mi sento imbarazzato.»

Jane era divorata dalla curiosità. «Non dire bugie.»

«Pam Ewing.»

«Chi diavolo è?»

«Hai perso il contatto con la realtà. È la moglie di Bobby Ewing, in *Dallas*.»

Jane ricordò lo sceneggiato televisivo e l'attrice, e restò sbalordita. «Non dirai sul serio!»

«Hai chiesto la verità.»

«Ma quella è di plastica!»

«Stiamo parlando di fantasie.»

«Non puoi immaginare una donna liberata?»

«Nella fantasia non c'è posto per la politica.»

«Mi scandalizzi.» Jane esitò. «Come fai?»

«Che cosa?»

«Quello che fai. Con la mano.»

«Un po' come stai facendo tu, ma più forte.»

«Fammi vedere.»

«Adesso non mi sento solo in imbarazzo» disse lui. «Sono mortificato.»

«Ti prego, ti prego, fammi vedere. Ho sempre desiderato vedere un uomo che lo fa. Non avevo mai avuto il coraggio di chiederlo... se rifiuti forse non potrò mai saperlo.» Gli prese la mano e la posò al posto della sua.

Dopo un momento Ellis incominciò a muovere lentamente la mano. Per un po' i movimenti furono svogliati; poi sospirò, chiuse gli occhi e incominciò ad accelerare il ritmo.

«Come sei brusco!» esclamò Jane.

Ellis si fermò. «Non posso farlo... se non lo fai anche tu.»

«Ci sto» disse lei, prontamente. Si sfilò in fretta i calzoni e le mutandine. Si inginocchiò accanto a lui e cominciò a accarezzarsi.

«Vieni più vicino» disse lui. La voce era un po' rauca. «Non ti vedo.»

Era disteso supino. Jane si accostò fino a rimanergli inginocchiata accanto alla testa. Il chiaro di luna le inargentava i capezzoli e il pelo del pube. Lui incominciò a massaggiarsi di nuovo il pene, più in fretta, e le guardò la mano mentre lei si accarezzava.

«Oh, Jane» disse.

Jane incominciò a sentire le solite fitte di piacere che si irradiavano dalla punta delle sue dita. Vide che i fianchi di Ellis si sollevavano e si abbassavano allo stesso ritmo della mano. «Voglio che tu venga» gli disse. «Voglio vederlo sprizzare fuori.» Una parte del suo essere si scandalizzava; ma era travolta dall'eccitazione e dal desiderio.

Ellis gemette. Lei lo guardò in faccia: aveva la bocca aperta, ansimava e le teneva gli occhi fissi sulla vagina. Jane si accarezzò le labbra con il medio. «Metti il dito dentro» mormorò lui. «Voglio vedere il dito che entra.»

Jane questo di solito non lo faceva. Infilò la punta del dito. Il contatto era levigato e scivoloso. Infilò il dito completamente. Ellis gemette, e nel vederlo così eccitato da quello che lei stava facendo, si sentì eccitata a sua volta. Gli fissò lo sguardo sul pene. I fianchi sussultavano più in fretta mentre muoveva la mano. Jane continuò a far scorrere il dito con un piacere crescente. All'improvviso Ellis inarcò la schiena, sollevò in alto l'inguine, gemette, e un fiotto di sperma bianco sprizzò nell'aria. Involontariamente Jane ebbe un'esclamazione di stupore, e poi, mentre fissava affascinata il minuscolo foro sulla punta del pene vi fu un altro spruzzo, e un altro, e poi ancora un quarto, che zampillavano nell'aria, lucidi nel chiaro di luna, e ricadevano sul petto di Ellis e sul braccio e sui capelli di Jane; e poi, quando Ellis si abbandonò anche lei si sentì squassare dagli spasmi di piacere accesi dal movimento rapido del dito fino a che si fermò, esausta.

Si abbandonò accanto a lui sul sacco a pelo, appoggiandogli la testa sulla coscia. Il pene era ancora rigido. Si accostò e lo baciò. Sentì sulla punta una traccia di sperma e la faccia di Ellis si insinuò tra le sue cosce.

Per un po' rimasero in silenzio. Gli unici suoni erano il loro respiro e lo scroscio del fiume dall'altra parte della valle. Jane guardò le stelle. Erano luminosissime, e non c'erano nubi. L'aria della notte era diventata più fresca. Presto dovremo infilarci nel sacco a pelo, pensò. Sarebbe stato piacevole addormentarsi vicino a lui.

«Siamo strani?» chiese Ellis.

«Oh, sì» disse lei.

Il pene s'era afflosciato sul ventre di Ellis. Lei gli stuzzicò con le dita il pelo d'oro rosso dell'inguine. Aveva quasi dimenticato cosa provava quando faceva l'amore con Ellis. Era così diverso da Jean-Pierre. A Jean-Pierre piacevano molto i preparativi: bagni profumati, candele accese, vino, violini. Era un amante meticoloso. Voleva che lei si lavasse prima di far l'amore, e subito dopo correva in bagno. Non la toccava mai quando aveva le mestruazioni, e certamente non le avrebbe succhiato i seni e non avrebbe inghiottito il latte come aveva fatto Ellis.

Lui farebbe qualunque cosa, pensò, qualunque. Sorrise nel buio. Non era mai stata completamente convinta che a Jean-Pierre piacesse davvero il sesso orale, per quanto lo sapesse fare abilmente. Con Ellis non c'erano dubbi.

Quel pensiero le mise addosso il desiderio che Ellis lo facesse. Allargò le cosce in un gesto d'invito. Sentì che lui la baciava, le sfiorava con la bocca i peli ispidi e poi incominciava a esplorare con la lingua tra le pieghe delle labbra. Dopo un po' s'inginocchiò fra le sue cosce e si mise le sue gambe sulle spalle. Jane si sentì completamente nuda, terribilmente indifesa e vulnerabile, e tuttavia infinitamente amata. La lingua di Ellis si mosse in una curva lunga e lenta, partendo dalla base della spina dorsale (*Oh, Dio*, pensò Jane, *ricordo come lo fa*) e lambì la fessura tra i glutei, indugiò per insinuarsi nella vagina, poi si sollevò per stuzzicare la pelle sensibile dove le labbra s'incontravano e il clitoride inturgidito. Dopo sette o otto lunghe leccate, Jane gli trattenne la testa sul clitoride perché non si staccasse, e incominciò a sollevare e ad abbassare i fianchi, suggerendogli con la pressione delle dita sulle tempie di leccare più forte o più leggermente, più in alto o più in basso, a destra o a sinistra. Sentì la mano di Ellis che s'insinuava nell'interno umido della vagina e intuì ciò che stava per fare; un attimo dopo Ellis ritirò la mano, e lentamente le spinse un dito bagnato nell'ano. Jane ricordava come si era scandalizzata la prima volta che lui l'aveva fatto, e come aveva finito per trovarlo piacevole. Jean-Pierre non avrebbe mai fatto una cosa simile. Mentre i muscoli del suo corpo incominciavano a tendersi per l'orgasmo, pensò che Ellis le era mancato molto di più di quanto avesse mai ammesso, sia pure a se stessa; anzi, la ragione per cui era rimasta in collera con lui tanto a lungo stava nel fatto che aveva sempre continuato a amarlo, e l'amava ancora; e quando l'ammise fu come se si liberasse di un peso tremendo, e incominciò a venire, tremando come un albero colpito da una bufera; e Ellis, che sapeva che cosa le piaceva, insinuò profondamente la lingua dentro di lei mentre Jane gli premeva con frenesia il sesso contro la faccia.

Sembrava che continuasse in eterno. Ogni volta che le sensazioni si attenuavano Ellis le spingeva più a fondo il dito nell'ano, le leccava il clitoride o le mordeva le grandi labbra, e allora tutto ricominciava; fino a che, esausta, Jane implorò: «Basta, basta, non ho più la forza, mi ucciderai» e Ellis sollevò il viso e le posò le gambe a terra.

Si chinò su di lei, puntellandosi sulle mani, e le baciò la bocca. Aveva nella barba il suo odore. Jane rimase supina, troppo stanca per aprire gli occhi, troppo stanca, persino per ricambiare il bacio. Sentì le mani di Ellis che la aprivano, poi il pene che si insinuava e pensò *È ridiventato subito duro* e poi *Quanto tempo è passato oh Dio com'è bello.*

Lui incominciò a muoversi, dentro e fuori, dapprima lentamente e poi sempre più in fretta. Jane aprì gli occhi. Il viso di Ellis era sopra il suo. La guardava; poi girò la testa e guardò dove i loro corpi erano congiunti. Spalancò gli occhi e aprì la bocca mentre guardava il suo pene che entrava e usciva; e quella vista lo eccitava tanto che anche Jane avrebbe voluto guardare. All'improvviso lui rallentò il ritmo, affondò più profondamente e Jane ricordò che faceva sempre così prima dell'orgasmo. La guardò negli occhi. «Baciami mentre vengo» disse, e le accostò alla bocca le labbra che avevano il suo odore. Jane gli insinuò la lingua nella bocca. Quando Ellis venne fu bellissimo: inarcò la schiena e sollevò la testa e proruppe in un grido da animale selvatico, e Jane si sentì dentro gli spruzzi caldi.

Quando tutto finì, Ellis le abbassò la testa sulla spalla, le passò delicatamente le labbra sulla pelle morbida del collo, bisbigliando parole che lei non riusciva a distinguere. Dopo un paio di minuti Ellis esalò un profondo sospiro di soddisfazione, le baciò la bocca, poi si sollevò sulle ginocchia e le baciò i seni uno dopo l'altro. E infine le baciò l'inguine. Il corpo di Jane reagì istintivamente: mosse le anche per premergli contro le labbra. Ellis capì che si stava eccitando di nuovo e incominciò a leccare; e come sempre, il pensiero di lui che le leccava il sesso ancora bagnato del suo sperma quasi la fece impazzire, e venne subito, gridando il suo nome fino a quando lo spasmo passò.

Ellis si abbandonò accanto a lei. Si mossero automaticamente per assumere la posizione in cui si erano sempre messi dopo aver fatto l'amore: Ellis che la cingeva con un braccio, e lei che gli teneva la testa sulla spalla, la coscia attraverso i fianchi. Lui sbadigliò, e Jane rise. Si toccarono, storditi; Jane giocherellava con il pene, Ellis le insinuava ed estraeva le dita dalla vagina madida. Jane gli leccò il petto e sentì il sapore salato del sudore. Gli guardò il collo. La luce lunare faceva spiccare le linee e le rughe e tradiva l'età. Ha dieci anni più di me, pensò Jane. Forse per questo è così formidabile a letto, perché è più vecchio.

«Perché sei così formidabile a letto?» chiese a voce alta. Ellis non rispose: si era addormentato. Perciò Jane disse «Ti amo, caro, dormi bene» e chiuse gli occhi.

Dopo un anno trascorso nella valle, la città di Kabul appariva a Jean-Pierre sconcertante e spaventosa. Gli edifici erano troppo alti, le macchine correvano troppo veloci e c'era troppa gente. Doveva tapparsi le orecchie quando passavano rombando gli enormi camion russi. Tutto lo aggrediva con la novità: i caseggiati, le scolarette in uniforme, i semafori, gli ascensori, le tovaglie e il sapore del vino. Dopo ventiquattro ore era ancora nervoso, e questa era un'ironia, per un parigino come lui.

Gli avevano assegnato una stanza nel quartiere degli ufficiali scapoli e gli avevano promesso un appartamento non appena fossero arrivate Jane e Chantal. Nel frattempo aveva l'impressione di vivere in un albergo scadente. Con ogni probabilità l'edificio era stato davvero un albergo prima dell'arrivo dei russi. Se Jane fosse arrivata ora (e poteva accadere da un momento all'altro) avrebbero dovuto sistemarsi alla meglio per il resto della notte. Non posso lamentarmi, pensava Jean-Pierre. Non sono un eroe... non lo sono ancora.

Andò alla finestra e guardò Kabul di notte. Per un paio d'ore era mancata la corrente elettrica in tutta la città, probabilmente per un'azione dei guerriglieri urbani; ma qualche minuto prima era tornata e c'era un lieve chiarore sopra il centro, dove esistevano i lampioni. L'unico rumore era il rombo dei motori mentre le macchine, i camion e i carri armati dell'esercito correvano attraverso la città per raggiungere destinazioni misteriose. Cosa c'era di tanto urgente a mezzanotte, a Kabul? Jean-Pierre aveva fatto il servizio militare e pensava che se l'esercito russo somigliava un po' a quello francese, il compito svolto in tanta fretta nel cuore della notte poteva consistere nel trasferire cinquecento sedie da una caserma a una sala dall'altra parte della città per un concerto che era in programma tra due settimane e probabilmente sarebbe stato annullato.

Non poteva sentire gli odori dell'aria notturna, perché la finestra era bloccata. La porta non era chiusa a chiave, ma c'era un sergente russo armato di pistola che sedeva impassibile su una sedia in fondo al corridoio vicino alla toilette, e Jean-Pierre aveva la sensazione che se avesse cercato di andarsene, il sergente gliel'avrebbe impedito.

Dov'era Jane? L'incursione a Darg doveva essere terminata all'imbrunire. Per un elicottero andare da Darg a Banda e prendere a bordo Jane e Chantal sarebbe stata questione di pochi minuti; e da Banda a Kabul non avrebbe impiegato più di un'ora. Ma forse il contingente era tornato a Bagram, la base aerea presso l'imboccatura della valle; e in tal caso Jane avrebbe forse dovuto percorrere la strada da Bagram a Kabul, senza dubbio in compagnia di Anatoly.

Sarebbe stata così felice di rivedere il marito che gli avrebbe perdonato l'inganno, avrebbe capito il suo punto di vista a proposito di Masud e avrebbe messo una pietra sopra il passato, pensò Jean-Pierre. Per un momento si chiese se la sua non fosse una mera illusione. No, concluse: la conosceva molto bene, e l'aveva praticamente in pugno.

E lei avrebbe saputo. Solo poche persone potevano essere messe a parte del segreto e comprendere la grandezza di ciò che aveva fatto; era lieto che tra gli altri ci fosse Jane.

Sperava che Masud fosse stato catturato, non ucciso. Se l'avevano preso, i russi avrebbero potuto processarlo; e allora tutti i ribelli avrebbero capito che era finito. La morte sarebbe stata quasi altrettanto utile, purché fossero riusciti a impadronirsi del cadavere. In caso contrario, o se il corpo fosse risultato irriconoscibile, i propagandisti dei ribelli a Peshawar avrebbero emanato comunicati stampa per affermare che Masud era ancora vivo. Naturalmente, alla fine si sarebbe saputo che era morto, ma l'impatto si sarebbe un po' attenuato. Jean-Pierre si augurava che avessero almeno il cadavere.

Sentì un passo nel corridoio. Era Anatoly, oppure Jane... o entrambi? Sembrava un passo maschile. Aprì la porta e vide due soldati russi piuttosto massicci e un terzo uomo, più piccolo, in uniforme da ufficiale. Senza dubbio erano venuti a prenderlo per accompagnarlo da Anatoly e Jane. Ma rimase deluso. Guardò con aria interrogativa l'ufficiale, e quello fece un cenno con la mano. I due soldati varcarono bruscamente la soglia. Jean-Pierre arretrò d'un passo e fece per protestare, ma senza dargli il tempo di parlare, il più vicino dei due l'afferrò per la camicia e gli sferrò un pugno in faccia.

Jean-Pierre gettò un urlo di dolore e di paura. L'altro soldato gli tirò un calcio all'inguine. La sofferenza fu atroce e Jean-Pierre crollò in ginocchio: intuiva che era arrivato il momento più terribile della sua vita.

I soldati lo rimisero in piedi, lo sostennero per le braccia, e l'ufficiale entrò. Tra le lacrime, Jean-Pierre vide un giovane basso e tarchiato, affetto da una deformità che faceva apparire gonfia e arrossata una metà della faccia e gli contraeva la bocca in una smorfia perenne. Nella mano inguantata stringeva uno sfollagente.

Per cinque minuti i due soldati tennero fermo Jean-Pierre mentre l'ufficiale lo picchiava con lo sfollagente sulla faccia, sulle spalle, sulle ginocchia, sugli stinchi, sul ventre e all'inguine... sempre all'inguine. Ogni colpo era mirato con cura e sferrato con cattiveria; e c'era sempre un intervallo tra i colpi, in modo che la sofferenza dell'ultimo si attenuasse abbastanza perché lui potesse temere il successivo. Ogni percossa lo faceva urlare di dolore, e ogni pausa lo faceva urlare nell'attesa. Finalmente ci fu una pausa più lunga, e Jean-Pierre incominciò a farfugliare, senza neppure sapere se potevano capirlo o no: «Oh, per favore, non mi picchi più, per favore, non mi picchi più, signore, farò qualunque cosa, tutto quello che vuole, ma non mi picchi... non mi picchi...».

«Basta!» disse una voce in francese.

Jean-Pierre aprì gli occhi e attraverso il sangue che gli colava sulla faccia cercò di vedere il salvatore che aveva detto *Basta*. Era Anatoly.

I due soldati lasciarono la presa e Jean-Pierre scivolò sul pavimento. Bruciava. Ogni movimento era una tortura. Sembrava che avesse tutte le ossa fratturate, i testicoli schiacciati, la faccia enormemente gonfia. Aprì la bocca e ne uscì un fiotto di sangue. Deglutì e parlò muovendo a stento le labbra spaccate. «Perché... perché l'hanno fatto?»

«Lo sai» disse Anatoly.

Jean-Pierre scosse lentamente la testa, e si sforzò di non abbandonarsi alla follia che minacciava di inghiottirlo. «Ho rischiato la vita per voi... ho sacrificato tutto... perché?»

«Ci hai teso una trappola» disse Anatoly. «Oggi sono morti ottanta dei nostri per colpa tua.»

Jean-Pierre capì che l'incursione doveva essere fallita e che adesso gliene imputavano la responsabilità. «No» disse. «Non sono stato io...»

«Contavi di essere lontano parecchi chilometri quando fosse scattata la trappola» continuò Anatoly. «Ma io ti ho colto di sorpresa facendoti salire sull'elicottero e portandoti con me.

Quindi adesso sei qui per ricevere la punizione... che sarà dolorosa e molto, molto prolungata.» E gli voltò le spalle.

«No!» gridò Jean-Pierre. «Aspetta!»

Anatoly si girò di nuovo.

Jean-Pierre si sforzò di riflettere nonostante la sofferenza. «Sono venuto qui... ho rischiato la vita... vi ho passato le informazioni sui convogli... voi li avete attaccati... e avete causato più danni della perdita di ottanta uomini... è assurdo, è assurdo!» Chiamò a raccolta le forze per mettere insieme una frase coerente. «Se avessi saputo della trappola avrei potuto avvertirti ieri e chiedere pietà.»

«Allora, come sapevano che avremmo attaccato il villaggio?» chiese Anatoly.

«Devono averlo intuito...»

«Come?»

Jean-Pierre si spremeva il cervello confuso. «Skabun è stata bombardata?»

«Credo di no.»

Ecco, si disse Jean-Pierre: qualcuno aveva scoperto che non c'erano stati bombardamenti a Skabun. «Avreste dovuto farlo» disse.

Anatoly assunse un'aria pensierosa. «Allora là c'è qualcuno molto abile nello stabilire un nesso.»

È stata Jane, pensò Jean-Pierre e per un momento la odiò.

Anatoly chiese: «Ellis Thaler ha qualche segno particolare?»

Jean-Pierre si sentiva svenire, ma temeva che lo avrebbero picchiato ancora. «Sì» balbettò. «Una grande cicatrice a forma di croce sulla schiena.»

«Allora è lui» mormorò Anatoly.

«Chi?»

«John Michael Raleigh, trentaquattro anni, nato nel New Jersey, figlio primogenito d'un costruttore. Ha interrotto gli studi universitari a Berkeley e in seguito è diventato capitano dei Marines. Dal 1972 è agente dalla CIA. È divorziato e ha un figlio o una figlia, e il luogo in cui si trova la famiglia è un segreto ben custodito.» Anatoly agitò una mano come per accantonare quei dettagli. «Senza dubbio è stato lui a battermi in astuzia a Darg, oggi. È molto abile e molto pericoloso. Se potessi scegliere fra tutti gli agenti delle nazioni imperialiste occidentali, è lui quello che vorrei catturare. Negli ultimi dieci anni ci ha causato danni irreparabili almeno in tre occasioni.

L'anno scorso a Parigi, ha distrutto una rete che avevamo creato in sette o otto anni di paziente lavoro. E prima ancora aveva scoperto un agente che noi avevamo infiltrato nel Servizio Segreto fin dal sessantacinque... un uomo che un giorno avrebbe potuto assassinare un presidente. E adesso... adesso l'abbiamo qui.»

Jean-Pierre, inginocchiato sul pavimento, lasciò ricadere la testa e chiuse gli occhi. Era sopraffatto dalla disperazione: aveva sempre osato troppo, si era buttato contro i grandi maestri di quel gioco spietato come un bambino nudo in un covo di leoni.

Aveva avuto tante speranze. Operando da solo doveva sferrare alla Resistenza afgana un colpo dal quale non si sarebbe più ripresa. Avrebbe cambiato il corso della storia in quella parte del mondo. E si sarebbe vendicato dei potenti dell'Occidente, avrebbe ingannato e frustrato il regime che aveva tradito e ucciso suo padre. Ma anziché trionfare era stato sconfitto. La vittoria gli era stata strappata all'ultimo momento... da Ellis.

Sentiva la voce di Anatoly come un borbottio in sottofondo. «Possiamo stare certi che ha ottenuto dai ribelli ciò che voleva. Non conosciamo i dettagli, ma le linee generali ci bastano: un patto di unità d'azione tra i capi dei banditi in cambio delle armi americane. Una cosa del genere potrebbe tenere in vita la ribellione ancora per molti anni. Dobbiamo stroncarla prima che incominci.»

Jean-Pierre aprì gli occhi e lo guardò. «Come?»

«Dobbiamo prendere quell'uomo prima che possa tornare negli Stati Uniti. Così nessuno verrà a sapere che ha concluso il trattato, i ribelli non riceveranno le armi e tutto finirà nel nulla.»

Jean-Pierre ascoltava, affascinato, nonostante la sofferenza. Poteva esserci ancora una possibilità di ottenere la sua vendetta?

«La sua cattura potrebbe quasi compensarci del fatto che ci è sfuggito Masud» continuò Anatoly, e il cuore di Jean-Pierre guizzò d'una nuova speranza. «Non solo avremmo neutralizzato l'agente più pericoloso degli imperialisti... Pensa: un agente della CIA catturato in Afghanistan... Da tre anni la propaganda americana va ripetendo che i banditi afgani sono combattenti della libertà, impegnati in una lotta eroica e impari contro la potenza dell'Unione Sovietica. Ora abbiamo "la prova" di quello che abbiamo sempre affermato... Masud e gli altri sono lacché dell'imperialismo americano. Potremo processare Ellis Thaler...»

«Ma i giornali capitalisti smentiranno tutto» disse Jean-Pierre. «La stampa occidentale...»

«E chi se ne frega dell'Occidente? A noi interessa far colpo sui paesi non allineati, gli esitanti del Terzo Mondo e in particolare le nazioni musulmane.»

Era possibile, pensò Jean-Pierre, trasformare la sconfitta in un trionfo: e sarebbe stata comunque una vittoria per lui personalmente, perché era stato lui a rivelare ai russi la presenza della CIA nella Valle dei Cinque Leoni.

«Dunque» disse Anatoly, «dov'è questa notte Ellis Thaler?»

«Si sposta con Masud» rispose lui. Prendere Ellis sarebbe stato più facile a dirsi che a farsi: Jean-Pierre aveva impiegato un anno intero per scoprire in anticipo dove si sarebbe trovato Masud in un dato giorno.

«Non capisco perché dovrebbe continuare a stare con Masud» disse Anatoly. «Ha una base?»

«Sì... in teoria alloggiava presso una famiglia di Banda. Ma ci stava molto di rado.»

«Comunque è il posto più ovvio per incominciare.»

Sì, naturalmente, pensò Jean-Pierre. Se Ellis non è a Banda, qualcuno del villaggio potrà sapere dov'è andato... qualcuno come Jane. Se Anatoly fosse andato a Banda per cercare Ellis, avrebbe potuto trovare Jane. La sua sofferenza parve attutirsi al pensiero che avrebbe potuto vendicarsi del sistema, catturare Ellis che l'aveva derubato della sua vittoria e riavere Jane e Chantal. «Verrò a Banda con te?» chiese.

Anatoly rifletté. «Credo di sì. Tu conosci il villaggio e la gente... potrebbe essere utile averti a portata di mano.»

Jean-Pierre si alzò faticosamente in piedi, stringendo i denti per resistere al dolore all'inguine. «Quando partiamo?»

«Subito» disse Anatoly.

14

Ellis correva per prendere un treno, ed era in preda al panico sebbene sapesse che stava sognando. Prima non riusciva a parcheggiare la macchina, che era la Honda di Gill... e poi non riusciva a trovare la biglietteria. Aveva deciso di salire in treno senza biglietto e aveva cercato di farsi largo tra la folla immensa nella Grand Central Station. A quel punto si era ricordato di aver fatto altre volte quel sogno, di recente: e non era mai riuscito a prendere il treno. I sogni gli lasciavano sempre la sensazione insopportabile che la felicità gli fosse passata accanto e gli fosse sfuggita per sempre, e adesso aveva il terrore che accadesse di nuovo. Si aprì un varco a spintoni tra la folla, con crescente violenza, e finalmente arrivò al cancello. Era da quel punto che le altre volte aveva visto l'ultimo vagone del treno scomparire in lontananza: ma quel giorno era in stazione. Corse lungo il marciapiedi e balzò a bordo proprio mentre il convoglio incominciava a muoversi.

Era così felice di aver preso il treno che quasi si sentiva ubriaco. Sedette, e non gli sembrò per nulla strano di trovarsi in un sacco a pelo insieme a Jane. Al di là dei finestrini stava spuntando l'alba sulla Valle dei Cinque Leoni.

Non c'era una divisione netta tra il sonno e la veglia. Il treno si dissolse gradualmente fino a quando rimasero soltanto il sacco a pelo e la valle e Jane e il senso di soddisfazione. A un certo momento, nel corso della breve notte, avevano chiuso la lampo; e adesso erano sdraiati vicinissimi e riuscivano appena a muoversi. Sentiva l'alito caldo di Jane sul collo, e i seni inturgiditi gli premevano contro le costole. Sentiva anche la pressione delle sue ossa, l'anca e il ginocchio, il gomito e il piede, ma era piacevole. Ricordava che avevano sempre dormito così stretti. Il letto antico nell'appartamento parigino di Jane era troppo piccolo; il suo era più ampio ma anche là avevano sempre dormito abbracciati. Jane aveva spesso detto che durante la notte la molestava, ma al mattino Ellis non lo rammentava mai.

Da molto tempo non aveva dormito un'intera notte con una donna. Cercò di ricordare chi era, e si rese conto che era stata Jane: le ragazze che aveva portato nel suo appartamento a Washington non erano mai rimaste per la colazione.

Jane era stata l'ultima e l'unica con la quale aveva avuto rapporti sessuali così disinibiti. Ripensò a tutte le cose che avevano fatto nella notte e avvertì i primi sintomi di un'erezione. Sembrava che non avesse limiti nel far l'amore con lei. A Parigi erano spesso rimasti a letto per tutto il giorno, alzandosi solo per saccheggiare il frigo o stappare una bottiglia di vino, e lui veniva cinque o sei volte, mentre Jane perdeva il conto dei suoi orgasmi. Ellis non si era mai considerato un atleta del sesso e le esperienze successive avevano dimostrato che non lo era se non con lei. Jane liberava qualcosa che gli restava imprigionato dentro quando andava con altre donne, forse per paura, per rimorso, o chissà per quale altra ragione. Nessun'altra gli aveva fatto quell'effetto, sebbene una donna ci fosse andata molto vicina... una vietnamita con la quale aveva avuto una breve relazione finita male nel 1970.

Ormai era evidente che non aveva mai smesso di amare Jane. Durante quell'ultimo anno aveva svolto il suo lavoro, aveva frequentato diverse donne, era andato a trovare Petal e aveva fatto acquisti al supermercato come un attore che recita una parte, fingendo per amore della verosimiglianza che quello fosse il vero se stesso: ma in fondo sapeva che non era così. L'avrebbe rimpianta per sempre se non fosse venuto in Afghanistan.

Gli sembrava d'essere molto spesso cieco ai fatti più importanti che lo riguardavano. Nel 1968 non si era reso conto che desiderava combattere per il suo paese; non si era reso conto che non aveva voluto sposare Gill; e nel Vietnam non si era reso conto di essere contrario alla guerra. Ognuna di quelle rivelazioni l'aveva sbalordito e aveva rivoluzionato la sua esistenza. Ingannare se stessi, pensava, non era inevitabilmente un male; altrimenti non sarebbe riuscito a sopravvivere alla guerra e... che cosa avrebbe fatto se non fosse venuto in Afghanistan, che cosa avrebbe fatto se non dire a se stesso che non voleva Jane?

E adesso è mia? Si chiese. Jane non aveva detto molto se non *Ti amo, caro, dormi bene*, mentre lui si stava addormentando.

E pensava che fosse la cosa più deliziosa che avesse mai udito.

«Perché sorridi?»

Ellis aprì gli occhi e la guardò: «Credevo che dormissi» rispose.

«Ti guardavo. Sembravi così felice.»

«Sì.» Ellis aspirò profondamente l'aria fresca del mattino e si sollevò sul gomito per guardare l'altra parte della valle. I campi erano quasi incolori nella luce dell'alba, e il cielo era grigio-perla. Stava per dire che era felice quando sentì un ronzio. Inclinò la testa per ascoltare.

«Che cos'è?» chiese Jane.

Lui le posò l'indice sulle labbra. Un attimo dopo anche lei sentì. In pochi secondi il suono ingigantì fino a diventare inconfondibile: il rumore degli elicotteri. Ellis, ebbe la sensazione di un disastro imminente. «Oh, merda» mormorò.

Gli elicotteri apparvero sopra le loro teste, emergendo al di sopra della montagna: tre Hind gobbi irti di armi e un grosso Hip per il trasporto delle truppe.

«Metti dento la testa» sibilò Ellis. Il sacco a pelo era marrone e polveroso, come il terreno intorno a loro; lì dentro sarebbero stati invisibili dall'alto. I guerriglieri adottavano lo stesso principio per nascondersi: si coprivano con le coperte color fango chiamate *pattu* che facevano parte del loro corredo.

Jane si rincantucciò nel sacco a pelo. All'estremità aperta c'era una falda per contenere un cuscino, che al momento non c'era. Avrebbero potuto usarla per coprirsi la testa. Ellis strinse a sé Jane e si girò: il lembo superiore del sacco cadde sulle loro teste. Adesso erano virtualmente invisibili.

Rimasero bocconi, l'uno addosso all'altra, e guardarono il villaggio. Sembrava che gli elicotteri stessero scendendo.

Jane chiese: «Non atterreranno qui, vero?».

«Credo di sì...» rispose Ellis lentamente.

Jane si mosse per alzarsi. «Devo andare al villaggio...»

«No!» Ellis le strinse le spalle, immobilizzandola con il proprio peso. «Aspetta... aspetta qualche secondo per vedere cosa succede...»

«Chantal...»

«Aspetta!»

Jane rinunciò a lottare ma Ellis continuò a tenerla stretta. Sui tetti delle case la gente insonnolita si sollevava a sedere e si stropicciava gli occhi, guardava con stupore gli enormi apparecchi che battevano l'aria, sopra di loro, come uccelli giganteschi. Ellis individuò la casa di Jane. Scorse Fara che si alzava e si avvolgeva in un lenzuolo. Accanto a lei c'era il materassino dove dormiva Chantal, nascosta dalla coperta.

Gli elicotteri volavano cautamente in cerchio. Intendono atterrare qui, pensò Ellis, ma sono diffidenti dopo l'imboscata di Darg.

Gli abitanti del villaggio sembravano galvanizzati. Alcuni si precipitavano fuori dalle case, altri vi si rifugiavano. I bambini e le bestie venivano radunati e condotti al coperto. Molti tentarono di fuggire, ma uno degli Hind si abbassò sopra i sentieri che conducevano in aperta campagna e li costrinse a tornare indietro.

Quelle scene dovettero convincere il comandante russo che non c'erano imboscate. L'Hip con il suo carico di soldati e uno dei tre Hind scesero goffamente e si posarono in un campo. Dopo qualche secondo i soldati incominciarono a scendere dall'Hip, come insetti che balzavano dal suo ventre enorme.

«È inutile» gridò Jane. «Devo andare laggiù.»

«Ascoltami!» disse Ellis. «Non corre nessun pericolo... qualunque cosa cerchino i russi, non sono i bambini piccoli. Ma può darsi che cerchino te.»

«Devo andare da lei...»

«Non farti prendere dal panico» gridò Ellis. «Sarà in pericolo se andrai da lei. Se rimarrai qui, sarà al sicuro. Non capisci? Correre da tua figlia è la cosa peggiore che potresti fare.»

«Ellis, non posso...»

«Devi.»

«Oh, Dio!» Jane chiuse gli occhi. «Tienimi stretta.»

Lui le posò le mani sulle spalle.

I soldati girarono attorno al piccolo villaggio. Una sola casa era rimasta fuori dalla rete: l'abitazione del mullah che si trovava a quattro o cinquecento metri dalle altre, lungo il sentiero che saliva il fianco della montagna. Nell'attimo in cui Ellis lo notò, un uomo uscì correndo. Era abbastanza vicino perché potesse scorgere la barba tinta di rosso: era Abdullah. Tre ragazzini di età diverse e una donna con un bambino in braccio lo seguirono e lo rincorsero, su per il pendio.

I russi li videro quasi immediatamente. Ellis e Jane si tirarono ancor più sulle teste la falda del sacco a pelo quando l'elicottero si allontanò dal villaggio e andò a piazzarsi al di sopra del sentiero. La mitragliatrice sparò una raffica dal muso dell'apparecchio, e la polvere esplose in una linea regolare di sbuffi ai piedi di Abdullah. Il mullah si fermò di colpo, vacillò, girò sui tacchi e corse agitando le mani e gridando alla moglie e ai figli di tornare indietro. Quando si avvicinarono alla casa un'altra raffica di mitragliatrice impedì loro di entrare. Dopo un momento, tutta la famiglia scese verso il villaggio.

Ogni tanto si sentiva qualche fucilata tra il fragore assordante delle pale dei rotori, ma sembrava che i soldati sparassero in aria per intimidire gli abitanti del villaggio. Entravano nelle case e cacciavano all'aperto la gente in camicia da notte e in mutande. L'Hind che aveva rastrellato il mullah e la sua famiglia incominciò a fare un giro sopra il villaggio, a quota molta bassa, in cerca di altri sbandati.

«Che cosa faranno?» chiese Jane con voce malferma.

«Non lo so.»

«È... una rappresaglia?»

«Che Dio ce ne scampi.»

«E allora che cosa?» insistette Jane.

Ellis avrebbe voluto gridarle *Come cavolo posso saperlo?* Invece disse: «Forse è un altro tentativo di catturare Masud».

«Ma lui non si ferma mai dove c'è stata una battaglia.»

«Forse sperano che sia diventato imprudente o troppo pigro. O forse che sia ferito...» Ellis non immaginava che cosa stesse per accadere ma temeva che fosse un massacro come My-Lai.

Gli abitanti del villaggio furono costretti a radunarsi nel cortile della moschea dai soldati che li trattavano rudemente, ma non brutalmente.

All'improvviso Jane gridò: «Fara!».

«Come?»

«Che cosa sta facendo?»

Ellis girò gli occhi verso il tetto della casa di Jane. Fara era inginocchiata accanto al materassino di Chantal, e si vedeva spuntare una testolina rosea. Sembrava che Chantal dormisse ancora. Durante la notte Fara doveva averla allattata con il poppatoio; ma anche se non aveva ancora fame il fragore degli elicotteri poteva svegliarla. Ellis si augurò che continuasse a dormire.

Vide Fara posare un cuscino accanto alla testa della bimba e poi tirarle il lenzuolo sul viso.

«La nasconde» disse Jane. «Il cuscino sostiene il lenzuolo per lasciar passare l'aria.»

«È molto furba.»

«Vorrei essere là!»

Fara gualcì il lenzuolo poi ne drappeggiò disordinatamente un altro sul corpicino di Chantal. Indugiò un momento per osservare il risultato.

Vista da lontano la bambina sembrava un mucchio di panni abbandonati in fretta. Fara doveva essere soddisfatta, perché andò verso il bordo del tetto e scese la scala del cortile.

«L'ha lasciata» disse Jane.

«Chantal è al sicuro, per quanto è possibile, date le circostanze...»

«Lo so, lo so!»

Fara fu spinta con gli altri nella moschea. Fu l'ultima a entrare. «Tutti i bambini sono con le loro madri» disse Jane. «Credo che Fara avrebbe dovuto portare Chantal...»

«No» disse Ellis. «Aspetta e vedrai.» Non sapeva ancora cosa sarebbe accaduto, ma se ci fosse stato un massacro, Chantal sarebbe stata più al sicuro dove si trovava.

Quando tutti furono nella moschea, i soldati ricominciarono a battere il villaggio: correvano dentro e fuori dalle case e sparavano in aria. Non erano certo a corto di munizioni, pensò Ellis. L'elicottero che era rimasto in volo procedeva a bassa quota sulla periferia dell'abitato, in cerchi sempre più ampi, come se desse la caccia a qualcosa.

Un soldato entrò nel cortile della casa di Jane.

Ellis la sentì irrigidirsi. «Non succederà niente» le disse all'orecchio.

Il soldato entrò nella casa. Ellis e Jane tennero lo sguardo fisso sulla porta. Dopo qualche secondo uscì e salì in fretta la scala esterna.

«Oh, Dio, salvala» mormorò Jane.

Il soldato si fermò sul tetto, guardò le lenzuola gualcite, girò gli occhi sui tetti vicini poi abbassò di nuovo lo sguardo. Il materasso di Fara era a un passo da lui, e Chantal era subito oltre. Il soldato spinse il materasso con il piede.

Poi si voltò all'improvviso e scese in fretta la scala.

Ellis riprese a respirare e guardò Jane. Era terrea.

«Te l'avevo detto che sarebbe andato tutto bene» le disse. Jane incominciò a tremare.

Ellis guardò verso la moschea. Riusciva a vedere solo una parte del cortile interno. Gli abitanti del villaggio erano seduti in varie file, ma c'era un certo movimento. Cercò di immaginare quello che stava succedendo. Li interrogavano per sapere dove si trovava Masud. C'erano solo tre uomini, laggiù, che potevano saperlo, tre guerriglieri che erano di Banda e non erano scomparsi tra le colline insieme a Masud, il giorno prima: Shahazai Gul, lo sfregiato; Alishan Karim, il fratello di Abdullah, il mullah; e Sher Kador, il capraio. Shahazai e Alishan avevano superato entrambi la quarantina e potevano recitare facilmente la parte di vecchi intimoriti. Sher Kador aveva appena quattordici anni. Tutti e tre potevano affermare credibilmente che non sapevano nulla di Masud. Era una fortuna che Mohammed non fosse lì: i russi non avrebbero creduto alla sua innocenza. Le armi erano nascoste dove i russi non avrebbero mai guardato: nel tetto di una latrina, tra le fronde di un gelso, in una buca sulla riva del fiume.

«Guarda l'uomo davanti alla moschea!» disse Jane.

Ellis guardò. «L'ufficiale russo con il berretto a visiera?»

«Sì. So chi è... l'ho già visto. È l'uomo che era nella casupola con Jean-Pierre. È Anatoly.»

«Il suo contatto» mormorò Ellis. Scrutò con attenzione, cercando di distinguere i lineamenti dell'uomo: a quella distanza sembrava che avesse una faccia un po' orientale. Che tipo era? Si era avventurato da solo nel territorio dei ribelli per incontrarsi con Jean-Pierre, e quindi doveva essere coraggioso. Quel giorno era certamente furioso, perché aveva condotto i suoi compagni russi in una trappola a Darg. Ora voleva senza dubbio restituire il colpo, riprendere l'inziativa...

I pensieri di Ellis s'interruppero bruscamente quando un altro uomo uscì dalla moschea. Era un uomo con la barba, indossava una camicia bianca, aperta, e un paio di calzoni scuri. «Gesù Cristo onnipotente» disse Ellis. «È Jean-Pierre.»

«Oh!»

«Ma cosa diavolo succede?» mormorò Ellis.

«Pensavo che non l'avrei rivisto mai più» disse Jane. Ellis la guardò: aveva un'aria strana. Dopo un momento capì che era un'espressione di rimorso.

Tornò a rivolgere l'attenzione alla scena che si svolgeva nel villaggio. Jean-Pierre parlava all'ufficiale russo e gesticolava, indicando il fianco della montagna.

«Si regge in un modo strano» disse Jane. «Credo che si sia fatto male.»

«Sta indicando noi?» chiese Ellis.

«Non conosce questo posto... non lo conosce nessuno. Pensi che possa vederci?»

«No.»

«Ma noi vediamo lui» obiettò Jane, dubbiosa.

«Perché è in piedi su uno sfondo omogeneo. Noi siamo sdraiati sotto una coperta, sul fianco screziato della collina. Non può individuarci a meno che non sappia dove cercare.»

«Allora sta indicando le grotte.»

«Sì.»

«Dice ai russi di andare e guardare là.»

«Sì.»

«Ma è spaventoso. Come può...» La voce di Jane si smorzò. Dopo un silenzio proseguì: «Ma è appunto quello che ha sempre fatto da quando è arrivato qui... consegnare i ribelli ai russi».

Ellis notò che Anatoly stava parlando in un walkie-talkie. Dopo un momento, uno degli Hind librati in aria passò rombando sopra di loro e andò a atterrare, fuori di vista, sulla cima del colle.

Jean-Pierre e Anatoly si stavano allontanando dalla moschea. Jean-Pierre zoppicava. «È ferito» disse Ellis.

«Chissà com'è successo.»

Ellis aveva l'impressione che Jean-Pierre fosse stato picchiato, ma non lo disse. Si chiedeva cosa stava passando nella mente di Jane. Suo marito era laggiù in compagnia d'un ufficiale del KGB... un colonnello, a giudicare dall'uniforme. E lei era lì, in un letto improvvisato, con un altro uomo. Provava rimorso? Vergogna? Oppure non era affatto pentita? Odiava Jean-Pierre, oppure era soltanto delusa? Ne era stata innamorata: non era rimasto nulla di quell'amore? «Cosa provi per lui?»

Jane gli rivolse una lunga occhiata severa. Per un momento Ellis pensò che fosse sul punto di infuriarsi, ma in realtà stava solo considerando seriamente la domanda. Alla fine disse: «Tristezza». Tornò a guardare il villaggio.

Jean-Pierre e Anatoly si erano avviati verso la casa di Jane, e Chantal era nascosta sul tetto.

«Credo che stiano cercando me» disse Jane.

Aveva un'espressione tesa e impaurita mentre fissava i due uomini. Ellis non credeva che i russi fossero venuti con tanti mezzi e tanti soldati solo per portar via Jane, ma non lo disse.

Jean-Pierre e Anatoly attraversarono il cortile della casa del bottegaio e entrarono.

«Non piangere, piccolina» mormorò Jane.

Era un miracolo che Chantal fosse ancora addormentata, pensò Ellis. O forse non lo era; forse era sveglia e piangeva, ma il suo pianto era soffocato dal fragore degli elicotteri. Forse il soldato non l'aveva sentita perché in quel momento un apparecchio era passato sopra la sua testa. Forse l'udito più sensibile del padre avrebbe captato i suoni che non avevano destato l'attenzione di un estraneo indifferente. Forse...

I due uscirono dalla casa.

Si soffermarono brevemente in cortile, parlando in modo concitato. Jean-Pierre si avviò zoppicando verso la scala di legno che portava sul tetto. Salì a fatica il primo gradino, poi ridiscese. Vi fu un altro breve dialogo e il russo salì la scala.

Ellis trattenne il respiro.

Antoly arrivò sul tetto. Come aveva fatto il soldato prima di lui diede un'occhiata alle lenzuola ammucchiate, guardò le altre case e riabbassò lo sguardo. Come aveva fatto il soldato, sospinse con la punta del piede il materasso di Fara. Poi si inginocchiò accanto a Chantal.

Scostò delicatamente il lenzuolo.

Jane proruppe in un grido inarticolato quando vide apparire il visetto roseo di Chantal.

Se è Jane che cercano, pensò Ellis, porteranno via la piccola, perché sanno che si consegnerà pur di ritrovarla.

Anatoly restò a fissare a lungo quel fragile fagottino.

«Oh Dio, non lo sopporto, non lo sopporto» gemette Jane.

Ellis la tenne stretta. «Aspetta, aspetta.»

Aguzzò lo sguardo, cercando di scorgere l'espressione della bambina, ma la distanza era troppo grande.

Il russo sembrava pensieroso.

All'improvviso prese una decisione.

Lasciò ricadere il lenzuolo, lo avvolse intorno alla bimba, si alzò e si allontanò.

Jane scoppiò in lacrime.

Dal tetto, Anatoly disse qualcosa a Jean-Pierre scuotendo la testa. Poi scese in cortile.

«Perché l'ha fatto?» mormorò Ellis. Il cenno di diniego significava che Anatoly aveva mentito a Jean-Pierre. Gli aveva detto che sul tetto non c'era nessuno. Evidentemente, Jean-Pierre avrebbe voluto portar via la bambina, ma Anatoly no. Quindi Jean-Pierre voleva trovare Jane, ma al russo non interessava.

Chi gli interessava?

Era ovvio. Il russo cercava Ellis Thaler.

«Forse ho combinato un guaio» disse Ellis, parlando quasi a se stesso. Jean-Pierre voleva Jane e Chantal, ma Anatoly cercava lui. Voleva vendicarsi per l'umiliazione del giorno prima; voleva impedirgli di tornare in Occidente con il trattato firmato dai comandanti ribelli; e voleva farlo processare per dimostrare al mondo che la rivolta afgana era fomentata dalla CIA. Avrei dovuto pensarci ieri, rifletté amaramente, ma ero abbagliato dal successo e pensavo soltanto a Jane. E avrei potuto essere a Darg o ad Astana, oppure nascosto fra i monti con Masud... Anatoly non poteva sapere che ero qui: dev'essere stato un tentativo alla cieca. Ma per poco non aveva dato l'esito voluto. Anatoly aveva un istinto sicuro. Era un avversario formidabile... e la battaglia non era ancora conclusa.

Jane piangeva. Ellis le accarezzò i capelli e le mormorò parole rassicuranti mentre seguiva con gli occhi Jean-Pierre e Anatoly che tornavano verso gli elicotteri ancora fermi nei campi con le pale che falciavano l'aria.

L'Hind che era atterrato sulla sommità della collina vicino alle grotte s'innalzò di nuovo e passò sopra la loro testa. Ellis si chiese se i russi avevano interrogato o preso prigionieri i guerriglieri feriti che giacevano nella grotta-ambulatorio.

Finì tutto in fretta. I soldati uscirono dalla moschea e risalirono sull'Hip. Jean-Pierre e Anatoly presero posto su uno degli Hind. Gli apparecchi s'innalzarono a uno a uno, fino a quando furono al di sopra della collina; poi sfrecciarono verso sud, in linea retta.

Ellis sapeva ciò che stava pensando Jane. «Aspetta ancora un momento, fino a quando tutti gli elicotteri si saranno allontanati... non rovinare tutto proprio ora.»

Lei annuì piangendo.

Gli abitanti del villaggio incominciarono a uscire alla spicciolata dalla moschea. Avevano l'aria spaventata. L'ultimo elicottero decollò e puntò verso sud. Jane uscì dal sacco a pelo, infilò i calzoni e la camicia, e corse giù per il pendio della collina, scivolando e incespicando. Ellis la seguì con gli occhi: aveva la sensazione che lo disprezzasse; sapeva che era un'impressione irrazionale, ma non riusciva a liberarsene. Non l'avrebbe seguita subito, decise. Avrebbe lasciato che rimanesse un po' sola con Chantal.

Jane sparì dietro la casa del mullah. Ellis osservava il villaggio che incominciava a recuperare un aspetto normale. Sentì le voci che gridavano eccitate. I bambini correvano fingendo d'essere elicotteri, puntavano fucili immaginari e radunavano i polli nei cortili come se volessero interrogarli. Quasi tutti gli adulti si erano avviati a passo lento per rientrare nelle case.

Ellis ricordò i sette guerriglieri feriti e il ragazzetto monco nella grotta-ambulatorio. Decise di andare a vedere. Si rivestì, arrotolò il sacco a pelo e si avviò sul sentiero che saliva la montagna.

Ripensò a Allen Winderman, con l'abito grigio e la cravatta a righe che spilluzzicava un'insalata in un ristorante di Washington e chiedeva: «Che probabilità ci sono che i russi prendano il nostro uomo?» *Molto poche*, aveva risposto Ellis. *Se non riescono a catturare Masud, perché dovrebbero riuscire a catturare un agente clandestino mandato a incontrarsi con lui?* Adesso conosceva la risposta a quell'interrogativo: perché c'era di mezzo Jean-Pierre. «Dio lo maledica» disse a voce alta.

Raggiunse la radura. Dalla grotta non usciva il minimo suono. Ellis si augurò che i russi non avessero portato via anche Mousa, insieme ai guerriglieri feriti... Mohammed sarebbe stato inconsolabile.

Entrò. Ormai il sole era sorto e poteva vedere chiaramente. C'erano tutti, ed erano sdraiati e silenziosi. «Tutto bene?» chiese Ellis in dari.

Non ebbe risposta. Nessuno si mosse.

«Oh, Dio» mormorò Ellis.

S'inginocchiò accanto al guerrigliero più vicino e toccò la faccia barbuta. L'uomo giaceva in una pozza di sangue. Gli avevano sparato alla testa. A bruciapelo.

Ellis si mosse in fretta per controllarli tutti.

Erano morti.

Anche il ragazzino.

15

Jane attraversò il villaggio in preda a un panico cieco. Scostava a spintoni quelli che incontrava, urtava contro i muri, inciampava e cadeva e si rialzava e singhiozzava e ansimava e gemeva. «Dev'essere sana e salva» si ripeteva come una litania. Ma nello stesso tempo la sua mente continuava a chiedere *Perché Chantal non si è svegliata?* e *Che cos'ha fatto Anatoly?* e *Cos'è successo alla mia bambina?*

Entrò vacillando nel cortile della casa e salì a due alla volta i gradini che portavano al tetto. Si lasciò cadere in ginocchio e strappò via il lenzuolo dal materassino. Chantal aveva gli occhi chiusi. *Respira?* si chiese Jane. *Respira?* Poi la piccola aprì gli occhi, la guardò e per la prima volta in vita sua... sorrise.

Jane l'afferrò e l'abbracciò convulsamente. Le sembrava che stesse per scoppiarle il cuore. Chantal strillò, e anche Jane gridò, sopraffatta dalla gioia e dal sollievo perché sua figlia era ancora lì, viva e calda e urlante e perché aveva sorriso per la prima volta.

Dopo un po' si calmò e Chantal, che aveva percepito il cambiamento, non pianse più. Jane la cullò, le batté ritmicamente la mano sulla schiena, baciò la tenera testolina. Poi ricordò che c'erano anche altri al mondo e si chiese cos'era successo agli abitanti del villaggio, si chiese se era andato tutto bene. Scese nel cortile e incontrò Fara.

Per un momento guardò la ragazzina: la taciturna, ansiosa Fara, così timida e impressionabile, dove aveva trovato il coraggio e la presenza di spirito di nascondere Chantal sotto un lenzuolo gualcito mentre i russi atterravano con gli elicotteri e sparavano a pochi metri di distanza? «L'hai salvata» disse Jane.

Fara sembrava spaventata come se fosse un'accusa.

Jane si appoggiò Chantal al fianco sinistro e con il braccio destro cinse le spalle di Fara, la strinse. «Hai salvato la mia bambina!» le disse. «Grazie! Grazie!»

Per un momento Fara sorrise di gioia e poi scoppiò in pianto. Jane la calmò, le batté la mano sulla schiena come aveva fatto con Chantal. Quando la vide più tranquilla, le chiese: «Cos'è successo nella moschea? Cos'hanno fatto? Ci sono feriti?»

«Sì» rispose Fara, stordita.

Jane sorrise: era impossibile rivolgere a Fara tre domande consecutive e attendersi una risposta sensata. «Cos'è successo quando sei entrata nella moschea?»

«Hanno chiesto dov'era l'americano.»

«A chi l'hanno chiesto?»

«A tutti. Ma nessuno lo sapeva. Il dottore ha chiesto a me se sapevo dove eravate tu e la bambina, e ho risposto di no. Poi hanno preso tre uomini; prima zio Shahazai, poi il mullah, e poi Alishan Karim, il fratello del mullah. L'hanno chiesto ancora, ma era inutile perché loro non lo sapevano. Allora li hanno picchiati.»

«Sono gravi?»

«Li hanno picchiati e basta.»

«Gli darò un'occhiata.» Alishan, ricordò Jane, era malato di cuore. «Adesso dove sono?»

«Ancora nella moschea.»

«Vieni con me.» Jane entrò in casa e Fara la seguì. Nella prima stanza Jane trovò la sua borsa sul banco, vi aggiunse qualche compressa di trinitrina e uscì di nuovo. Mentre si incamminava verso la moschea, tenendo stretta Chantal, chiese a Fara: «Che altro è successo?».

«Il dottore mi ha domandato dov'eri. Ho risposto che non lo sapevo. Era la verità.»

«Ti hanno fatto del male?»

«No. Il dottore sembrava molto in collera, ma non mi hanno picchiata.»

Jane si chiese se Jean-Pierre era in collera perché aveva intuito che lei aveva passato la notte con Ellis. Tutto il villaggio, pensò, doveva averlo immaginato. Si chiese come avrebbero reagito. Per loro poteva essere la prova definitiva che lei era la Cortigiana di Babilonia.

Ma non potevano metterla al bando, per ora, quando c'era qualcuno che doveva curare. Raggiunse la moschea e entrò in cortile. La moglie di Abdullah la vide, le andò incontro con aria solenne e la condusse dal marito che giaceva a terra. A prima vista il mullah non sembrava malridotto; e Jane era preoccupata per il cuore di Alishan. Quindi lasciò Abdullah, senza badare alle proteste indignate della moglie e andò a occuparsi di Alishan che era steso a terra a pochi passi.

Era terreo, e respirava a fatica, e si teneva una mano sul petto; come aveva temuto Jane, le percosse gli avevano procurato un attacco di angina. Gli diede una compressa e disse: «Mastica, non inghiottirla».

Affidò Chantal a Fara e esaminò Alishan. Era pieno di lividi, ma non aveva fratture. «Come ti hanno picchiato?» gli chiese.

«Con i fucili» rispose Alishan con voce rauca.

Aveva avuto fortuna: l'unico vero danno che gli avevano causato era lo stress, così pericoloso per il cuore; ma già si stava riprendendo. Gli spennellò un po' di tintura di iodio sulle abrasioni e gli raccomandò di non alzarsi per un'ora.

Poi tornò da Abdullah: ma quando lui la vide avvicinarsi agitò un braccio per scacciarla e ruggì indignato. Jane sapeva perché era così furibondo: riteneva di aver diritto alla precedenza, e era offeso perché si era occupata prima di Alishan. Lei non intendeva scusarsi: già altre volte gli aveva detto che curava i pazienti in ordine d'urgenza e non secondo la posizione sociale. Gli voltò le spalle. Era inutile insistere per vedere come stava quel vecchio idiota. Se stava abbastanza bene per urlare, sarebbe sopravvissuto.

Andò a vedere Shahazai, il vecchio guerriero sfregiato. Era già assistito dalla sorella Rabia, la levatrice, che gli bagnava le ferite. Gli unguenti d'erbe preparati da Rabia non erano antisettici, ma Jane pensava che tutto sommato potevano fare più bene che male; perciò si limitò a chiedere a Shahazai di muovere le dita delle mani e dei piedi. Tutto bene.

Abbiamo avuto fortuna, pensò Jane. Sono venuti i russi, ma ce la siamo cavata con poco. Dio sia ringraziato. Forse adesso possiamo sperare che per un po' ci lasceranno in pace... forse fino a quando si riaprirà la strada per il Passo Khyber...

«Il dottore è russo?» chiese all'improvviso Rabia.

«No.» Per la prima volta, Jane si chiese che cosa avesse avuto in mente Jean-Pierre. Se mi avesse trovato, pensò, che cosa mi avrebbe detto? «No, Rabia, non è russo. Ma a quanto sembra è passato dalla loro parte.»

«Quindi è un traditore.»

«Sì, credo di sì.» Jane si domandò dove voleva arrivare la vecchia levatrice.

«Una cristiana può divorziare dal marito perché è un traditore?»

In Europa si può divorziare per molto meno, pensò Jane. «Sì.» rispose.

«È per questo che ora hai sposato l'americano?»

Jane capì ciò che stava pensando Rabia. Passando la notte sulla montagna di compagnia di Ellis aveva confermato le accuse di Abdullah, che la vedeva come una puttana occidentale. Rabia, che da molto tempo era la principale sostenitrice di Jane nel villaggio, pensava di controbattere l'accusa con un'interpretazione diversa: Jane aveva prontamente divorziato dal traditore secondo le bizzarre leggi cristiane sconosciute ai veri credenti, e adesso aveva sposato Ellis grazie alle sue stesse leggi. Così sia, pensò Jane: «Sì» rispose. «È per questo che ho sposato l'americano.»

Rabia annuì, soddisfatta.

Jane aveva quasi la sensazione che vi fosse un elemento di verità nel giudizio del mullah. Dopotutto era passata dal letto di un uomo a quello di un altro con rapidità scandalosa. Per un attimo si vergognò, ma poi si scosse: non aveva mai permesso che il suo comportamento fosse condizionato dalle aspettative altrui. Pensino pure quello che vogliono, si disse.

Non si considerava sposata con Ellis. Mi sento divorziata da Jean-Pierre? si chiese. La risposta era "no". Tuttavia, sentiva di non avere più obblighi nei suoi confronti. Dopo ciò che ha fatto, pensò, non gli devo più nulla. Quel pensiero avrebbe dovuto darle sollievo, ma provava soltanto tristezza.

Le sue riflessioni furono interrotte da un improvviso trambusto all'ingresso della moschea. Si voltò e vide Ellis che entrava reggendo qualcosa tra le braccia. Quando fu più vicino, vide che la sua faccia era una maschera di furore e ricordò che l'aveva già visto così una volta, quando un taxista imprudente aveva invertito la marcia di colpo e aveva investito un giovane motociclista ferendolo gravemente. Loro due avevano assistito alla scena e avevano chiamato l'ambulanza (a quel tempo lei non sapeva nulla di medicina) e Ellis aveva continuato a inveire contro il taxista.

Riconobbe ciò che Ellis reggeva tra le braccia: era un ragazzino, e dalla sua faccia si capiva che doveva essere morto. La prima reazione istintiva di Jane fu *Grazie a Dio non è mia figlia*. Poi vide che era l'unico bambino del villaggio che qualche volta le sembrava un po' suo... Mousa il monco, quello che lei aveva salvato. Fu colta dalla spaventosa delusione e dal rammarico che la colpivano quando moriva un paziente dopo che lei e Jean-Pierre avevano lottato a lungo per salvarlo. Ma questo era ancor più doloroso, perché Mousa aveva sopportato la mutilazione con coraggio e forza d'animo, e suo padre era così fiero di lui. Perché proprio Mousa? pensò Jane mentre le lacrime le salivano agli occhi. Perché Mousa?

Gli abitanti del villaggio si erano radunati intorno a Ellis, ma lui guardava Jane.

«Sono tutti morti» disse in dari perché gli altri capissero. Alcune donne cominciarono a piangere.

«Come?» chiese Jane.

«Sono stati i russi. Hanno sparato a tutti.»

«Oh, mio Dio.» Appena la sera prima lei aveva detto: *Non morirà nessuno*... Aveva alluso alle ferite, ma comunque aveva previsto che tutti sarebbero migliorati, più o meno rapidamente, e avrebbero ritrovato la salute e la forza grazie alle sue cure. Adesso... erano morti tutti. «Ma perché hanno ucciso il bambino?» gridò.

«Credo che li abbia infastiditi.»

Jane aggrottò la fronte.

Ellis spostò leggermente il corpo di Mousa, per mostrare la mano. Le dita stringevano ancora l'impugnatura del coltello che gli aveva regalato il padre. La lama era insanguinata.

All'improvviso risuonò un gemito terribile, e Halima si fece largo tra la folla. Prese il corpo del figlio dalle braccia di Ellis e si accasciò a terra stringendolo e gridando il suo nome. Jane si allontanò.

Fece segno a Fara di seguirla con Chantal e si avviò verso casa. Pochi minuti prima aveva pensato che il villaggio aveva avuto fortuna. Ma erano morti sette uomini e un bambino. Jane non aveva più lacrime, perché aveva già pianto troppo: si sentiva distrutta dall'angoscia.

Entrò in casa e sedette per allattare Chantal. «Quanta pazienza hai avuto, piccola mia» disse mentre l'attaccava al seno.

Dopo un paio di minuti entrò Ellis. Si chinò a baciarla. La guardò per un momento, poi disse: «Mi sembra che tu sia in collera con me».

Jane si rese conto che era vero. «Gli uomini sono sanguinari» disse amaramente. «Quel bambino ha cercato di attaccare i soldati russi con il coltello da caccia... chi gli aveva insegnato a essere così avventato? Chi gli aveva detto che il suo compito nella vita era uccidere i russi? Quando si è scagliato contro l'uomo armato di Kalashnikov, chi era il suo modello? Non certo la madre. Suo padre: è colpa di Mohammed se è morto: di Mohammed e tua.»

Ellis la guardava sbalordito. «Perché mia?»

Jane si accorgeva d'essere troppo aspra ma non poteva trattenersi. «Hanno picchiato Abdullah, Alishan e Shahazai per costringerli a rivelare dov'eri» disse. «È te che cercavano. Era questo, lo scopo del loro intervento.»

«Lo so. Perciò è colpa mia se hanno sparato al bambino?»

«È successo perché tu sei qui, e non dovresti esserci.»

«Può darsi. Comunque ho la soluzione per questo problema. Me ne vado. La mia presenza è causa di violenze e spargimento di sangue, come ti sei affrettata a farmi notare. Se rimango, non soltanto c'è il rischio che mi catturino, perché stanotte siamo stati molto fortunati... ma il mio fragile piano di indurre le tribù a collaborare contro il comune nemico andrà a pezzi. E succederebbe di peggio. I russi mi farebbero un piccolo processo a scopo propagandistico: "Vedete? La CIA cerca di sfruttare i problemi interni di un paese del Terzo Mondo". O qualcosa del genere.»

«Allora sei davvero un pezzo grosso.» Sembrava strano che quanto succedeva lì nella valle, in quel piccolo gruppo di gente, dovesse avere conseguenze mondiali tanto vaste. «Ma non puoi andartene. La strada per il Passo Khyber è bloccata.»

«Ce n'è un'altra: la Pista del Burro.»

«Oh, Ellis... è così ardua... e pericolosa.» Le sembrava di vederlo mentre s'inerpicava su quei valichi altissimi, nella bufera. Avrebbe potuto perdere l'orientamento e morire assiderato sotto la neve, o finire rapinato e assassinato dai barbari nuristani. «Ti prego, non farlo.»

«Se ci fosse un'altra possibilità, la sceglierei.»

Lo avrebbe perduto di nuovo e sarebbe rimasta sola. Quel pensiero la rendeva infelice. Ed era strano. Aveva passato con lui una sola notte. Che cosa si aspettava? Non lo sapeva, esattamente. Ma qualcosa di più di quella brusca separazione. «Non pensavo che ti avrei perduto di nuovo così presto» disse, e spostò Chantal all'altro seno.

Ellis s'inginocchiò davanti a lei e le prese la mano. «Non hai ancora considerato a fondo la situazione» le disse. «Pensa a Jean-Pierre. Non sai che ti vuole?»

Jane riflettè. Ellis aveva ragione. Jean-Pierre, adesso, doveva sentirsi umiliato e svirilizzato; l'unico modo per rimarginare le sue ferite sarebbe stato riaverla... nel suo letto e in suo potere. «Ma cosa potrebbe volere da me?» disse.

«Vorrà che tu e Chantal passiate il resto della vostra vita in una città mineraria della Siberia, mentre lui fa la spia in Europa e viene a trovarvi ogni due o tre anni, durante le vacanze tra una missione e l'altra.»

«Cosa potrebbe fare se io rifiutassi?»

«Potrebbe costringerti. O forse ti ucciderebbe.»

Jane ricordò quando l'aveva presa a pugni e fu sopraffatta dalla nausea. «I russi lo aiuteranno a trovarmi?» chiese.

«Sì.»

«Ma perché? Perché dovrebbero occuparsi di me?»

«Innanzitutto perché lo devono a Jean-Pierre. Poi perché pensano che lo renderesti felice. In terzo luogo, perché tu sai troppe cose. Conosci intimamente Jean-Pierre e hai visto Anatoly: potresti fornire descrizioni dettagliate di entrambi al computer della CIA, se riuscissi a tornare in Europa.»

Quindi ci sarebbero stati altri spargimenti di sangue, pensò lei; i russi avrebbero fatto incursioni nei villaggi, avrebbero interrogato gli abitanti, li avrebbero picchiati e torturati per scoprire dov'era lei. «Quell'ufficiale russo... Anatoly. Ha visto Chantal.» Jane strinse a sé la bimba, ricordando quegli istanti terribili. «Credevo che stesse per portarla via. Non aveva capito che se l'avesse avuta nelle mani, io mi sarei consegnata pur di esserle vicina?»

Ellis annuì. «Sul momento il suo modo di agire mi ha stupito. Ma per loro io sono più importante di te: e secondo me ha deciso che, se pure alla fine dovrà prendere anche te, per ora puoi essergli utile in un altro modo.»

«Utile? Cosa possono sperare che io faccia?»

«Che tu mi faccia rallentare.»

«Convincendoti a restare qui?»

«No, venendo con me.»

Non appena Ellis lo ebbe detto, Jane capì che aveva ragione; e si sentì oppressa da un peso terribile. Doveva andare con lui; lei e Chantal dovevano andare con lui. Non c'erano alternative.

Se dobbiamo morire, moriremo, pensò con improvviso fatalismo. Così sia. «Immagino che sarà più facile fuggire da qui con te che evadere tutta sola dalla Siberia»

Ellis annuì. «Più o meno.»

«Comincio a preparare i bagagli» disse Jane. Non c'era tempo da perdere. «Sarà bene che ce ne andiamo domattina presto.»

Ellis scosse la testa. «Voglio andarmene da qui entro un'ora.»

Jane si spaventò. Aveva deciso di andarsene, ovviamente; ma non così all'improvviso e adesso sentiva che non aveva neppure il tempo di pensare. Incominciò a aggirarsi qua e là nella casetta, buttando indumenti e viveri e medicinali in alcune borse, terrorizzata all'idea di dimenticare qualcosa di importante, ma, al tempo stesso, troppo agitata per riflettere razionalmente.

Ellis se ne accorse, e la fermò. Le strinse le spalle, le baciò la fronte e le parlò con calma. «Dimmi una cosa. Sai qual è il monte più alto della Gran Bretagna?»

Jane si chiese se era impazzito. «Il Ben Nevis» rispose. «È in Scozia.»

«Quanto è alto?»

«Più di milleduecento metri.»

«Alcuni dei passi che dovremo attraversare sono alti quattro, cinquemila metri... quattro volte di più del monte più alto della Gran Bretagna. Anche se la distanza è appena duecentoquaranta chilometri, impiegheremo come minimo due settimane. Quindi calmati, rifletti, ragiona. Se impiegherai un po' più di un'ora per fare i bagagli, pazienza... è meglio che dimenticare qui gli antibiotici.»

Jane annuì, trasse un profondo respiro, e ricominciò.

C'erano due borse da sella che potevano servire come zaini. In una mise gli indumenti: i pannolini di Chantal, biancheria di ricambio per tutti, il giubbotto di piumino che Ellis aveva acquistato a New York, e l'impermeabile con cappuccio, foderato di pelliccia, che lei aveva portato da Parigi. Nell'altra borsa mise i medicinali e i viveri... le razioni di emergenza. Non c'era la Kendal's Cake, naturalmente; ma Jane aveva scoperto una specie di surrogato locale, una focaccia di more di gelso secche e di noci che era indigesta ma nutriente. Avevano a disposizione anche abbastanza riso e un pezzo di formaggio duro. L'unico souvenir che Jane decise di portare con sé era la collezione delle foto scattate con la Polaroid agli abitanti del villaggio. Presero anche i sacchi a pelo, un tegame e lo zaino militare di Ellis che conteneva esplosivi, micce, detonatori... le loro uniche armi. Ellis legò tutto il carico sulla groppa di Maggie, la cavalla che non voleva fare le curve.

I commiati furono frettolosi e commoventi. Jane ricevette gli abbracci di Zahara, della vecchia Rabia e persino di Halima, la moglie di Mohammed. Una nota stonata fu introdotta da Abdullah, che passò pochi istanti prima della loro partenza, sputò per terra e si trascinò via tutta la famiglia. Tuttavia, dopo qualche secondo sua moglie tornò indietro con aria spaventata ma decisa e mise nella mano di Jane un regalo per Chantal, una primitiva bambola di pezza con scialle e velo.

Jane abbracciò e baciò Fara, che sembrava inconsolabile. La ragazzina aveva tredici anni; presto avrebbe avuto un marito da adorare. Entro un anno o due si sarebbe sposata e sarebbe andata a vivere nella casa dei suoceri. Avrebbe avuto otto o dieci figli, metà dei quali, forse, sarebbero vissuti oltre i cinque anni. Le figlie si sarebbero sposate e se ne sarebbero andate di casa. I figli che fossero sopravvissuti ai combattimenti si sarebbero sposati e avrebbero portato in casa le mogli. Alla fine, quando la famiglia fosse diventata troppo numerosa, i figli e le nuore e i nipoti avrebbero incominciato a andarsene per creare nuove famiglie. Allora Fara sarebbe diventata levatrice, come sua nonna Rabia. Mi auguro, pensò Jane, che ricorderà alcune delle cose che le ho insegnato.

Ellis ricevette gli abbracci di Alishan e Shahazai; e poi si avviarono tra grida di «Dio sia con voi!». I bambini del villaggio li accompagnarono fino all'ansa del fiume. In quel punto Jane si soffermò e si voltò a guardare il gruppetto di case color fango dove aveva vissuto per un anno. Sapeva che non vi sarebbe più tornata; ma se fosse sopravvissuta, un giorno avrebbe parlato di Banda ai suoi nipotini.

Procedettero a passo svelto lungo la riva del fiume. Jane tendeva l'orecchio per captare l'eventuale rombo degli elicotteri. Tra quanto tempo i russi avrebbero incominciato a cercarli? Avrebbero mandato qualche elicottero a dar loro la caccia più o meno a caso, oppure avrebbero organizzato una ricerca veramente meticolosa? Jane non sapeva che cosa augurarsi.

Impiegarono meno di un'ora per raggiungere Dasht-i-Rewat, la Pianura con un Fortino, un grazioso villaggio con le casette dai cortili ombrosi sparse lungo la riva nord del fiume. Là finiva la pista dei carri... il sentiero di terra battuta accidentato e tortuoso che nella Valle dei Cinque Leoni era considerato una strada. Tutti i veicoli a ruote abbastanza robusti per resistere al percorso dovevano fermarsi lì, e quindi il villaggio acquistava e vendeva cavalli. Il fortino al quale doveva il nome si trovava in una valle laterale; adesso era una prigione dei guerriglieri e vi erano rinchiusi alcuni militari governativi catturati, un paio di russi, qualche ladro. Una volta Jane era stata lì per curare un povero nomade del deserto occidentale che era stato arruolato nell'esercito regolare, si era ammalato di polmonite nel gelido inverno di Kabul e aveva disertato. Adesso veniva "rieducato" prima che gli venisse permesso di associarsi ai guerriglieri.

Era ormai mezzogiorno, ma nessuno di loro pensava a fermarsi per mangiare. Speravano di poter raggiungere Saniz prima dell'imbrunire, a una quindicina di chilometri, all'inizio della valle; e se quindici chilometri non erano una grande distanza sul terreno pianeggiante, in quella zona potevano richiedere molte ore di cammino.

L'ultimo tratto di strada si snodava tra le case sulla riva settentrionale. La sponda meridionale era formata da uno strapiombo di sessanta metri. Ellis conduceva la cavalla per le briglie, e Jane portava Chantal nella specie di amaca che aveva preparato e che le permetteva di allattare la bimba senza fermarsi. Il villaggio finiva a un mulino presso l'imboccatura della valle secondaria chiamata Rewat, dove si trovava la prigione. Quando ebbero superato quel punto non poterono più procedere tanto in fretta. Il terreno incominciava a salire, dapprima gradualmente, poi sempre più erto. Il sole era caldissimo. Jane si coprì la testa con il *pattu*. Chantal era riparata dall'amaca. Ellis portava il berretto chitrali che gli aveva regalato Mohammed.

Quando arrivarono in cima al valico Jane notò con soddisfazione che non faticava a respirare. Non era mai stata tanto in forma in tutta la sua vita... e probabilmente non lo sarebbe più stata. Vide che Ellis ansimava e sudava. Era in buone condizioni fisiche, ma non era abituato a camminare per ore e ore come lei. Provò un senso di soddisfatta superiorità, fino a quando ricordò che aveva riportato due ferite d'arma da fuoco appena nove giorni prima.

Al di là del passo, la pista si snodava sul fianco della montagna, in alto sul fiume dei Cinque Leoni. Lì, stranamente, il fiume era lento. Dov'era profondo e tranquillo l'acqua era di un verde vivo, il colore degli smeraldi che venivano estratti nella zona di Dasht-i-Rewat e portati a vendere nel Pakistan. Jane si spaventò quando il suo udito ipersensibile captò il rumore di aerei lontani: non c'erano possibili nascondigli sulla sommità spoglia del precipizio. All'improvviso l'afferrò l'impulso di gettarsi nel fiume, trenta metri più sotto. Ma era soltanto uno stormo di reattori, e passava troppo in alto perché l'equipaggio potesse vedere qualcuno al suolo. Da quel momento, tuttavia, Jane incominciò a scrutare il terreno in cerca di alberi, cespugli e cavità che offrissero un riparo. Dentro di lei, un demone suggeriva: *Non sei obbligata a fare tutto questo: puoi tornare indietro, puoi consegnarti e tornare con tuo marito*. Ma sembrava un'argomentazione così teorica...

La pista continuò a salire, ma più dolcemente, e poterono procedere più svelti. A intervalli di due o tre chilometri un affluente si precipitava da una valle secondaria per gettarsi nel fiume, e allora il sentiero discendeva verso un ponte di tronchi o un guado. Ellis doveva trascinare nell'acqua la riluttante Maggie, mentre Jane gridava e la prendeva a sassate da tergo.

C'era un canale per l'irrigazione che scorreva lungo tutta la gola, sul fianco del dirupo e al di sopra del fiume. Aveva la funzione di estendere la zona coltivabile nella pianura. Jane si chiese quanto tempo prima nella valle c'era stato un periodo di pace che aveva permesso di realizzare quel grande progetto d'ingegneria: forse era accaduto qualche secolo prima.

La gola si restrinse e il fiume cominciò a apparire costellato di macigni di granito. C'erano grotte che si aprivano nelle rocce calcaree; e Jane le adocchiava come possibili nascondigli. Il paesaggio divenne più squallido e un vento freddo prese a soffiare nella valle. Jane rabbrividì per un momento, nonostante il sole. Il terreno roccioso e gli strapiombi offrivano rifugi graditi agli uccelli: c'era una quantità di ghiandaie asiatiche.

Finalmente la gola lasciò il posto a un'altra pianura. Lontano, a est, Jane scorse una catena di colline; e oltre le colline torreggiavano le montagne candide del Nuristan. Oh mio Dio, è là che stiamo andando, pensò Jane; ed ebbe paura.

Nella pianura c'era un gruppetto di povere case. «Credo che sia questo» disse Ellis. «Benvenuta a Saniz.»

Si avviarono cercando con gli occhi una moschea o una delle casupole di pietra che offrivano riposo ai viaggiatori. Quando arrivarono alla prima casa ne uscì un uomo, e Jane riconobbe la bella faccia di Mohammed. Sembrava sorpreso quanto lei. Per Jane, la sorpresa lasciò il posto a una profonda angoscia, quando si rese conto che avrebbe dovuto annunciargli la morte del figlio.

Ellis le diede il tempo di raccogliere i suoi pensieri chiedendo a Mohammed, in dari: «Perché sei qui?».

«Qui c'è Masud» rispose Mohammed. Doveva essere un nascondiglio dei guerriglieri, pensò Jane. Poi Mohammed proseguì: «E voi, perché siete qui?».

«Stiamo andando in Pakistan.»

«E passate da qui?» Mohammed si oscurò. «Cos'è successo?»

Jane sapeva che toccava a lei dirglielo, perché lo conosceva da più tempo. «Portiamo tristi notizie, amico Mohammed. I russi sono venuti a Banda. Hanno ucciso sette uomini... e un bambino.» Lui comprese subito, e l'espressione di sofferenza che gli apparve sul volto fece venire a Jane la voglia di piangere. «Il bambino era Mousa» disse.

Mohammed s'irrigidì. «Com'è morto mio figlio?»

«L'ha trovato Ellis» disse Jane.

Ellis si sforzò di trovare le parole necessarie in dari e disse: «È morto... con il coltello in mano, e sangue sul coltello».

Mohammed spalancò gli occhi. «Ditemi tutto.»

Fu Jane a parlare, questa volta, perché conosceva meglio la lingua. «I russi sono venuti all'alba» spiegò. «Cercavano Ellis e me. Noi eravamo sulla montagna e non ci hanno trovati. Hanno picchiato Alishan e Shahazai e Abdullah, ma non li hanno uccisi. Poi hanno scoperto la grotta. C'erano i sette guerriglieri feriti, e Mousa era con loro. Era rimasto per correre al villaggio se qualcuno avesse avuto bisogno d'aiuto durante la notte. Quando i russi sono ripartiti, Ellis è andato nella grotta. Avevano ucciso tutti gli uomini, e anche Mousa...»

«Come?» l'interruppe Mohammed. «Com'è stato ucciso?»

Jane guardò Ellis e lui disse: «Kalashnikov». Usando una parola che non richiedeva traduzione. Si indicò il cuore per mostrare dove aveva colpito la pallottola.

Jane soggiunse. «Doveva aver cercato di difendere i feriti, perché c'era sangue sulla punta del suo coltello.»

Mohammed si gonfiò di orgoglio anche se aveva le lacrime agli occhi. «Li ha attaccati... c'erano uomini armati di fucile, e li ha attaccati con il coltello! Il coltello che gli aveva regalato suo padre! Ora quel ragazzo senza una mano è senza dubbio nel paradiso dei guerrieri.»

Morire in una guerra santa era l'onore più grande per un musulmano, pensò Jane. Probabilmente il piccolo Mousa sarebbe stato ricordato come un santo. Era un sollievo che Mohammed avesse almeno quel conforto: ma non seppe trattenersi dal pensare cinicamente: È così che gli uomini bellicosi placano la loro coscienza... parlando di gloria.

Ellis abbracciò solennemente Mohammed, in silenzio.

All'improvviso Jane rammentò le fotografie. Ne aveva diverse di Mousa. Gli afgani amavano sempre le foto, e Mohammed sarebbe stato felice di averne una del figlio eroico. Jane aprì una delle borse appese alla groppa di Maggie e frugò tra i medicinali fino a quando rintracciò la scatoletta. Trovò una fotografia di Mousa e la prese. La porse a Mohammed.

Non aveva mai visto un afgano commuoversi tanto. Non riusciva a parlare. Per un momento sembrò sul punto di scoppiare in pianto. Le voltò le spalle, cercando di dominarsi. Quando si girò di nuovo il suo viso era composto ma rigato di lacrime. «Venite con me» disse.

Lo seguirono attraverso il piccolo villaggio fino alla riva del fiume, dove quindici o venti guerriglieri stavano accosciati intorno a un fuoco. Mohammed avanzò in mezzo a loro e, senza preamboli, incominciò a narrare la morte di Mousa, tra lacrime e gesti.

Jane si scostò. Aveva già visto troppe sofferenze.

Si guardò intorno, ansiosa. Dove ci rifugeremo se verranno i russi? si chiese. C'erano soltanto campi, il fiume e pochi tuguri. Eppure sembrava che Masud lo considerasse un luogo sicuro. Forse il villaggio era troppo piccolo per attirare l'attenzione.

Non aveva più la forza di preoccuparsi. Sedette a terra, con la schiena appoggiata a un albero e incominciò a allattare Chantal. Ellis legò Maggie e scaricò le borse. La cavalla incominciò a pascolare l'erba lussureggiante in riva al fiume. È stata una giornata lunghissima, pensò Jane, una giornata terribile. E la notte scorsa non ho dormito molto. Sorrise tra sé al ricordo.

Ellis prese le carte topografiche di Jean-Pierre e sedette accanto a lei per studiarle nella luce della sera che svaniva rapidamente. Jane guardava al di sopra della sua spalla. Il percorso continuava lungo la valle fino a un villaggio che si chiamava Comar; lì avrebbero deviato verso sud-est, in una valle secondaria che conduceva nel Nuristan. Anche la valle portava lo stesso nome, Comar, come il primo valico a alta quota che avrebbero incontrato. «Quattromilacinquecento metri» disse Ellis, indicandolo sulla carta. «Là incomincerà a far freddo.»

Jane rabbrividì.

Quando Chantal fu sazia, Jane le cambiò il pannolino e lavò nel fiume quello sporco. Quando tornò, trovò Ellis che parlava con Masud. Si accosciò accanto a loro.

«Hai preso la decisione giusta» stava dicendo Masud. «Devi lasciare l'Afghanistan e portare con te il trattato. Se i russi ti prendessero tutto sarebbe perduto.»

Ellis annuì e Jane pensò: non ho mai visto Ellis comportarsi così... tratta Masud con deferenza.

Masud continuò: «Tuttavia è un viaggio terribilmente difficile. Gran parte della pista si snoda al di sopra della linea dei ghiacci. A volte è quasi impossibile trovarla nella neve: e se ci si perde lassù, è la fine.»

Jane si chiese dove voleva arrivare Masud. Le sembrava di pessimo augurio il fatto che si rivolgesse a Ellis e non a lei.

«Posso aiutarti» continuò il capo guerrigliero. «Ma, come te, voglio concludere un patto.»

«Ti ascolto» disse Ellis.

«Ti darò come guida Mohammed che ti condurrà attraverso il Nuristan, fino al Pakistan.»

Jane si sentì balzare il cuore in gola. Mohammed... come guida! Tutto sarebbe stato diverso.

«E in cambio che cosa dovrei fare?» chiese Ellis.

«Vai solo. La moglie e la figlia del dottore resteranno qui.»

Con una fitta d'angoscia, Jane comprese che doveva accettare. Era assurdo che loro due tentassero di farcela da soli... probabilmente sarebbero morti entrambi. Così, invece, lei avrebbe potuto salvare almeno la vita di Ellis. «Devi acconsentire» gli disse.

Ellis le sorrise, poi si rivolse a Masud. «Non se ne parla neppure» disse.

Masud si alzò, con aria visibilmente offesa, e tornò tra i guerriglieri.

«Oh, Ellis!» esclamò Jane. «Ti sembra prudente?»

«No» disse lui. Le prese la mano. «Ma non ti lascerò andare con tanta facilità.»

Lei ricambiò la stretta. «Non... non ti ho promesso niente.»

«Lo so» disse Ellis. «Quando torneremo nel mondo civile, sarai libera di fare ciò che vorrai... anche di vivere con Jean-Pierre, se è questo che desideri, e se lo ritroverai. Io mi accontenterò delle prossime due settimane, se non potrò avere altro. Comunque, può darsi che non vivremo tanto a lungo.»

Era vero. Perché tormentarci per ciò che sarà, pensò Jane, quando probabilmente non abbiamo futuro?

Masud ritornò. Sorrideva di nuovo. «Non sono un abile negoziatore» disse. «Ti assegnerò comunque Mohammed come guida.»

16

Partirono mezz'ora prima dell'alba. Uno a uno, gli elicotteri s'innalzarono dallo spiazzo di cemento e scomparvero nel cielo notturno al di là della portata dei riflettori. L'Hind che aveva a bordo Jean-Pierre e Anatoly si sollevò nell'aria come un goffo uccello e si unì al convoglio. Molto presto le luci della base aerea sparirono in lontananza, e ancora una volta Jean-Pierre e Anatoly si trovarono a osservare le montagne per tornare nella Valle dei Cinque Leoni.

Anatoly aveva realizzato un miracolo. In meno di ventiquattr'ore aveva organizzato quella che era probabilmente l'operazione più colossale della guerra in Afghanistan... e ne aveva il comando.

Aveva trascorso quasi tutto il giorno precedente al telefono per parlare con Mosca. Aveva dovuto dare la sveglia alla sonnolenta burocrazia dell'esercito sovietico spiegando, prima ai suoi superiori del KGB e poi a tutta una serie di alti papaveri militari, quanto fosse importante prendere Ellis Thaler. Jean-Pierre aveva ascoltato senza capire una parola, ma aveva ammirato l'autorità, la calma e l'insistenza del suo tono.

Il permesso ufficiale era arrivato nel tardo pomeriggio, e Anatoly si era messo all'opera. Per ottenere tutti gli elicotteri che voleva aveva invocato favori, aveva ricordato vecchi debiti, aveva sparso minacce e promesse da Jalalabad a Mosca. Quando un generale, a Kabul, aveva rifiutato di mettergli a disposizione i suoi apparecchi senza un ordine scritto, Anatoly aveva chiamato il KGB a Mosca e aveva convinto un vecchio amico a dare una sbirciatina nel fascicolo personale del generale: quindi aveva ritelefonato a quest'ultimo minacciando di fargli tagliare i rifornimenti delle foto di pornografia infantile che riceveva dalla Germania.

I sovietici avevano seicento elicotteri in Afghanistan. Alle tre del mattino, cinquecento erano sulla pista di Bagram, agli ordini di Anatoly.

Jean-Pierre e Anatoly avevano trascorso l'ultima ora chini sulle carte topografiche per decidere dove inviare gli elicotteri e impartire gli ordini a una schiera di ufficiali. Lo spiegamento sarebbe stato molto preciso, grazie all'ossessiva attenzione di Anatoly per i dettagli e alla conoscenza che Jean-Pierre aveva della zona.

Anche se Ellis e Jane non erano nel villaggio, il giorno prima, quando Jean-Pierre e Anatoly erano andati a cercarli, quasi sicuramente avevano saputo della scorreria e si erano nascosti. Non potevano essere a Banda. Forse si erano rifugiati nella moschea di un altro villaggio, poiché di solito i visitatori in transito dormivano nelle moschee; o forse, se ritenevano che i villaggi fossero poco sicuri, avevano sostato in una delle casupole per i viaggiatori che costellavano la campagna. Potevano essere dovunque, nella valle, oppure potevano trovarsi in una delle tante valli secondarie più piccole.

Anatoly aveva tenuto conto di tutte queste possibilità.

Gli elicotteri sarebbero atterrati in ogni villaggio della Valle dei Cinque Leoni e delle valli laterali. I piloti avrebbero sorvolato tutte le piste e tutti i sentieri. I soldati, che erano più di mille, avevano l'ordine di frugare in ogni costruzione, di cercare sotto ogni grande albero e all'interno di ogni grotta. Anatoly era deciso a non fallire più. Quel giorno avrebbero trovato Ellis Thaler.

E Jane.

L'interno dell'Hind era spoglio e scomodo. Nella cabina passeggeri c'era soltanto una panca fissa, di fronte al portello. Jean-Pierre stava seduto lì, a fianco di Anatoly. Potevano vedere la cabina di comando. Il sedile del pilota era rialzato oltre mezzo metro dal pavimento, e c'era un gradino per facilitare l'accesso. Tutte le cure erano state riservate all'armamento, alla velocità e alla manovrabilità dell'apparecchio. Non c'era nessun tipo di comodità.

Mentre volavano verso il nord, Jean-Pierre rifletteva cupamente. Ellis aveva finto di essere suo amico, e intanto aveva continuato a lavorare per gli americani. Sfruttando quell'amicizia aveva rovinato il suo piano per catturare Masud, e così aveva distrutto un anno di meticoloso lavoro. E infine, pensò, *ha sedotto mia moglie*.

La sua mente correva in cerchio e tornava sempre a quella seduzione. Guardava nel buio, seguiva con gli occhi le luci degli altri elicotteri e immaginava i due amanti, la notte precedente, stesi su una coperta sotto le stelle, chissà dove, mentre si scambiavano carezze e mormoravano parole affettuose. Si chiese se Ellis era bravo a letto. Aveva chiesto a Jane quale dei due era l'amante migliore, e lei aveva risposto che erano diversi. Aveva detto la stessa cosa anche a Ellis? Oppure gli aveva mormorato *Tu sei il migliore, tesoro, il migliore*? Jean-Pierre incominciava a odiare anche lei. Com'era possibile che fosse tornata con un uomo più vecchio, un americano volgare, un agente della CIA?

Jean-Pierre lanciò un'occhiata a Anatoly. Il russo taceva, impassibile come la statua d'un mandarino cinese. Aveva dormito pochissimo in quelle ultime quarantotto ore; ma non appariva stanco, soltanto ostinato. Adesso vedeva un nuovo aspetto di quell'uomo. Durante i loro incontri, in quell'ultimo anno, Anatoly si era mostrato disinvolto e affabile: ma adesso era teso, instancabile, e non dava tregua a se stesso e agli altri, come dominato da una calma ossessione.

Quando spuntò il giorno poterono vedere gli altri elicotteri. Era uno spettacolo impressionante: sembrava un immenso nugolo di api gigantesche che sciamavano sopra le montagne. A terra, il loro rombo doveva essere assordante.

Via via che si avvicinavano alla valle, incominciarono a dividersi in formazioni più piccole. Jean-Pierre e Anatoly erano con il gruppo diretto a Comar, il villaggio più a nord della valle. Per l'ultimo tratto del volo seguirono il fiume. La luce del mattino, che diventava rapidamente più viva, rivelava le file ordinate di covoni nei campi di grano: i bombardamenti non avevano rovinato del tutto l'agricoltura nell'alta valle.

Avevano il sole negli occhi mentre scendevano verso Comar. Il villaggio era un grappolo di case affacciato in una massiccia muraglia, sulla collina: Jean-Pierre ricordò i paesetti appollaiati sui colli nel Midi francese e provò una fitta di nostalgia. Sarebbe stato così bello tornare a casa e sentir parlare il vero francese, mangiare pane fresco e buoni cibi, salire su un taxi e andare al cinema.

Si assestò sul sedile duro. Sarebbe stato un sollievo scendere dall'elicottero. Da quando l'avevano picchiato soffriva di dolori più o meno continui. Ma ancora peggio della sofferenza era il ricordo dell'umiliazione, il modo in cui aveva gridato e pianto e invocato pietà; ogni volta che ci ripensava trasaliva fisicamente, e si augurava di potersi nascondere. Voleva vendicarsi. Sentiva che non avrebbe più potuto dormire tranquillo fino a quando non avesse pareggiato il conto. E c'era un unico modo per prendersi quella soddisfazione. Voleva vedere Ellis picchiato nello stesso modo, dagli stessi uomini, fino a quando avesse singhiozzato e gridato e implorato pietà... con un particolare in più: Jane sarebbe stata lì a vedere.

A metà del pomeriggio si resero conto di aver fallito ancora una volta.

Avevano frugato Comar e tutti i piccoli abitati circostanti, tutte le valli secondarie della zona e tutte le case coloniche nel tratto quasi brullo a nord del villaggio. Anatoly si teneva continuamente in contatto via radio con i comandanti degli altri gruppi. Avevano fatto ricerche altrettanto scrupolose in tutta la valle. Avevano trovato nascondigli di armi in alcune grotte e in qualche casa; avevano sostenuto scaramucce con numerosi gruppi di guerriglieri, soprattutto tra le colline intorno a Saniz, ma quegli scontri erano stati memorabili unicamente per il fatto che avevano causato ai russi più perdite del solito, perché i guerriglieri erano diventati più esperti nell'uso degli esplosivi; avevano tolto il velo a tutte le donne e avevano esaminato il colore della pelle di tutti i bambini piccoli: ma non avevano ancora trovato Ellis, Jane o Chantal.

Jean-Pierre e Anatoly finirono a una stazione di posta dei cavalli sulle colline al di sopra di Comar. Quella località non aveva neppure un nome: c'erano poche case di pietra e un campo polveroso dove i ronzini denutriti brucavano l'erba rada. C'era un uomo solo, quello che si occupava dei cavalli, un vecchio scalzo che portava una lunga camicia da notte e un cappuccio per proteggersi dalle mosche; e c'erano due donne giovani e una nidiata di bambini impauriti. Senza dubbio gli uomini giovani erano guerriglieri e si trovavano chissà dove, con Masud. Non ci volle molto tempo per frugare il minuscolo villaggio. Quando ebbero finito, Anatoly sedette a terra con la schiena appoggiata a un muro di pietra. Aveva l'aria pensierosa. Jean-Pierre gli sedette accanto.

Al di là delle colline si scorgeva la vetta del Mesmer, alta quasi seimila metri, che in passato aveva attratto molti alpinisti dall'Europa. Anatoly disse: «Cerca di procurare un po' di tè».

Jean-Pierre si guardò intorno e scorse, poco lontano, il vecchio incappucciato. «Prepara il tè» gli gridò. L'uomo corse via. Un attimo dopo lo sentì gridare un ordine alle donne. «Il tè sta arrivando» disse in francese a Anatoly.

Gli altri russi, vedendo che la sosta si sarebbe protratta, spensero i motori degli elicotteri e sedettero a terra per attendere con pazienza.

Anatoly guardavà lontano. La faccia piatta tradiva la stanchezza. «Siamo nei guai» disse.

Quel "siamo" sembrò a Jean-Pierre di pessimo augurio.

Il russo continuò: «Nel nostro lavoro è meglio minimizzare l'importanza di una missione fino a quando non si è certi del successo; allora s'incomincia a esagerarla. In questo caso mi è stato impossibile. Per ottenere che mi dessero tutti quegli elicotteri e mille uomini ho dovuto convincere i miei superiori della necessità di catturare Ellis Thaler. Ho dovuto spiegare chiaramente i pericoli che ci minacceranno se riuscirà a fuggire. Li ho convinti. E adesso saranno ancora più infuriati con me perché non l'ho preso. Il tuo futuro, naturalmente, è legato al mio.»

Jean-Pierre non ci aveva mai pensato. «Che cosa faranno?»

«La mia carriera rimarrà bloccata. Lo stipendio resterà invariato; ma perderò tutti i privilegi. Niente più whisky scozzese, niente più Rive Gauche per mia moglie, niente più vacanze sul Mar Nero per la famiglia, niente più jeans e dischi dei Rolling Stones per i miei figli... Ma potrei vivere anche senza queste cose. Quello che non sopporterei sarebbe la noia degli incarichi affidati ai falliti, nel mio mestiere. Mi manderebbero in una lontana cittadina dell'estremo Oriente, dove in realtà non c'è nulla da fare per i servizi di sicurezza. So come fanno i nostri a passare il tempo e a giustificare la loro esistenza in posti simili. Devi ingraziarti gli scontenti, indurli a fidarsi di te e a parlare, incoraggiarli a esprimere giudizi critici sul governo e sul partito. E poi li arresti come sovversivi. È tutto tempo sprecato...» Anatoly parve accorgersi che stava divagando, e s'interruppe.

«E io?» chiese Jean-Pierre. «Cosa mi succederà?»

«Diventerai una nullità» disse Anatoly. «Non lavorerai più per noi. Può darsi che ti permettano di restare a Mosca, ma è più probabile che ti rispediscano in patria.

«Se Ellis si salva io non potrò più tornare in Francia... mi ucciderebbero.»

«In Francia non hai commesso nessun reato.»

«Non ne aveva commessi neppure mio padre, eppure l'hanno ucciso.»

«Forse potresti andare in un paese neutrale... in Nicaragua, diciamo, oppure in Egitto.»

«Merda.»

«Ma non abbandoniamo le speranze» disse Anatoly, rianimandosi un po'. «Nessuno può dileguarsi, sparire. I nostri fuggiaschi devono essere in qualche posto.»

«Se non riusciamo a trovarli con l'aiuto di mille uomini, non credo che potremo rintracciarli neppure con diecimila» osservò cupamente Jean-Pierre.

«Non ne avremo mille, e tanto meno diecimila» disse Anatoly. «D'ora in poi dovremo sfruttare la nostra intelligenza e pochissime risorse. Abbiamo dato fondo al nostro credito. Tentiamo un sistema diverso. Pensa: qualcuno deve averli aiutati a nascondersi. Il che significa che qualcuno sa dove sono.»

Jean-Pierre rifletté. «Se qualcuno li ha aiutati, con ogni probabilità si è trattato di guerriglieri... e loro non parleranno.»

«Qualcun altro potrebbe saperne qualcosa.»

«Forse. Ma parlerà?»

«I nostri fuggiaschi devono avere qualche nemico» insistette Anatoly.

Jean-Pierre scrollò la testa. «Ellis è qui da poco tempo, non ha potuto farsi nemici e Jane è un'eroina... la trattano come se fosse Giovanna d'Arco. Nessuno la odia... Oh!» All'improvviso si era reso conto che non era vero.

«Dunque?»

«Il mullah.»

«Aaaah.»

«È molto irritato con lei. In parte perché le cure di Jane si erano spesso rivelate più efficaci, ma non solo per questo. Anche le mie lo erano; tuttavia non mi ha mai dimostrato particolare ostilità.»

«Probabilmente la chiamava "puttana occidentale".»

«Come fai a saperlo?»

«Fanno sempre così. Dove abita il mullah?»

«Abdullah vive a Banda, in una casa a circa mezzo chilometro dal villaggio.»

«Parlerà?»

«Probabilmente odia Jane quanto basta per consegnarcela» disse Jean-Pierre, riflettendo. «Ma non può permettere che qualcuno lo veda fare una cosa simile. Non possiamo atterrare nel villaggio e prelevarlo... tutti lo saprebbero, e quindi lui terrebbe la bocca chiusa. Devo trovare il modo d'incontrarlo in segreto...» Si chiese a quale pericolo si sarebbe esposto se avesse continuato così. Ma poi pensò all'umiliazione subita e concluse che la vendetta valeva la pena di correre il rischio. «Se mi fai scendere nei pressi del villaggio potrò raggiungere il sentiero che conduce a casa sua e nascondermi fino al suo arrivo.»

«E se il mullah non arrivasse per tutto il giorno?»

«Già...»

«Faremo in modo che ci vada.» Anatoly aggrottò la fronte. «Rastrelleremo gli abitanti del villaggio e li porteremo nella moschea, come abbiamo già fatto... e poi li lasceremo andare. Sicuramente Abdullah se ne andrà subito a casa.»

«Ma sarà solo?»

«Uhm. Supponiamo di lasciare libere le donne per prime, e di ordinare loro di andare a casa. Quando rilasceremo gli uomini, tutti vorranno raggiungerle. C'è qualcun altro che vive vicino a Abdullah?»

«No.»

«Allora dovrà avviarsi tutto solo lungo il sentiero. Tu salterai fuori da un cespuglio...»

«E lui mi taglierà la gola.»

«È armato di coltello?»

«Hai mai conosciuto un afgano che non lo sia?»

Anatoly alzò le spalle. «Puoi prendere la mia pistola.»

Jean-Pierre provò un senso di soddisfazione e anche un po' di sorpresa per quella dimostrazione di fiducia, anche se non sapeva usare un'arma. «Penso che come minaccia potrà servire» disse in tono ansioso. «Avrò bisogno di abiti afgani, caso mai mi vedesse qualcun altro. E se incontrassi qualcuno che mi conosce? Dovrò coprirmi la faccia con una sciarpa o qualcosa del genere...»

«È semplicissimo» disse Anatoly. Gridò un ordine in russo, e tre soldati balzarono in piedi. Sparirono fra le case e dopo pochi istanti uscirono con il vecchio dei cavalli. «Puoi prendere i suoi vestiti» disse Anatoly.

«Bene» disse Jean-Pierre. «Il cappuccio mi nasconderà la faccia.» Poi, in dari, gridò al vecchio: «Spogliati!».

Il vecchio incominciò a protestare: per gli afgani la nudità era una terribile vergogna. Anatoly gridò un brusco ordine in russo e i soldati buttarono a terra il vecchio e gli tolsero la camicia da notte, poi risero fragorosamente quando videro le gambe sottili che spuntavano dalle mutande lacere. Appena lo lasciarono, il vecchio corse via coprendosi i genitali con le mani. I russi risero ancora di più.

Jean-Pierre era troppo nervoso per trovare divertente la scena. Si tolse la camicia e i calzoni europei e indossò la camicia da notte del vecchio.

«Puzzi di piscio di cavallo» disse Anatoly.

«Per me è anche peggio» ribatté Jean-Pierre.

Risalirono sull'elicottero. Anatoly prese la cuffia del pilota e parlò a lungo nel microfono, in russo. Jean-Pierre era molto agitato. Cosa sarebbe accaduto se qualche guerrigliero fosse sceso dalla montagna e lo avesse sorpreso a minacciare Abdullah con la pistola? Nella valle lo conoscevano tutti. La notizia che era arrivato a Banda con i russi doveva essersi sparsa in fretta. Senza dubbio quasi tutti, ormai, dovevano sapere che era una spia. Probabilmente lo consideravano il loro peggior nemico. Lo avrebbero fatto a pezzi.

Forse vogliamo fare troppo i furbi, pensò. Forse dovremmo semplicemente atterrare, catturare Abdullah e pestarlo fino a quando ci dirà la verità.

No: ieri abbiamo tentato lo stesso sistema e non è servito a nulla. Non abbiamo scelta.

Anatoly rese la cuffia al pilota che prese posto e incominciò a scaldare il motore. Mentre attendevano, Anatoly tirò fuori la pistola e la mostrò a Jean-Pierre. «È una Makarov calibro 9» disse, nel fragore dei motori. Fece scattare una sicura e estrasse il caricatore. C'erano otto colpi. Lo inserì di nuovo. Indicò un'altra sicura sul lato sinistro dell'arma. «Quando il punto rosso è coperto, la pistola non può sparare.» La strinse nella sinistra e con la destra spostò il cursore sopra l'impugnatura. «Così è carica.» Lasciò il cursore che tornò di scatto in posizione. «Quando spari, premi a lungo il grilletto per ricaricarla.» E la porse a Jean-Pierre.

Si fida di me, pensò Jean-Pierre, e per un momento la soddisfazione cancellò la paura.

Gli elicotteri decollarono. Seguirono il fiume dei Cinque Leoni verso sud-ovest, discendendo la valle. Jean-Pierre pensò che lui e Anatoly lavoravano bene insieme. Anatoly gli ricordava suo padre: un uomo ingegnoso, deciso, coraggioso, incrollabilmente devoto alla causa del comunismo mondiale. Se questa volta ce la faremo, pensò, probabilmente potremo lavorare ancora insieme, su qualche altro campo di battaglia. Era una prospettiva magnifica.

A Dasht-i-Rewat, dove incominciava la parte inferiore della valle, l'elicottero virò a sud-est per seguire verso la sorgente l'affluente Rewat e avvicinarsi a Banda, oltre la montagna.

Anatoly si servì di nuovo della cuffia, poi venne a gridare all'orecchio di Jean-Pierre: «Sono già tutti nella moschea. Quanto tempo impiegherà la moglie del mullah per tornare a casa?».

«Cinque o dieci minuti.»

«Dove vuoi che ti lasciamo?»

Jean-Pierre rifletté. «Gli abitanti del villaggio sono tutti nella moschea, vero?»

«Sì.»

«Hanno controllato le grotte?»

Anatoly tornò a usare la radio. Poi rispose: «Le hanno controllate».

«Bene. Lasciami qui.»

«Quanto ci metterai per raggiungere il tuo nascondiglio?»

«Dammi dieci minuti, poi fai rilasciare le donne e i bambini. Quindi aspetta altri dieci minuti e lascia andare gli uomini.»

«D'accordo.»

L'elicottero scese nell'ombra della montagna. Il pomeriggio stava declinando, però mancava ancora più di un'ora all'imbrunire. Atterrarono dietro la cresta, a pochi metri dalle caverne. Anatoly disse: «Non andare subito. Lasciaci controllare di nuovo le grotte».

Dal portello aperto, Jean-Pierre vide atterrare un altro Hind. Sei uomini scesero e corsero oltre il dosso.

«Come farò a segnalarti di scendere per venire a riprendermi?» chiese Jean-Pierre.

«Ti aspetterò qui.»

«E che cosa farete se qualche abitante del villaggio venisse quassù prima del mio ritorno?»

«Gli spareremo.»

C'era un'altra caratteristica che Anatoly aveva in comune con il padre di Jean-Pierre: la crudeltà.

Il gruppo che era andato in ricognizione riapparve sulla cresta. Uno degli uomini agitò un braccio per segnalare via libera.

«Vai» disse Anatoly.

Jean-Pierre aprì il portello e balzò a terra, continuando a stringere in pugno la pistola. Si allontanò di corsa, a testa bassa. Quando arrivò alla cresta si voltò a guardare: i due elicotteri erano ancora là.

Attraversò la radura davanti alla vecchia grotta-ambulatorio e guardò il villaggio dall'alto. Da lassù si vedeva il cortile della moschea. Non riusciva a identificare nessuno di coloro che vi si trovavano, ma c'era la possibilità che qualcuno alzasse la testa nel momento meno opportuno e lo scorgesse. Si tirò il cappuccio sugli occhi per nascondere la faccia.

Il cuore gli batteva più forte via via che si allontanava dalla protezione degli elicotteri russi. Scese in fretta il pendio e superò la casa del mullah. La valle sembrava stranamente silenziosa, nonostante il rombo onnipresente del fiume e il ronzio lontano delle pale degli elicotteri. Mancavano le voci dei bambini.

Svoltò a un angolo e si ritrovò fuori di vista rispetto alla casa del mullah. Accanto al sentiero c'era una macchia d'erba dei cammelli e di ginepri. Le girò intorno e si acquattò. Era ben nascosto ma poteva vedere chiaramente il sentiero. Incominciò l'attesa.

Si chiese che cosa avrebbe potuto dire a Abdullah per convincerlo a parlare. Il mullah era un misogino isterico: forse poteva approfittarne.

Un improvviso suono di voci acute proveniente dal villaggio gli rivelò che Anatoly doveva aver dato l'ordine di far uscire dalla moschea le donne e i bambini. Gli abitanti del villaggio si sarebbero chiesti qual era lo scopo di quella manovra, ma l'avrebbero attribuita alla nota follia dei militari.

Pochi minuti dopo, la moglie del mullah salì il sentiero. Portava il figlio più piccolo in braccio e era seguita dagli altri tre. Jean-Pierre si tese: era davvero ben nascosto? I bambini avrebbero abbandonato il sentiero e l'avrebbero scoperto? Sarebbe stata un'umiliazione tremenda... il suo piano sventato dai bambini. Ricordò la pistola che aveva in pugno. Sarei capace di sparargli? si chiese.

La moglie e i figli del mullah passarono oltre e si diressero verso la casa.

Poco dopo gli elicotteri russi incominciarono a alzarsi in volo dal campo di grano: gli uomini erano stati rilasciati. Infine, Abdullah comparve ansimando sul sentiero, massiccio e assurdo con il turbante e la giacca gessata inglese. Deve esserci un gran commercio di abiti usati tra l'Europa e l'Oriente, pensò Jean-Pierre. Molta gente, lì, portava indumenti che erano stati confezionati a Parigi o a Londra e poi erano stati scartati perché erano passati di moda, molto prima che diventassero lisi. Ecco, pensò mentre quella figura grottesca si avvicinava: questo pagliaccio con la giacca da agente di cambio potrebbe essere la chiave del mio avvenire. Si alzò e uscì dai cespugli.

Il mullah sussultò e gettò un grido. Fissò Jean-Pierre e lo riconobbe. «Tu!» esclamò in dari, e si portò la mano alla cintura. Jean-Pierre alzò la pistola e Abdullah si fermò di colpo, spaventato.

«Non aver paura» disse Jean-Pierre. Il tono incerto della sua voce tradiva il nervosismo, e si sforzò di dominarlo. «Nessuno sa che sono qui. Tua moglie e i tuoi figli sono passati senza vedermi. Sono sani e salvi.»

Abdullah lo squadrò insospettito. «Che cosa vuoi?»

«Mia moglie è un'adultera» disse Jean-Pierre. E sebbene puntasse sui pregiudizi del mullah, la sua rabbia non era del tutto simulata. «Ha preso mia figlia e mi ha abbandonato. Fa la puttana con l'americano.»

«Lo so» disse Abdullah, e Jean-Pierre lo vide gonfiarsi di virtuosa indignazione.

«La sto cercando per riprenderla e punirla.»

Abdullah annuì con entusiasmo. Un lampo maligno gli passò negli occhi: l'idea di punire le adultere gli piaceva molto.

«Ma i due peccatori si sono nascosti.» Jean-Pierre parlava adagio, pesando le parole: la minima sfumatura poteva essere importante. «Tu sei un uomo di Dio. Dimmi dove sono. Nessun altro, tranne Dio e me, saprà mai come l'ho scoperto.»

«Se ne sono andati.» Abdullah sputò, e la saliva gli inumidì la barba tinta di rosso.

«Dove?» Jean-Pierre trattenne il respiro.

«Hanno lasciato la valle.»

«Ma dove sono andati?»

«In Pakistan.»

In Pakistan? Che cosa stava dicendo quel vecchio stupido? «Le strade sono chiuse!» gridò esasperato Jean-Pierre.

«La Pista del Burro non lo è.»

«*Mon Dieu*» mormorò lui. «La Pista del Burro.» Era sbigottito da tanto coraggio, e al tempo stesso era amaramente deluso, perché ormai sarebbe stato impossibile ritrovarli. «Hanno portato anche la bambina?»

«Sì.»

«Allora non rivedrò più mia figlia.»

«Moriranno tutti nel Nuristan» disse Abdullah con aria soddisfatta. «Una donna occidentale con un bambino piccolo non può sopravvivere a quelle quote, e l'americano morirà cercando di salvarla. Così Dio punisce coloro che sfuggono alla giustizia umana.»

Jean-Pierre pensò che doveva ritornare all'elicottero al più presto possibile. «Ora vai a casa» disse a Abdullah.

«Il trattato morirà con loro, perché Ellis ha il foglio» soggiunse Abdullah. «Meglio così. Anche se abbiamo bisogno delle armi americane è pericoloso concludere patti con gli infedeli.»

«Vai!» ordinò Jean-Pierre. «Se non vuoi che i tuoi mi vedano tienili in casa per qualche minuto.»

Per un attimo Abdullah assunse un'espressione indignata nel sentirsi dare ordini; ma poi parve rendersi conto che di fronte a una pistola spianata non era il caso di protestare e se ne andò in fretta.

Jean-Pierre si chiese se davvero sarebbero tutti morti nel Nuristan come aveva predetto il mullah. Non era questo che voleva. Non gli avrebbe dato il gusto della vendetta. Rivoleva sua figlia. Voleva Jane viva e in suo potere. Voleva che Ellis subisse sofferenze e umiliazioni.

Lasciò a Abdullah il tempo di entrare in casa, poi si tirò il cappuccio sulla faccia e salì sconsolato il pendio. Tenne la testa bassa quando passò davanti alla casa, nell'eventualità che uno dei bambini si affacciasse.

Anatoly l'aspettava nella radura davanti alle grotte. Tese la mano per riprendere la pistola e chiese: «E allora?».

Jean-Pierre gli rese l'arma. «Ci sono scappati» disse. «Hanno lasciato la valle.»

«Non è possibile che ci siano scappati» ribatté rabbiosamente Anatoly. «Dove sono andati?»

«Nel Nuristan.» Jean-Pierre indicò la direzione in cui si trovavano gli elicotteri. «Non dovremmo ripartire?»

«Sull'elicottero non possiamo parlare.»

«Ma se arrivano gli abitanti del villaggio...»

«Al diavolo! E non essere così disfattista! Che cosa sono andati a fare nel Nuristan?»

«Sono diretti verso il Pakistan, lungo un percorso che si chiama Pista del Burro.»

«Se conosciamo il percorso, possiamo ritrovarli.»

«Non credo. Il percorso ha parecchie varianti.»

«Le sorvoleremo tutte.»

«È impossibile seguire dall'alto quei sentieri. Faticheresti a farlo da terra, senza una guida del posto.»

«Potremmo usare le carte topografiche...»

«Quali?» l'interruppe Jean-Pierre. «Ho visto le tue carte, e non sono migliori delle mie americane, che sono le migliori disponibili... e non mostrano quelle piste e quei passi. Non sai che esistono certe regioni del mondo dove non sono mai stati fatti adeguati rilevamenti? E questa è una di quelle!»

«Lo so... Lavoro nei servizi segreti, lo ricordi?» Anatoly abbassò la voce. «Ti lasci scoraggiare troppo facilmente, amico mio. Rifletti. Se Ellis Thaler può trovare una guida indigena che gli mostri il percorso, posso farlo anch'io.»

Era possibile? si chiese Jean-Pierre. «Ma i percorsi alternativi sono più d'uno.»

«Supponiamo che esistano dieci varianti. Abbiamo bisogno di dieci guide indigene per condurre dieci diverse squadre.»

L'entusiasmo di Jean-Pierre si riaccese rapidamente quando si rese conto che avrebbe potuto riavere Jane e Chantal e veder catturare Ellis. «Forse non sarà poi tanto difficile» esclamò. «Basterà che facciamo domande lungo la strada. Quando lasceremo questa maledetta valle, può darsi che la gente sia meno taciturna. I nuristani non sono coinvolti nella guerra.»

«Bene» disse bruscamente Anatoly. «Si sta facendo buio. Abbiamo molte cose da fare questa sera. Partiremo domani mattina presto. Andiamo!»

17

Jane si svegliò impaurita. Non sapeva dove era, con chi era... non sapeva neppure se i russi l'avevano catturata. Per un secondo fissò il tetto di canne e si chiese: *È una prigione?* Poi si sollevò a sedere con il cuore in gola, e vide Ellis che dormiva con la bocca aperta, nel sacco a pelo, e ricordò. *Siamo fuori dalla valle. Siamo fuggiti. I russi non sanno dove andiamo e non possono trovarci.*

Si sdraiò di nuovo e attese che il cuore riprendesse a battere normalmente.

Non seguivano il percorso che Ellis aveva scelto in un primo momento. Anziché spingersi a nord fino a Comar e poi a est lungo la Valle di Comar fino al Nuristan, avevano deviato a sud, dopo Saniz, e si erano diretti verso est lungo la Valle dell'Aryu. Mohammed aveva suggerito questa deviazione perché così avrebbero lasciato più in fretta la Valle dei Cinque Leoni, e Ellis si era detto d'accordo.

Erano partiti prima dell'alba e avevano continuato a salire tutto il giorno. Loro due avevano portato Chantal a turno, mentre Mohammed conduceva Maggie per le briglie. A mezzogiorno si erano fermati nel villaggio di Aryu e avevano comprato un po' di pane da un vecchio diffidente che aveva un cane stizzoso. Il villaggio di Aryu aveva segnato il limite estremo della civiltà: più oltre non c'era stato nulla per chilometri e chilometri, tranne il fiume disseminato di macigni e le grandi brulle montagne color avorio sui due lati, fino a quando avevano raggiunto quella località, al termine del pomeriggio.

Jane si sollevò di nuovo a sedere. Chantal era accanto a lei; respirava regolarmente e irradiava tepore come una borsa di acqua calda. Ellis era nel suo sacco a pelo: avrebbero potuto unirli tutti e due con le lampo e farne uno solo, ma Jane aveva temuto che Ellis potesse girarsi e schiacciare Chantal durante la notte. Perciò avevano dormito separati e si erano accontentati di stare vicini e di tendere ogni tanto le mani per toccarsi. Mohammed era nella stanza accanto.

Jane si alzò cautamente per non disturbare la bambina. Mentre si vestiva provò fitte dolorose alla schiena e alle gambe. Era abituata a camminare, ma non per tutto il giorno, su un terreno tanto difficile e sempre in salita.

Calzò gli stivali senza slacciarli e uscì. Batté le palpebre nella luce fredda e intensa delle montagne. Si trovava in un prato a alta quota, grandissimo e verde e attraversato da un torrentello tortuoso. Da un lato la montagna si ergeva ripida, e lì, ai piedi del pendio, proteggeva un gruppo di case di pietra e alcuni recinti per il bestiame. Le case erano vuote e il bestiame non c'era più: quello era un pascolo estivo, e i mandriani erano andati a svernare altrove. Nella Valle dei Cinque Leoni era ancora estate: ma a quell'altitudine l'autunno arrivava ai primi di settembre.

Jane si avviò al torrente. Era abbastanza lontano dalle case di pietra perché lei potesse spogliarsi senza scandalizzare Mohammed. Corse a immergersi nell'acqua. Era gelida. Uscì immediatamente battendo i denti. «Al diavolo!» esclamò. E decise che sarebbe rimasta sporca fino al ritorno nel mondo civile.

Si rivestì (c'era un solo asciugamani, ed era riservato a Chantal) e tornò in fretta nella casa, raccogliendo qualche stecco lungo il percorso. Posò gli stecchi sui resti del fuoco e soffiò sulle braci per attizzarle. Tenne accostate alle fiamme le mani intirizzite fino a quando si scaldarono.

Mise sul fuoco un tegame d'acqua per lavare Chantal. Mentre attendeva, gli altri si svegliarono: prima Mohammed, che uscì per andare a lavarsi; poi Ellis, che si lamentò di essere completamente indolenzito; e infine Chantal, che voleva mangiare e fu subito accontentata.

Jane era stranamente euforica. Pensò che avrebbe dovuto preoccuparsi all'idea di portare la figlioletta di due mesi in uno dei luoghi più selvaggi del mondo; eppure l'ansia era soffocata dalla felicità. Perché sono felice? si chiese, e la risposta le affiorò nella mente: perché sono con Ellis.

Anche Chantal sembrava contenta, come se assimilasse la felicità con il latte materno. La sera prima non avevano potuto acquistare viveri, perché i mandriani se n'erano già andati e non c'era nessuno che potesse vender loro qualcosa. Ma avevano il riso, e l'avevano bollito con il sale... non senza difficoltà, perché a quella quota l'acqua impiegava un'eternità prima di bollire. Adesso, per colazione, c'era solo il riso freddo avanzato. L'euforia di Jane si smorzò un po'.

Mangiò mentre Chantal poppava, poi la lavò e la cambiò. Il pannolino di ricambio, che aveva lavato il giorno prima nel torrente, si era asciugato accanto al fuoco durante la notte. Jane lo mise a Chantal e portò quello sporco al torrente. Poi l'avrebbe fissato al bagaglio, sperando che il vento e il calore del corpo della cavalla l'asciugassero. Chissà cos'avrebbe detto sua madre se avesse saputo che la nipotina teneva un pannolino tutto il giorno... Sarebbe inorridita, senza dubbio. Ma non aveva importanza...

Ellis e Mohammed caricarono i bagagli sulla cavalla e la fecero avviare nella direzione giusta. Quel giorno sarebbe stato più difficile e faticoso del precedente. Dovevano attraversare la catena di montagne che per secoli aveva isolato il Nuristan dal resto del mondo. Sarebbero saliti fino al Passo Aryu, a quattromiladuecento metri. Per gran parte del cammino avrebbero dovuto procedere fra neve e ghiaccio. Speravano di farcela a raggiungere il villaggio nuristano Linar: era distante appena sedici chilometri in linea d'aria, ma sarebbe stato un risultato notevole se ci fossero arrivati nel tardo pomeriggio.

Quando si avviarono, il sole era fulgido, ma l'aria fredda. Jane portava i calzettoni pesanti, le muffole e un maglione sotto l'impermeabile foderato di pelliccia. Teneva Chantal nell'amaca, tra il maglione e l'impermeabile, con i primi bottoni slacciati per lasciar passare l'aria.

Lasciarono il pascolo e seguirono il fiume Aryu risalendo verso la sorgente. Subito il paesaggio ridivenne aspro e ostile. I dirupi freddi erano brulli. A un certo punto Jane scorse in lontananza un gruppo di tende di nomadi su un pendio spoglio: non sapeva se doveva rallegrarsi al pensiero che c'erano altri esseri umani o se doveva averne paura. L'unico altro essere vivente che ebbe occasione di vedere era un avvoltoio barbuto che planava nel vento.

Non c'era un sentiero visibile. Per Jane era un immenso sollievo che Mohammed fosse con loro. All'inizio lui seguì il fiume; ma quando si restrinse e terminò, continuò a procedere con immutata sicurezza. Jane gli chiese come faceva a conoscere la strada, e Mohammed rispose che era segnata a intervalli regolari da mucchi di pietre. Lei non li aveva neppure notati.

Molto presto incontrarono un sottile strato di neve sul suolo, e Jane incominciò a sentire freddo ai piedi nonostante i calzettoni pesanti e gli stivali.

Sorprendentemente, Chantal dormiva quasi sempre. Ogni due ore si fermavano a riposare qualche minuto, e Jane ne approfittava per allattarla, e rabbrividiva nell'esporre i seni all'aria gelida. Disse a Ellis che la piccola era molto buona, e lui commentò: «È incredibile. Incredibile».

A mezzogiorno si fermarono in vista del Passo Aryu per sostare mezz'ora. Jane era già stanca, e la schiena le doleva. E aveva una fame da lupo: trangugiò avidamente la focaccia di more e noci che servì da pranzo.

La strada di accesso al passo incuteva paura. Quando guardava quell'erta scoscesa, Jane si sentiva mancare il coraggio. Credo che resterò ancora seduta qui per un po', si disse: ma era freddo e incominciò a rabbrividire. Ellis se ne accorse e si alzò. «Andiamo, prima di morire assiderati» disse in tono vivace. Lei pensò: Vorrei che non fossi così maledettamente allegro.

Si alzò con uno sforzo di volontà.

Ellis disse: «Lascia, porto io Chantal».

Jane gli porse la piccola. Mohammed li precedeva tenendo Maggie per le briglie. Jane s'impose di seguirlo. Ellis formava la retroguardia.

Il pendio era ripido e la neve rendeva sdrucciolevole il terreno. Dopo pochi minuti Jane era più stanca di quanto lo fosse stata prima che si fermassero a riposare. Mentre procedeva barcollando ricordò che aveva detto a Ellis: *Immagino che sarà più facile fuggire da qui con te che fuggire tutta sola dalla Siberia*. Forse non ce la farò comunque, pensò. Non sapevo che sarebbe stato così terribile. Poi si scosse. Lo sapevi, si disse; e sai che diventerà ancora peggio. Finiscila. Mi fai pena. In quel momento scivolò su una pietra incrostata di ghiaccio e cadde. Ellis, che era dietro di lei, le afferrò il braccio e la sostenne. Jane si rese conto che vegliava di continuo su di lei, e provò uno slancio d'amore e di gratitudine. Ellis aveva per lei premure che Jean-Pierre non aveva mai avuto. Jean-Pierre l'avrebbe preceduta, pensando che se avesse avuto bisogno di aiuto l'avrebbe chiesto: e se si fosse lamentata per quel comportamento le avrebbe chiesto se voleva o no essere trattata alla pari.

Erano arrivati quasi in cima. Jane si piegava in avanti per

affrontare il pendio e pensava: Ancora un po', soltanto ancora un po'. Aveva le vertigini. Davanti a lei, Maggie slittò sui sassi e poi accelerò l'andatura negli ultimi metri, costringendo Mohammed a correre al suo fianco. Jane lo seguì contando i passi. Finalmente arrivò un tratto pianeggiante. Si fermò. Le girava la testa. Ellis le circondò le spalle con un braccio e lei chiuse gli occhi e si appoggiò.

«D'ora in poi sarà tutta discesa, per oggi» disse Ellis.

Jane riaprì gli occhi. Non avrebbe mai immaginato un paesaggio tanto crudele: solo neve, vento, montagne e silenzio, per l'eternità. «È un posto abbandonato da Dio» disse.

Per un momento guardarono lo scenario, poi Ellis annunciò: «Dobbiamo proseguire».

Si rimisero in cammino. La discesa era più ripida. Mohammed, che per tutta la salita aveva tirato le redini di Maggie, adesso le stava aggrappato alla coda per frenarla e impedire che scivolasse lungo il pendio. I mucchi di pietre erano difficili da distinguere tra le rocce coperte di neve, ma Mohammed non esitava mai. Jane pensò che avrebbe dovuto offrirsi di portare Chantal per dare un po' di sollievo a Ellis; ma sapeva che non ce l'avrebbe fatta a sostenerla.

Via via che scendevano, la neve diventò più rada e poi finì. La pista era visibile, adesso. Jane continuava a sentire uno strano rumore sibilante; dopo un po' trovò l'energia per chiedere a Mohammed che cos'era. La risposta fu una parola in dari che lei non conosceva, e di cui lui non sapeva la traduzione in francese. Alla fine tese il braccio per indicare, e Jane scorse un animaletto che fuggiva: una marmotta. In seguito ne vide altre e si chiese cosa potevano trovare da mangiare, a quell'altezza.

Ben presto si affiancarono a un altro torrente; e alla roccia bianca e grigia incominciarono a alternarsi alcuni ciuffi d'erba ruvida e alcuni cespugli bassi che crescevano sulle rive; ma il vento continuava a soffiare nella gola e s'insinuava negli indumenti di Jane come una miriade di aghi di ghiaccio.

Come la salita era diventata implacabilmente più aspra, la discesa divenne sempre più agevole: il sentiero si appianò, l'aria divenne più tiepida, il paesaggio meno ostile. Jane era ancora esausta ma si sentiva meno scoraggiata. Dopo circa tre chilometri arrivarono al primo villaggio del Nuristan. Lì gli uomini portavano pesanti maglioni senza maniche a disegni bianchi e neri e parlavano una lingua che Mohammed comprendeva a stento. Comunque, riuscì ad acquistare un po' di pane pagandolo con il denaro afgano di Ellis.

Jane avrebbe voluto chiedere a Ellis di fermarsi per la notte, perché si sentiva terribilmente stanca: ma restavano ancora parecchie ore di luce e avevano deciso che avrebbero tentato di raggiungere Linar prima di notte; perciò si impose di resistere e di camminare ancora, sebbene avesse le gambe indolenzite.

Con suo immenso sollievo gli ultimi sette o otto chilometri furono meno faticosi, e arrivarono molto prima dell'imbrunire. Jane si lasciò cadere a terra sotto un enorme gelso e restò immobile per un po'. Mohammed accese il fuoco e incominciò a preparare il tè.

Mohammed riuscì a spiegare agli abitanti che Jane era un'infermiera occidentale; e più tardi, mentre lei allattava e cambiava Chantal, si presentò un gruppetto di pazienti che si fermò a rispettosa distanza. Jane fece appello a tutte le sue energie e li visitò. C'erano le solite ferite infette, i soliti parassiti intestinali e i disturbi bronchiali, tuttavia c'erano meno bambini denutriti che nella Valle dei Cinque Leoni, probabilmente perché quella zona remota e selvaggia aveva risentito assai meno delle conseguenze della guerra.

A titolo di ricompensa per quelle prestazioni mediche, Mohammed ricevette in omaggio un pollo e lo fece bollire nel tegame. Jane avrebbe preferito dormire; ma attese che la cena fosse pronta e mangiò con grande avidità. La carne era tigliosa e insipida, ma lei era certa di non avere mai avuto tanta fame in vita sua.

Ellis e Jane trovarono ospitalità in una delle case: c'era un materasso per loro e una rozza culla di legno per Chantal. Unirono i sacchi a pelo e fecero l'amore con esausta tenerezza. Jane apprezzò quel calore e quella vicinanza più dell'atto sessuale. Poi Ellis si addormentò istantaneamente. Jane restò sveglia ancora per qualche minuto. I muscoli le dolevano ancora di più, ora che si stava rilassando. Pensò a un vero letto in una stanza normale, con la luce dei lampioni che filtrava tra le tende e le portiere delle macchine che sbattevano per la strada e un bagno con il gabinetto e il lavabo con l'acqua calda, e un negozio all'angolo dove avrebbe potuto acquistare borotalco, pannolini e shampoo per bambini. Siamo fuggiti ai russi, pensò mentre si assopiva; forse ce la faremo a arrivare a casa. Forse ce la faremo davvero.

Jane si svegliò quando si svegliò Ellis, sentendo la sua tensione improvvisa. Per un momento lui le rimase accanto senza respirare e ascoltò l'abbaiare di due cani. Poi si alzò in fretta.

La stanza era completamente buia. Jane sentì lo strofinio di un fiammifero e poi una candela si accese in un angolo. Guardò Chantal: la piccola dormiva tranquilla. «Cosa c'è?» chiese a Ellis.

«Non lo so» bisbigliò lui. Infilò i jeans, calzò gli stivali, mise il giubbotto e uscì.

Jane si vestì alla meglio e lo seguì. Nella stanza accanto, il chiaro di luna che entrava dalla porta aperta rivelava quattro bambini in un unico letto. Erano svegli e sgranavano gli occhi al di sopra della coperta. I genitori dormivano in un'altra stanza. Ellis era sulla soglia e guardava fuori.

Jane lo raggiunse. Sulla collina, nella luce della luna, scorse una figura solitaria che correva verso di loro.

«I cani l'hanno sentito» mormorò Ellis.

«Ma chi è?» chiese Jane.

All'improvviso apparve un'altra figura accanto a loro. Jane trasalì, poi riconobbe Mohammed. La lama di un coltello scintillava nella sua mano.

La figura si avvicinò. Jane pensò che camminava in un modo che le era familiare. All'improvviso Mohammed borbottò e abbassò il coltello. «Alì Ghanim» disse.

Adesso Jane riconosceva la caratteristica andatura di Alì: correva così perché aveva la schiena un po' curva. «Ma perché?» sussurrò.

Mohammed si fece avanti e agitò la mano. Alì lo vide, ricambiò il gesto e corse verso la casa. Scambiò un abbraccio con Mohammed.

Jane attese con impazienza che Alì riprendesse fiato. Finalmente disse: «I russi sono sulle vostre tracce».

Jane si sentì mancare il cuore. Aveva creduto che fossero riusciti a sfuggirli. Che cosa era successo?

Alì ansimò ancora per qualche secondo, poi continuò: «Masud mi ha mandato a avvertirvi. Il giorno della vostra partenza vi hanno cercato in tutta la Valle dei Cinque Leoni, con centinaia di elicotteri e migliaia di uomini. Oggi, poiché non vi hanno trovato, hanno mandato le loro squadre a battere tutte le valli che conducono nel Nuristan.»

«Cosa sta dicendo?» l'interruppe Ellis.

Jane fece un gesto per interrompere Alì e tradusse per Ellis, che non era in grado di seguire quel racconto affannoso.

Ellis chiese: «Come hanno saputo che eravamo nel Nuristan? Avremmo potuto decidere di nasconderci in qualunque altra località».

Jane girò la domanda a Alì, ma lui non lo sapeva.

«C'è una squadra in questa valle?» chiese Jane.

«Sì. Li ho superati poco prima del Passo Aryu. Potrebbero aver raggiunto l'ultimo villaggio prima di notte.»

«Oh, no» gemette Jane, disperata. Tradusse la risposta a Ellis. «Com'è possibile che si muovano tanto più rapidamente di noi?» disse. Ellis alzò le spalle, e lei trovò da sola la risposta. «Perché non sono rallentati da una donna con una bambina piccola. Oh, merda!»

Ellis disse: «Se partono domattina presto, entro domani ci raggiungeranno».

«Che cosa possiamo fare?»

«Ripartire immediatamente.»

Jane si sentiva stanca fino alle ossa e fu assalita da un irrazionale senso di risentimento verso Ellis. «Non possiamo nasconderci da qualche parte?» chiese, irritata.

«Dove?» ribatté Ellis. «Qui c'è un'unica strada. I russi hanno abbastanza uomini per perquisire tutte le case... non ce ne sono molte. E poi, non è detto che la gente di qui sia dalla nostra parte. Potrebbe dire ai russi dove siamo nascosti. No, la nostra sola speranza è continuare a mantenere il vantaggio sugli inseguitori.»

Jane guardò l'orologio. Erano le due del mattino, e lei provò la tentazione di arrendersi.

«Caricherò la cavalla» disse Ellis. «Tu allatta Chantal.» Poi passò al dari e disse a Mohammed: «Ti dispiace preparare un po' di tè? E dai qualcosa da mangiare ad Alì».

Jane rientrò nella casa, finì di vestirsi e allattò Chantal. Ellis le portò una ciotola di tè verde dolce, e lei lo bevve con gratitudine.

Mentre Chantal succhiava, Jane si chiese in che misura Jean-Pierre aveva contribuito a scatenare quell'inseguimento implacabile. Sapeva che aveva collaborato all'incursione contro Banda, perché l'aveva visto con i suoi occhi. Mentre battevano la Valle dei Cinque Leoni, la sua conoscenza del territorio doveva essere stata preziosa. Sapeva che stavano inseguendo sua moglie e sua figlia come cani in caccia di preda. Come poteva avere il coraggio di aiutarli? Il suo amore doveva essere stato tramutato in odio dal risentimento e dalla gelosia.

Chantal era sazia. Doveva esser piacevole, pensò Jane, ignorare la passione e la gelosia e il tradimento, non conoscere altre sensazioni che il caldo e il freddo, la sazietà e l'appetito. «Goditela finché puoi, piccolina» mormorò.

Si riabbottonò in fretta la camicia e infilò il pesante maglione. Poi si passò l'amaca intorno al collo, vi sistemò Chantal, indossò l'impermeabile e uscì.

Ellis e Mohammed stavano studiando la carta topografica alla luce d'una lanterna. Ellis mostrò a Jane il percorso. «Seguiremo il Linar fin dove si getta nel Nuristan, poi risaliremo per seguire il Nuristan verso nord. Quindi entreremo in una valle secondaria... Mohammed non sa ancora in quale fino a che non ci arriveremo... E a quel punto ci dirigeremo verso il Passo di Kantiwar. Vorrei uscire dalla valle del Nuristan entro oggi... così per i russi sarà più difficile seguirci perché non potranno sapere quale valle laterale abbiamo preso.»

«È molto lontano?» chiese Jane.

«Non più di venticinque chilometri... ma tutto dipende dal terreno, naturalmente.»

Jane annuì. «Andiamo» disse.

Era fiera di sé per il tono ottimista che era riuscita a assumere.

Si avviarono sotto la luce della luna. Mohammed procedeva svelto e frustava spietatamente la cavalla con una cinghia ogni volta che rallentava. Jane aveva un leggero mal di testa e una nauseante sensazione di vuoto allo stomaco. Non aveva più sonno ma era nervosa, tesissima e stanca.

La pista le faceva paura, di notte. A volte camminavano sull'erba rada in riva al fiume, e allora andava tutto bene; ma poi la strada saliva a tornanti sul fianco della montagna e proseguiva lungo il ciglio di uno strapiombo, decine e decine di metri più in alto, dove il terreno era coperto di neve; e Jane aveva il terrore di precipitare con Chantal fra le braccia.

A volte c'era la possibilità di una scelta. Il sentiero si biforcava: da una parte si saliva e dall'altra si scendeva. Poiché nessuno conosceva il percorso da seguire, lasciavano che Mohammed tirasse a indovinare. La prima volta scelse la strada bassa e dimostrò di non aver sbagliato: il sentiero li condusse attraverso una piccola spiaggia dove furono costretti a guadare in trenta centimetri d'acqua, ma questo risparmiò loro una lunga diversione. Tuttavia, la seconda volta che dovettero scegliere fiancheggiarono di nuovo la riva del fiume, ma dovettero pentirsene: dopo un chilometro e mezzo la strada li portò davanti a una parete di roccia, e l'unico modo per aggirarla sarebbe stato immergersi e nuotare. Stancamente risalirono fino alla biforcazione e quindi seguirono il sentiero in salita.

Alla prima occasione ridiscesero il fiume. Questa volta la pista li condusse a un cornicione che si estendeva lungo la parete del dirupo, una trentina di metri al di sopra del corso d'acqua. La cavalla s'innervosì probabilmente perché il sentiero era così stretto. Anche Jane aveva paura. La luce delle stelle non era sufficiente per illuminare il fiume, e la gola sembrava un nero abisso senza fondo. Maggie si fermava di continuo e Mohammed doveva tirarla per le redini per farla muovere.

Quando il sentiero arrivò a una svolta cieca intorno a una sporgenza della rupe, Maggie si rifiutò di girare l'angolo e si agitò. Jane indietreggiò per allontanarsi dalle zampe posteriori che scalpitavano. Chantal cominciò a piangere, forse perché percepiva la tensione o forse perché non si era più riaddormentata dopo la poppata delle due del mattino. Ellis la passò a Jane e andò avanti per aiutare Mohammed.

Ellis si offrì di prendere le redini ma Mohammed rifiutò bruscamente: la tensione si faceva sentire anche per lui. Ellis si limitò a spingere la cavalla da tergo e a incitarla. Jane stava pensando che era una scena quasi ridicola, quando Maggie s'impennava; e in quell'istante Mohammed lasciò cadere le redini e barcollò, e la cavalla indietreggiò, urtò Ellis, lo fece cadere e continuò a indietreggiare.

Fortunatamente Ellis cadde sulla sinistra, contro la parete di roccia. Ma quando Maggie, continuando a arretrare, urtò anche Jane, lei si trovava dalla parte sbagliata, con i piedi sul ciglio del sentiero. Afferrò una delle sacche legate ai finimenti e si aggrappò disperatamente, temendo che la cavalla la sospingesse sul precipizio. «Stupida bestiaccia!» urlò. Urlò anche Chantal, stretta tra la madre e la cavalla. Jane fu trascinata per un paio di metri e temette di lasciarsi sfuggire la presa. Poi, con una decisione disperata, lasciò la borsa, tese la mano sinistra e afferrò le briglie, piantò saldamente i piedi a terra, si portò davanti a Maggie, tirò con forza e ordinò: «Ferma!».

Sorprendentemente Maggie si fermò.

Jane si voltò. Ellis e Mohammed si stavano rialzando. «Tutto bene?» domandò in francese.

«Più o meno» disse Ellis.

«Ho perso la lanterna» disse Mohammed.

«Spero tanto che quei fottuti russi abbiano gli stessi problemi» disse Ellis in inglese.

Jane si rese conto che quei due non avevano visto quando la cavalla l'aveva quasi gettata nello strapiombo. Decise di non dire nulla. Consegnò le redini a Ellis. «Proseguiamo» disse. «Più tardi potremo leccarci le ferite.» Gli passò davanti e disse a Mohammed: «Fai strada».

Dopo qualche minuto senza Maggie, Mohammed si rasserenò. Jane si chiese se era davvero necessario un cavallo, ma concluse che lo era: avevano troppi bagagli e tutti indispensabili. Anzi, probabilmente avrebbe dovuto portare più viveri.

Attraversarono in fretta un piccolo villaggio addormentato: un pugno di case e una cascata. In una delle casette un cane abbaiò furiosamente fino a quando qualcuno lo azzittì con un'imprecazione. Poi ricominciò il territorio deserto e desolato.

Il cielo si andava scolorando dal nero al grigio e le stelle erano sparite: si faceva giorno. Jane si domandava cosa stavano facendo i russi in quel momento. Forse gli ufficiali chiamavano gli uomini e gridavano per svegliarli e prendevano a calci quelli che tardavano a uscire dai sacchi a pelo. Un cuoco stava facendo il caffè mentre il comandante studiava la carta topografica. O forse si erano mossi un'ora o due prima, quand'era ancora buio, ed erano partiti subito, marciando in fila indiana lungo il fiume Linar; forse avevano già attraversato il villaggio di Linar; forse avevano sempre scelto il percorso giusto, ai bivi, e adesso erano a meno di due chilometri di distanza.

Jane affrettò un po' il passo.

La cengia fiancheggiava tortuosamente il precipizio, poi discendeva fino alla riva del fiume. Non c'era traccia di agricoltura, ma da entrambe le parti le pendici dei monti erano ammantate di boschi e quando la luce divenne più viva Jane notò che gli alberi erano una varietà di quercia. Li indicò a Ellis. «Perché non possiamo nasconderci là?»

«Potremmo farlo come ultimo tentativo» disse lui. «Ma i russi scoprirebbero presto che ci siamo fermati perché interrogherebbero gli abitanti dei villaggi e così saprebbero che non siamo passati. Tornerebbero indietro e comincerebbero a cercarci dappertutto.»

Jane annuì, rassegnata. Stava solo cercando qualche scusa per fermarsi.

Poco prima del levar del sole superarono una svolta e si fermarono. Una frana aveva ostruito la gola con terriccio e pietre e l'aveva bloccata completamente.

Jane stava per piangere. Avevano percorso tre o quattro chilometri lungo la riva e la stretta cengia; se fossero tornati indietro avrebbero fatto sette, otto chilometri in più, incluso il tratto che aveva tanto spaventato Maggie.

Per un momento si fermarono, tutti e tre, a fissare la barriera. «Potremmo passare?» chiese Jane.

«La cavalla non ce la farebbe» disse Ellis.

Jane si irritò perché quell'osservazione era del tutto ovvia. «Uno di noi potrebbe tornare indietro con la cavalla» disse, spazientita. «E gli altri due potrebbero riposare e aspettare.»

«Non credo che sia prudente separarci.»

Quel tono deciso la esasperò. «Non credere che tutti noi dobbiamo per forza fare quello che tu ritieni più prudente» scattò.

Ellis sembrava sconcertato. «D'accordo. Ma sono anche convinto che quella montagna di terra e di pietra potrebbe crollare se qualcuno cercasse di scalarla. Anzi, non ci proverò neppure, qualunque cosa decidiate voi due.»

«Dunque non vuoi discuterne. Capisco.» Furiosa, Jane si voltò e tornò indietro lungo la pista, lasciando che loro la seguissero. Perché mai, si chiese, gli uomini assumevano quel tono saccente e imperioso ogni volta che c'era un problema fisico o meccanico?

Ellis aveva i suoi torti. Aveva le idee confuse: anche se diceva di essere un esperto dell'antiterrorismo, lavorava per la CIA, che era probabilmente la più grande organizzazione di terroristi del mondo. C'era qualcosa in lui, senza dubbio, che amava il pericolo, la violenza e l'inganno. Non scegliere un *macho* romantico, pensò, se vuoi un uomo che ti rispetti.

Se Jean-Pierre aveva un merito, era di non assumere mai un'aria di superiorità con le donne. Era capace di trascurarti, d'ingannarti o di ignorarti, ma non ti trattava mai con modi condiscendenti. Forse perché era più giovane.

Passò dal punto dove Maggie si era impuntata. Non attese gli uomini: questa volta potevano sbrigarsela da soli con la cavalla.

Chantal piagnucolava, ma Jane la fece aspettare. Continuò a camminare fino a quando raggiunse un punto dove le sembrava che un sentiero portasse alla sommità del dirupo. Sedette per riposare. Ellis e Mohammed la raggiunsero dopo un paio di minuti. Mohammed tirò fuori dal bagaglio un po' di focaccia di more e noci e la distribuì. Ellis non rivolse la parola a Jane.

Dopo la sosta salirono il pendio. Quando giunsero in alto emersero nel sole, e Jane cominciò a calmarsi. Dopo un po' Ellis l'abbracciò e disse: «Scusami se ho assunto il comando».

«Grazie» ribatté stizzita Jane.

«Non credi di avere un po' esagerato?»

«Sì, senza dubbio. Scusami.»

«Bene. Passami Chantal.»

Jane gli porse la bambina. Quando non sentì più quel peso si accorse di avere la schiena indolenzita. Chantal non le era mai sembrata così pesante; ma sulla lunga distanza il carico si faceva sentire. Era come portare per quindici chilometri una borsa con la spesa.

L'aria divenne più mite via via che il sole saliva nel cielo. Jane si sbottonò l'impermeabile e Ellis si tolse il giubbotto. Mohammed tenne il pastrano russo con la tipica indifferenza degli afgani nei confronti degli sbalzi climatici.

Verso mezzogiorno uscirono dalla stretta gola del Linar e si trovarono nell'ampia valle del Nuristan. Lì il percorso ridiventava netto, e il sentiero era transitabile quasi quanto la pista dei carri che saliva la Valle dei Cinque Leoni. Svoltarono a nord, verso monte.

Jane era tremendamente stanca e scoraggiata. Si era alzata alle due del mattino e aveva camminato per dieci ore… ma non avevano percorso più di sette o otto chilometri. Per lei era il terzo giorno consecutivo di marcia, e sapeva che non avrebbe potuto farcela a continuare fino a notte. Persino Ellis aveva l'espressione irritata che in lui era segno di stanchezza. Solo Mohammed sembrava infaticabile.

Nella Valle del Linar non avevano visto nessuno fuori dai villaggi ma lì c'erano alcuni viaggiatori. Quasi tutti portavano vesti e turbanti bianchi. I nuristani guardavano incuriositi i due occidentali pallidi e esausti, ma salutavano Mohammed con cauto rispetto, senza dubbio per via del Kalashnikov che portava appeso alla spalla.

Mentre salivano la collina accanto al fiume Nuristan furono raggiunti da un giovane con la barba nera e gli occhi vivaci che portava dieci pesci freschi infilzati su un rametto. Parlò a Mohammed in un miscuglio di lingue diverse (Jane riconobbe qualche parola in dari e persino qualcuna in francese) e i due si capirono abbastanza perché Mohammed acquistasse tre pesci.

Ellis contò il denaro e chiese a Jane: «Cinquecento *afghani* a pesce... quanto fa?».

«Cinquecento *afghani* sono cinquanta franchi francesi... cinque sterline.»

«Dieci dollari» disse Ellis. «È troppo caro.»

Jane avrebbe voluto che la smettesse; lei non si reggeva in piedi, e lui discuteva il prezzo del pesce!

Il giovane, che si chiamava Halam, spiegò che aveva preso i pesci nel lago Mundol, giù nella valle; probabilmente, però, li aveva comprati perché non aveva l'aria del pescatore. Rallentò il passo per affiancarsi a loro e continuò a parlare incessantemente, come se non gli interessasse se lo capivano o no.

Come la Valle dei Cinque Leoni, quella del Nuristan era un canyon roccioso che a intervalli di pochi chilometri si allargava in piccole pianure terrazzate e coltivate. La differenza più notevole era rappresentata dalle foreste di querce che lì coprivano i fianchi dei monti come la lana copre il dorso delle pecore, e che Jane considerava un possibile nascondiglio se non ci fossero state altre possibilità.

Adesso procedevano più svelti. Non c'erano deviazioni esasperanti su e giù per la montagna, e Jane ne ringraziava il cielo. A un certo punto la strada era bloccata da una frana di terriccio, ma questa volta loro due poterono superarla, mentre Mohammed e la cavalla guadavano il fiume e lo riattraversavano poche decine di metri più a monte. Un poco più avanti, dove uno sperone di roccia sporgeva sull'acqua, la strada continuava su un tremolante viadotto di legno che Maggie rifiutò di percorrere, e ancora una volta Mohammed risolvette il problema passando per un tratto sull'altra sponda.

Jane stava ormai per crollare e quando Mohammed riattraversò il fiume, gli disse: «Ho bisogno di riposare».

«Siamo quasi arrivati a Gadwal» rispose lui.

«È molto lontano?»

Mohammed confabulò con Halam in dari e in francese, poi annunciò: «Una mezz'ora».

A Jane sembrava un'eternità. Naturalmente posso camminare un'altra mezz'ora, si disse, e cercò di pensare a qualcosa che non fosse il mal di schiena e il bisogno di sdraiarsi.

Ma poi, appena superarono la prima curva, scorsero il villaggio.

Era una vista sorprendente non meno che gradita: le case di legno salivano il fianco ripido della montagna come bambini arrampicati l'uno sulla schiena dell'altro. Si aveva l'impressione che se fosse crollata una casa alla base, l'intero villaggio sarebbe precipitato nell'acqua.

Non appena arrivarono accanto alla prima abitazione, Jane si fermò e sedette sulla riva. Aveva tutti i muscoli indolenziti, e trovò appena la forza di prendere Chantal dalle mani di Ellis. Lui le sedette accanto con tale prontezza da far pensare che fosse altrettanto sfinito. Una faccia incuriosita sbirciò dalla casa, e Halam incominciò subito a parlare con la donna: probabilmente le stava raccontando tutto ciò che sapeva di Jane e Ellis. Mohammed legò Maggie dove poteva brucare l'erba ruvida sulla sponda del fiume, poi si accostò a Ellis.

«Dobbiamo comprare pane e tè» disse.

Jane pensò che avevano tutti bisogno di qualcosa di più sostanzioso. «E i pesci?» disse.

«Ci vorrebbe troppo tempo per pulirli e cucinarli» disse Ellis. «Li mangeremo questa sera. Non voglio fermarmi qui per più di mezz'ora.»

«Va bene» disse Jane, ma non era sicura che ce l'avrebbe fatta a proseguire dopo mezz'ora appena. Pensò che forse qualche boccone le avrebbe dato forza.

Halam li chiamò. Jane alzò la testa e lo vide fare un cenno di richiamo. Anche la donna faceva segni per invitarli in casa. Ellis e Mohammed si alzarono. Jane posò a terra Chantal, si alzò e si chinò per raccoglierla. All'improvviso la vista le si offuscò e le parve di perdere l'equilibrio. Lottò per un momento. Vedeva soltanto il visetto di Chantal in un alone di foschia. Poi le mancarono le ginocchia, si accasciò, e tutto diventò buio.

Quando aprì gli occhi vide intorno a sé un cerchio di facce ansiose: Ellis, Mohammed, Halam e la donna. Ellis chiese: «Come ti senti?».

«Molto stupida» rispose. «Cos'è successo?»

«Sei svenuta.»

Jane si sollevò a sedere. «Non è niente.»

«No, non alzarti» disse lui. «Per oggi non puoi proseguire.»

Jane stava ritrovando la lucidità. Sapeva che Ellis aveva ragione: non poteva più farcela, e la forza di volontà non sarebbe bastata. Incominciò a parlare in francese perché potesse capire anche Mohammed. «Ma sicuramente i russi arriveranno qui entro oggi.»

«Dovremo nasconderci» disse Ellis.

Mohammed disse: «Guardate questa gente. Credete che saprebbero tenere un segreto?».

Jane guardò Halam e la donna. Li osservavano affascinati dal dialogo anche se non capivano una parola. L'arrivo degli stranieri era probabilmente l'avvenimento più emozionante dell'anno. Tra pochi minuti sarebbero sopraggiunti gli altri abitanti del villaggio. Scrutò Halam. Dirgli di non fare pettegolezzi sarebbe stato come chiedere a un cane di non abbaiare. Prima di notte l'intero Nuristan avrebbe saputo dove si trovava il loro nascondiglio. Era possibile allontanarsi e rifugiarsi inosservati in qualche valle laterale? Forse. Ma non avrebbero potuto vivere all'infinito senza l'aiuto delle popolazioni locali... a un certo punto avrebbero esaurito i viveri, e nel frattempo i russi avrebbero capito che si erano fermati e avrebbero incominciato a battere i boschi e i canyon. Ellis aveva avuto ragione quando aveva detto che la loro unica speranza era di continuare a mantenere il loro vantaggio sugli inseguitori.

Mohammed trasse una lunga boccata di fumo dalla sigaretta. Aveva un'aria pensierosa. Si rivolse a Ellis. «Tu e io dovremo proseguire, e lasciare qui Jane.»

«No» disse Ellis.

Mohammed insistette: «Il foglio di carta che hai con te e che porta le firme di Masud, Kamil e Azizi è più importante della vita di ciascuno di noi. Rappresenta il futuro dell'Afghanistan... la libertà per la quale è morto mio figlio».

Ellis avrebbe dovuto proseguire da solo, pensò Jane. Almeno si sarebbe salvato. Si vergognava per la disperazione tremenda che provava al pensiero di perderlo. Avrebbe dovuto cercare un modo per aiutarlo, e non chiedersi come avrebbe potuto tenerlo con sé. All'improvviso ebbe un'idea. «Potrei distrarre i russi» disse. «Potrei lasciarmi catturare e poi, fingendomi riluttante, potrei dare a Jean-Pierre informazioni false sul luogo dove sei diretto... Se riuscissi a mandarli da un'altra parte, tu potresti guadagnare un vantaggio di qualche giorno... abbastanza per uscire dal paese!» Si stava entusiasmando all'idea, anche se in cuor suo supplicava: *Non lasciarmi, ti prego, non lasciarmi.*

Mohammed guardò Ellis. «È l'unica soluzione» disse.

«Scordatelo» disse Ellis. «Niente da fare.»

«Ma, Ellis...»

«Niente da fare» ripeté lui. «Scordatelo.»

Mohammed tacque.

Jane disse: «Ma allora cosa faremo?».

«I russi non ci raggiungeranno entro oggi» disse Ellis. «Abbiamo ancora un margine di vantaggio... questa mattina ci siamo alzati molto presto. Stanotte ci fermeremo qui e domattina ripartiremo di buon'ora. Ricordate: la partita è ancora aperta. Potrebbe accadere di tutto. Qualcuno, a Mosca, potrebbe decidere che Anatoly è impazzito e ordinare di interrompere le ricerche.»

«Fesserie» disse Jane in inglese. Ma era segretamente felice, per quanto fosse irrazionale, perché Ellis aveva rifiutato di proseguire da solo.

«Ho un'alternativa da proporre» disse Mohammed. «Tornerò indietro e metterò fuori strada i russi.»

Il cuore di Jane diede un tuffo. Era possibile?

«Come?» chiese Ellis.

«Mi offrirò come guida e interprete e li condurrò al sud, scendendo la valle del Nuristan nella direzione opposta verso il lago Mundol.»

Jane rifletté, e il cuore le si strinse di nuovo. «Ma avranno già una guida» obiettò.

«Forse è un brav'uomo della Valle dei Cinque Leoni che è stato costretto a aiutare i russi contro la sua volontà. In questo caso parlerò con lui e mi accorderò.»

«E se non volesse saperne?»

Mohammed tacque per qualche istante. «Allora non è un brav'uomo che è stato costretto a aiutarli, ma un traditore che collabora spontaneamente con il nemico per avidità di guadagno. In questo caso lo ucciderò.»

«Non voglio che nessuno muoia per causa mia» disse subito Jane.

«Non è per te» replicò Ellis in tono aspro. «È per me... ho rifiutato di proseguire da solo.»

Jane ammutolì.

Ellis stava già pensando ai dettagli pratici. Disse a Mohammed: «Non sei vestito da nuristano».

«Scambierò gli abiti con Halam.»

«Non parli bene il dialetto locale.»

«Nel Nuristan ci sono molte lingue. Fingerò di venire da una zona dove usano un dialetto diverso. Tanto, i russi non ne conoscono neppure uno, quindi non sapranno mai la verità.»

«Cosa farai del Kalashnikov?»

Mohammed rifletté per un momento. «Mi dai la tua borsa?»

«È troppo piccola.»

«Il mio Kalashnikov ha il calcio pieghevole.»

«Va bene» disse Ellis. «Prendi pure la borsa.»

Jane si chiese se avrebbe destato qualche sospetto, ma concluse che era difficile: le borse degli afgani erano dei tipi più disparati, come i loro indumenti. Comunque, sicuramente Mohammed avrebbe finito prima o poi per insospettire i russi. «Cosa succederà quando si renderanno conto di essere sulla pista sbagliata?» chiese.

«Prima che questo succeda mi dileguerò nella notte, abbandonandoli in un punto molto lontano.»

«È troppo pericoloso» insistette Jane.

Mohammed si sforzò di assumere un'aria di eroica disinvoltura. Come quasi tutti i guerriglieri aveva un grande coraggio, ma anche una ridicola vanità.

Ellis disse: «Se tu scegliessi male il momento e sospettassero di te prima che decidessi di andartene, ti torturerebbero per scoprire dove siamo andati».

«Non mi prenderanno vivo» disse Mohammed.

Jane era disposta a credergli.

Ellis disse: «Ma noi non avremo una guida».

«Ve ne troverò un'altra.» Mohammed si rivolse a Halam e incominciò a parlare in fretta con lui, in diverse lingue. Jane comprese che gli proponeva di fare da guida. Non aveva molta simpatia per Halam, che era un mercante troppo avido per ispirare fiducia; ma evidentemente viaggiava molto e quindi era una scelta ovvia. Quasi tutti gli abitanti del posto, con ogni probabilità, non si erano mai avventurati fuori dalla valle.

«Dice che conosce la strada» spiegò Mohammed, ritornando

al francese. Jane provò una fitta di ansia nel sentire quel "dice". Mohammed continuò: «Vi condurrà fino a Kantiwar, e là troverete un'altra guida che vi porterà oltre il valico successivo. Proseguirete così fino al Pakistan. Chiede cinquemila *afghani*.»

Ellis disse: «Mi sembra un prezzo equo. Ma quante altre guide dovremo ingaggiare allo stesso prezzo, prima di arrivare a Chitral?».

«Cinque o sei» disse Mohammed.

Ellis scrollò la testa. «Non abbiamo trentamila *afghani*. E dovremo comprare da mangiare.»

«Dovrete procurarvi i viveri prestando la vostra opera come medici» rispose Mohammed. «E il percorso diventerà più agevole quando entrerete nel Pakistan. Forse alla fine non avrete più bisogno di guide.»

Ellis sembrava perplesso. «Tu cosa ne pensi?» chiese a Jane.

«C'è un'alternativa» disse lei. «Potresti proseguire senza di me.»

«No. Non è un'alternativa. Proseguiremo insieme.»

18

Per tutto il primo giorno, le squadre non trovarono traccia di Ellis e Jane.

Jean-Pierre e Anatoly, seduti sulle scomode sedie in un ufficio disadorno e privo di finestre nella base aerea di Bagram, esaminavano i rapporti via via che arrivavano per radio. Le squadre erano partite ancora una volta prima dell'alba. All'inizio erano sei: una per ciascuna delle cinque valli principali che si snodavano verso est dalla Valle dei Cinque Leoni, e una per seguire il fiume dei Cinque Leoni verso nord, fino alla sorgente e oltre. Ogni squadra includeva almeno un ufficiale dell'esercito regolare afgano che parlava il dari. Erano atterrati con gli elicotteri in sei villaggi della valle; e mezz'ora dopo tutte le sei squadre avevano riferito di aver trovato guide del posto.

«Hanno fatto presto» commentò Jean-Pierre dopo il sesto rapporto. «Come ci sono riusciti?»

«È semplice» rispose Anatoly. «Chiedono a qualcuno di fare da guida. Quello dice di no. Gli sparano. Poi lo chiedono a un altro. Non ci vuole molto per trovare un volontario.»

Una delle squadre aveva cercato di seguire in volo il percorso assegnato, ma l'esperimento era fallito. Era già difficile individuare le piste da terra; dall'alto era impossibile. Inoltre, le guide non erano mai state a bordo di un apparecchio e quindi erano completamente disorientate. Perciò tutte le squadre erano partite a piedi, con qualche cavallo che trasportava i bagagli.

Jean-Pierre non si aspettava altre novità entro la mattinata, perché i fuggiaschi avevano un giorno di vantaggio. Tuttavia i soldati si muovevano sicuramente più in fretta di Jane, soprattutto perché doveva anche portare Chantal...

Provava una fitta di rimorso ogni volta che pensava a Chantal. La collera verso sua moglie non comprendeva anche la bambina, eppure la piccola soffriva, ne era sicuro: il viaggio, i valichi al di sopra della linea delle nevi eterne, i venti gelidi...

Come ormai avveniva abbastanza spesso, Jean-Pierre incominciò a chiedersi cosa sarebbe accaduto se Jane fosse morta e Chantal fosse sopravvissuta. Immaginava la cattura di Ellis, da solo; poi Jane veniva ritrovata morta di freddo qualche chilometro più indietro, con la piccina ancora miracolosamente viva tra le braccia. Allora al mio ritorno a Parigi sarei un personaggio tragico e romantico, pensava: un vedovo con la figlioletta, un veterano della guerra in Afghanistan... Tutti mi adorerebbero! E io sono capace di allevare una bambina. Che affetto intenso ci sarebbe tra noi, quando fosse più grande! Naturalmente dovrei assumere una bambinaia; ma farei in modo che non prendesse il posto di una madre nell'affetto della piccola. No, le farei io da madre e da padre.

Più ci pensava, e più lo indignava che Jane stesse mettendo in pericolo la vita di Chantal. Senza dubbio portando con sé la bambina in quel viaggio aveva meritato di perdere tutti i suoi diritti materni. Probabilmente lui avrebbe potuto ottenere l'affidamento legale della figlia da un tribunale europeo, proprio per quella ragione...

Nel pomeriggio, con il trascorrere delle ore, Anatoly incominciò a annoiarsi, mentre Jean-Pierre diventava sempre più teso. Erano nervosi. Anatoly intavolava lunghi dialoghi in russo con altri ufficiali che entravano nella stanzetta priva di finestre, e le loro chiacchiere interminabili esasperavano Jean-Pierre. All'inizio Anatoly gli aveva tradotto tutti i rapporti inviati per radio dalle squadre di ricerca, ma adesso si limitava a annunciare «Niente». Jean-Pierre aveva tracciato i percorsi delle squadre su una serie di carte, segnando via via le posizioni con le puntine rosse; ma prima della fine del pomeriggio stavano tutte seguendo piste o corsi di fiumi inariditi che non figuravano sulle mappe; e se anche i rapporti radio fornivano indici circa le loro posizioni, Anatoly non li riferiva.

Al tramonto le squadre si accamparono senza segnalare di aver trovato qualche traccia dei fuggiaschi. Avevano ricevuto l'ordine d'interrogare gli abitanti dei villaggi che attraversavano. Gli abitanti sostenevano di non aver visto nessun forestiero. Non era affatto sorprendente perché le squadre si trovavano ancora al di qua dei grandi valichi che conducevano nel Nuristan. La gente che interrogavano era generalmente devota a Masud e considerava tradimento aiutare i russi. L'indomani, quando le squadre fossero entrate nel Nuristan avrebbero trovato gente più disposta a collaborare.

Tuttavia, Jean-Pierre si sentiva depresso quando uscì dall'ufficio con Anatoly per andare alla mensa. Mangiarono salsicce in scatola e un pessimo puré; poi Anatoly se ne andò a bere vodka in compagnia di altri ufficiali, lasciando Jean-Pierre in compagnia di un sergente che parlava solo il russo. Fecero una partita a scacchi, ma sfortunatamente il sergente era troppo bravo. Jean-Pierre andò a dormire presto, ma rimase sveglio a lungo su uno scomodo materasso militare, e immaginò Jane e Ellis a letto insieme.

L'indomani mattina Anatoly venne a svegliarlo. La faccia orientale era tutta sorrisi, l'irritazione era sparita; Jean-Pierre si sentì come un bambino cattivo che fosse stato perdonato, anche se sapeva di non aver fatto nulla di male. Fecero colazione insieme alla mensa. Anatoly aveva già parlato con tutte le squadre, che erano ripartite all'alba. «Oggi prenderemo tua moglie, amico mio» disse allegramente Anatoly, e Jean-Pierre si sentì contagiare dal suo ottimismo.

Appena entrarono in ufficio Anatoly si mise ancora in contatto radio con le squadre. Si fece descrivere ciò che vedevano intorno a loro, e Jean-Pierre utilizzò quelle descrizioni di torrenti, laghi, depressioni e morene per individuare approssimativamente le loro posizioni. Sembrava che si muovessero con terribile lentezza; ma stavano salendo su un terreno difficile, e le stesse caratteristiche avrebbero costretto anche Ellis e Jane a rallentare.

Ogni squadra aveva una guida, e quando arrivavano in un punto dove la pista si biforcava in due sentieri che portavano entrambi nel Nuristan, assoldavano un'altra guida nel villaggio più vicino e si dividevano in due gruppi. Prima di mezzogiorno, la mappa di Jean-Pierre era costellata di tante puntine rosse da sembrare la faccia d'un malato di morbillo.

A metà del pomeriggio vi fu un'interruzione imprevista. Un occhialuto generale venuto a effettuare un'ispezione di cinque giorni in Afghanistan atterrò a Bagram e decise di scoprire in che modo Anatoly stava spendendo i soldi dei contribuenti sovietici. Jean-Pierre lo apprese da una sbrigativa spiegazione di Anatoly pochi secondi prima che il generale facesse irruzione, seguito da tutti gli ufficiali preoccupatissimi.

Jean-Pierre rimase affascinato nel vedere il modo magistrale

con cui Antoly trattava il visitatore. Balzò in piedi con prontezza ma con aria tranquilla; strinse la mano al generale e l'invitò a
sedere; urlò una serie di ordini attraverso la porta aperta; parlò
con deferenza al generale per un minuto o poco più; si scusò e
parlò alla radio; tradusse a Jean-Pierre la risposta che giunse
tra le scariche dal Nuristan, e presentò Jean-Pierre al generale
in francese.

Il generale incominciò a fare domande e Anatoly rispose
indicando le puntine sulla mappa di Jean-Pierre. Poi una delle
squadre di ricerca chiamò all'improvviso. Una voce eccitata
balbettò un torrente di frasi in russo e Anatoly azzittì il generale per poter ascoltare.

Jean-Pierre, seduto sull'orlo della sedia scomoda, attendeva
con ansia una traduzione.

La voce tacque. Anatoly fece una domanda e ascoltò la
risposta.

«Che cos'hanno visto?» sbottò Jean-Pierre, che non riusciva
più a trattenersi.

Per un momento Anatoly non gli badò e parlò al generale.
Finalmente si girò verso di lui. «Hanno trovato due americani
in un villaggio che si chiama Atati, nella Valle del Nuristan.»

«Magnifico!» esclamò Jean-Pierre.« Sono loro!»

«Penso di sì» disse Anatoly.

Jean-Pierre non sapeva spiegarsi quella mancanza d'entusiasmo. «Ma certo, sono loro! Le vostre truppe non sanno riconoscere la differenza tra americano e inglese.»

«È probabile. Ma dicono che non c'è nessuna bambina.»

«Non c'è nessuna bambina!» Jean-Pierre aggrottò la fronte.
Com'era possibile? Jane aveva lasciato Chantal nella Valle dei
Cinque Leoni, perché venisse allevata da Rabia o Zahara o Fara?
No, era assurdo. Aveva nascosto la piccola presso una famiglia in
quel villaggio, Atati, pochi minuti prima di essere catturata?
Anche questo gli sembrava inverosimile. Istintivamente, Jane
avrebbe tenuto con sé la piccola nei momenti di pericolo.

Chantal era morta?

Probabilmente era un errore, pensò: un equivoco nelle comunicazioni, un'interferenza o magari un ufficiale sbadato che
non aveva notato la bambina.

«È inutile fare ipotesi» disse. «Andiamo a vedere.»

«Voglio che tu vada con la squadra che dovrà prelevarli»
disse Anatoly.

«Naturalmente» disse Jean-Pierre. Poi fu colpito dalle parole del russo. «Vuoi dire che tu non vieni?»

«Appunto.»

«Perché?»

«Devo restare qui.» Anatoly lanciò un'occhiata al generale.

«Sta bene.» Senza dubbio era in atto qualche gioco di potere nella burocrazia militare; Anatoly non voleva lasciare la base mentre il generale era ancora in visita per timore che qualche rivale ne approfittasse per sparlare di lui.

Anatoly prese il telefono e diede una serie di ordini in russo. Stava ancora parlando quando un attendente entrò e chiamò Jean-Pierre con un cenno. Anatoly coprì il microfono con la mano e disse: «Ti daranno un cappotto pesante... nel Nuristan è già inverno. *À bientôt*».

Jean-Pierre uscì con l'attendente. Attraversarono la pista di cemento. C'erano due elicotteri in attesa con le pale che ruotavano, con una fila di oblò lungo la fusoliera. Jean-Pierre si chiese a cosa servisse l'Hip, e poi capì che avrebbe riportato la squadra alla base. Poco prima che raggiungessero gli apparecchi, un soldato arrivò correndo con un cappotto militare e lo consegnò a Jean-Pierre, che se lo buttò sul braccio e salì a bordo dell'Hind.

Decollarono subito. Jean-Pierre era molto agitato. Sedette sulla panca tra cinque o sei soldati. Gli elicotteri puntarono verso nord-est.

Quando si furono allontanati dalla base il pilota chiamò Jean-Pierre con un cenno e lui si avvicinò. «Sarò il suo interprete» disse il pilota in un francese esitante.

«Grazie. Sa dove siamo diretti?»

«Sì, signore. Abbiamo le coordinate e io posso parlare via radio con il comandante della squadra.»

«Benissimo.» Per Jean-Pierre era una sorpresa vedersi trattato con tanto rispetto. Sembrava che la collaborazione con un colonnello del KGB gli avesse conferito un certo prestigio.

Mentre tornava a sedersi si domandò come avrebbe reagito Jane nel rivederlo. Sarebbe apparsa sollevata? Avrebbe assunto un atteggiamento di sfida? O sarebbe stata semplicemente esausta? Ellis doveva essere furioso e umiliato, ovviamente. Come dovrei comportarmi? si chiese Jean-Pierre. Voglio farli tremare, ma devo conservare la dignità. Che cosa dovrò dire?

Cercò di immaginare la scena. Ellis e Jane erano nel cortile di una moschea, o sedevano sul pavimento di terra battuta di una casupola. Probabilmente erano legati e sorvegliati da militari armati di Kalashnikov. Avevano freddo e fame ed erano avviliti. Jean-Pierre sarebbe entrato, infagottato nel pastrano russo, deciso e sicuro di sé, seguito dai deferenti ufficiali inferiori. Avrebbe rivolto a quei due una lunga occhiata penetrante e avrebbe detto...

Che cosa avrebbe detto? *Ci rivediamo ancora* sembrava tremendamente melodrammatico. *Credevate davvero di poterci sfuggire?* era troppo retorico. *Non avete mai avuto una possibilità di farcela* suonava meglio, ma era un po' in sordina.

La temperatura si abbassò rapidamente quando si addentrarono fra i monti. Jean-Pierre indossò il cappotto e restò in piedi accanto al portello aperto, a guardare giù. Sotto di lui si snodava una valle abbastanza simile a quella dei Cinque Leoni, con un fiume che scorreva all'ombra delle montagne. C'era neve sulle vette e sulle creste, da entrambi i lati, ma non nella valle.

Tornò nella cabina di comando e parlò all'orecchio del pilota. «Dove siamo?»

«È la Valle del Sakardara» rispose il pilota. «Più a nord cambia nome e diventa la Valle del Nuristan. Ci porterà fino a Atati.»

«Manca molto?»

«Venti minuti.»

Un'eternità. Jean-Pierre dominò l'impazienza e tornò a sedersi sulla panca fra i soldati che lo guardavano in silenzio. Sembrava avessero paura di lui. Forse pensavano che fosse del KGB.

Ma io sono del KGB, si disse.

Chissà a cosa pensavano quei soldati. Alle ragazze e alle mogli rimaste in patria, forse? La loro patria sarebbe stata anche la sua, d'ora in poi. Gli avrebbero assegnato un appartamento a Mosca. Chissà se avrebbe potuto vivere una felice vita matrimoniale con Jane. Desiderava sistemarla con Chantal nel suo appartamento; e intanto lui, come quei soldati, si sarebbe battuto per la causa in vari paesi stranieri e avrebbe aspettato di tornare a casa in licenza, per andare di nuovo a letto con sua moglie e vedere quant'era cresciuta sua figlia. Io ho tradito Jane e lei ha tradito me, pensò: forse potremo perdonarci a vicenda, se non altro per amore di Chantal.

Ma cos'era successo a Chantal?

Tra poco l'avrebbe scoperto. L'elicottero si abbassò. Erano quasi arrivati. Jean-Pierre si alzò per guardare di nuovo dal portello. Stavano scendendo verso un prato dove un affluente si gettava nel fiume principale. Era un bel posto: c'erano poche case sul pendio, una quasi sovrapposta all'altra secondo l'usanza nuristana. Jean-Pierre ricordava di aver visto fotografie di villaggi molto simili nei volumi illustrati sull'Himalaya.

L'elicottero si posò.

Jean-Pierre balzò a terra. In fondo al prato un gruppo di soldati russi, la squadra di ricerca, uscì dalla casetta di legno più bassa. Jean-Pierre attese con impazienza il pilota che doveva fargli da intèrprete. «Andiamo!» gli disse, e si avviò sul prato.

A stento si trattenne dal mettersi a correre. Probabilmente Ellis e Jane erano nella casa dalla quale erano usciti i soldati, pensò, e si diresse velocemente da quella parte. La rabbia repressa a lungo stava ingigantendo dentro di lui. Al diavolo la dignità! pensò. Dirò a quei due cosa penso di loro.

Quando fu vicino alla squadra, l'ufficiale che la comandava incominciò a parlare. Jean-Pierre non gli badò. Si rivolse al pilota. «Gli chieda dove sono.»

Il pilota riferì la domanda e l'ufficiale indicò la casa di legno. Jean-Pierre passò tra i soldati.

La sua collera stava per esplodere quando entrò tempestosamente nel rozzo edificio. Altri uomini della squadra stavano in un angolo. Si voltarono a guardarlo e lo lasciarono passare.

Nell'angolo c'erano due persone, legate a una panca.

Jean-Pierre sbarrò gli occhi, sconvolto. Aprì la bocca e impallidì. C'era un ragazzo magro e patito di diciotto o diciannove anni, con i capelli lunghi e sporchi e un paio di baffi spioventi; e una ragazza bionda con il seno tondo e i fiori nei capelli. Il ragazzo guardò con sollievo Jean-Pierre e disse in inglese: «Ehi, amico, ci puoi aiutare? Siamo nella merda».

Jean-Pierre si sentiva sul punto di esplodere. Erano solo due *hippies* diretti a Katmandu, una specie di turisti che non si era estinta nonostante la guerra. La delusione era tremenda. Perché diavolo dovevano essere capitati lì quando tutti cercavano una coppia di occidentali in fuga?

Lui non aveva nessuna intenzione di aiutare una coppia di drogati. Girò sui tacchi e uscì.

Il pilota stava entrando in quel momento. Vide l'espressione di Jean-Pierre e chiese: «Cos'è successo?».

«Non sono loro. Venga con me.»

Il pilota si affrettò a seguirlo. «Non sono loro? Non sono gli americani?»

«Sono americani, ma non quelli che cerchiamo.»

«E ora cosa farà?»

«Parlerò con Anatoly, e ho bisogno che mi metta in comunicazione con lui via radio.»

Attraversarono il prato e risalirono sull'elicottero. Jean-Pierre sedette al posto del mitragliere e mise la cuffia. Batté spazientito il piede mentre il pilota continuava a parlare in russo alla radio. Finalmente giunse la voce di Anatoly, lontanissima e disturbata dalle scariche.

«Jean-Pierre, amico mio, sono Anatoly. Dove sei?»

«A Atati. I due americani che hanno catturato non sono Ellis e Jane. Ripeto: non sono Ellis e Jane. Sono due giovani imbecilli alla ricerca del nirvana.»

«Non mi sorprende, Jean-Pierre» disse la voce di Anatoly.

«Che cosa?» l'interruppe Jean-Pierre, dimenticando che in quel momento l'altro non poteva sentirlo.

«... ho ricevuto parecchi rapporti. Confermano che Ellis Thaler e Jane sono stati visti nella Valle del Linar. La squadra di ricerca non li ha ancora raggiunti ma è sulle loro tracce. Passo.»

La rabbia che Jean-Pierre aveva provato nel vedere gli *hippies* si placò, e lasciò il posto a una nuova impazienza. «La Valle del Linar... dov'è? Passo.»

«Non lontano da dove ti trovi ora. Sbocca nella Valle del Nuristan venticinque o trenta chilometri a sud di Atati. Passo.»

Così vicino! «Sei sicuro? Passo.»

«La squadra ha trovato numerose conferme nei villaggi che ha attraversato. Le descrizioni corrispondono. E parlano d'un bambino piccolo. Passo.»

Dunque erano loro. «Possiamo calcolare dove si trovano ora? Passo.»

«Per il momento no. Sono in volo per raggiungere la squadra. Allora conoscerò qualche particolare in più. Passo.»

«Vuoi dire che non sei a Bagram? E dov'è finito il tuo... il tuo visitatore? Passo.»

«È ripartito» rispose sbrigativamente Anatoly. «Ora sono in volo e sto per raggiungere la squadra in un villaggio che si chiama Mundol. È nella Valle del Nuristan, più in basso del punto in cui il Linar si getta nel fiume più grande, e si trova nei pressi di un lago chiamato anch'esso Mundol. Raggiungimi là. Passeremo la notte sul posto e poi domattina dirigeremo le ricerche. Passo.»

«Vengo subito!» esclamò Jean-Pierre. Poi fu colpito da un pensiero. «Cosa dobbiamo fare dei due *hippies*? Passo.»

«Li farò portare a Kabul per interrogarli. Là abbiamo qualcuno che ricorderà loro la realtà del mondo concreto. Fammi parlare con il tuo pilota. Passo.»

«Arrivederci a Mundol. Passo.»

Anatoly incominciò a parlare in russo con il pilota, e Jean-Pierre si tolse la cuffia. Si chiese perché Anatoly voleva perdere tempo interrogando una coppia di *hippies* inoffensivi. Era evidente che non erano spie. E poi si ricordò che l'unica persona che sapeva veramente se quei due erano o non erano Ellis e Jane era lui stessso. Era possibile, anche se estremamente improbabile, che Ellis e Jane l'avessero convinto a lasciarli andare e a raccontare a Anatoly che la squadra aveva catturato due *hippies*.

Quel russo era un bastardo sospettoso.

Jean-Pierre attese con impazienza che avesse finito di parlare con il pilota. Sembrava che la squadra di Mundol fosse ormai vicina alla preda. Forse l'indomani Ellis e Jane sarebbero stati catturati. Il loro tentativo di fuga era sempre stato più o meno inutile, in realtà: ma questo non impediva a lui di preoccuparsi, e avrebbe continuato a rodersi fino a che non li avesse visti tutti e due legati mani e piedi e chiusi in una prigione russa.

Il pilota si tolse la cuffia. «La porteremo a Mundol con questo elicottero» disse. «L'Hip ricondurrà gli altri alla base.»

«Bene.»

Qualche minuto più tardi erano di nuovo in volo, lasciando che gli altri ripartissero con più comodo. Era quasi buio e Jean-Pierre si chiese se sarebbe stato difficile trovare il villaggio di Mundol.

La notte scese rapidamente mentre procedevano verso valle. Il paesaggio sparì nell'oscurità. Il pilota parlava continuamente alla radio, e Jean-Pierre immaginò che si facesse guidare da quelli che erano a Mundol. Dopo dieci o quindici minuti, in basso apparvero luci potentissime. Un chilometro più oltre, la luna scintillava sulla superficie d'un ampio specchio d'acqua. L'elicottero scese.

Atterrò in un campo, a poca distanza da un altro apparecchio. Un soldato era ad attendere Jean-Pierre e lo condusse verso un villaggio sul fianco della collina. Il chiaro di luna faceva spiccare i contorni delle case di legno. Jean-Pierre seguì il soldato in una di quelle abitazioni. Anatoly era là, seduto su una sedia pieghevole e imbaccuccato in una enorme giacca di pelliccia di lupo.

Era euforico. «Jean-Pierre, amico mio, siamo vicini al trionfo!» esclamò. Era strano vedere tanta giovialità su quella faccia orientale. «Bevi un caffè... è corretto con la vodka.»

Jean-Pierre accettò un bicchiere di carta da una donna afgana che sembrava al servizio di Anatoly. Sedette su un'altra sedia pieghevole. Quelle sedie sembravano materiale dell'esercito. Se i russi si portavano dietro tutta quella roba, sedie e caffè e bicchieri di carta e vodka, forse non potevano marciare più svelti di Ellis e Jane, dopotutto.

Anatoly dovette leggergli nel pensiero. «Ho portato qualche piccolo lusso con il mio elicottero» disse con un sorriso. «Il KGB ha la sua dignità.»

Jean-Pierre non riusciva a decifrare la sua espressione, e non capiva se scherzasse o no. Cambiò argomento. «Quali sono le ultime notizie?»

«I nostri fuggiaschi sono passati oggi dai villaggi di Bosaydur e Linar. A un certo punto, nel pomeriggio, la squadra ha perso la guida... è sparita. Probabilmente ha deciso di tornarsene a casa.» Anatoly aggrottò la fronte, come se quel dettaglio lo irritasse, poi riprese: «Per fortuna ne hanno trovata un'altra quasi subito».

«Usando la vostra solita convincente tecnica di reclutamento» commentò Jean-Pierre.

«No, stranamente questo era un volontario autentico, mi hanno detto. Ora è qui, nel villaggio.»

«Certo. Nel Nuristan è più facile trovare volontari» mormorò Jean-Pierre. «Qui non sono coinvolti nella guerra... e comunque si dice che siano tipi senza scrupoli.»

«La nuova guida sostiene di aver visto con i suoi occhi i fuggiaschi questo pomeriggio, prima di mettersi al nostro servizio. Li ha incontrati nel punto in cui il Linar si getta nel Nuristan. Li ha visti svoltare a sud, per dirigersi da questa parte.»

«Bene!»

«Stasera, dopo che la squadra è arrivata qui a Mundol, il

nostro uomo ha interrogato alcuni abitanti e ha saputo che due stranieri con un bambino piccolo sono passati questo pomeriggio, diretti a sud.»

«Allora non ci sono dubbi» disse soddisfatto Jean-Pierre.

«No» confermò Anatoly. «Domani li prenderemo. Sicuramente.»

Jean-Pierre si svegliò sul materasso gonfiabile (un altro lusso del KGB) sul pavimento di terra della casa. Il fuoco si era spento durante la notte e l'aria era fredda. Il letto di Anatoly, nell'angolo opposto della stanzetta semibuia, era vuoto. Jean-Pierre non sapeva dove avessero passato la notte i padroni di casa. Dopo che avevano portato il cibo e l'avevano servito, Anatoly li aveva mandati via. Trattava l'intero Afghanistan come se fosse il suo regno personale. E forse lo era.

Jean-Pierre si sollevò a sedere e si stropicciò gli occhi, poi vide Anatoly che lo guardava sulla soglia. «Buongiorno» disse Jean-Pierre.

«Eri stato qui altre volte?» chiese Anatoly senza preamboli.

Jean-Pierre era ancora stordito dal sonno. «Dove?»

«Nel Nuristan» rispose spazientito Anatoly.

«No.»

«Strano.»

Jean-Pierre pensò che quella conversazione enigmatica era esasperante. «Perché?» chiese, irritato. «Perché dici che è strano?»

«Pochi minuti fa ho parlato con la nuova guida.»

«Come si chiama?»

«Mohammed, Muhammad, Mahomet, Mahomoud... uno di quei nomi che qui portano milioni di uomini.»

«E che lingua hai usato per parlare con un nuristano?»

«Francese, russo, dari e inglese... il solito miscuglio. Mi ha chiesto chi era arrivato con il secondo elicottero, ieri sera. Gli ho risposto: "Un francese in grado d'identificare i fuggiaschi", o qualcosa del genere. Mi ha chiesto il tuo nome, e gliel'ho detto: volevo farlo parlare per sapere come mai era tanto interessato. Ma lui non ha fatto altre domande. Sembrava quasi che ti conoscesse.»

«È impossibile.»

«Sì, immagino.»

«Perché non glielo chiedi?» Non era da Anatoly essere tanto diffidente, pensò Jean-Pierre.

«È inutile rivolgere una domanda a un uomo, a meno che tu non abbia accertato se ha una ragione per mentirti.» Anatoly uscì.

Jean-Pierre si alzò. Aveva dormito senza togliersi la camicia e le mutande. Infilò i calzoni e gli stivali, si buttò sulle spalle il cappotto e uscì a sua volta.

Si trovò su una rozza veranda di legno affacciata sulla valle. Molto più in basso il fiume si snodava ampio e lento tra i campi, e a sud entrava in un lago stretto e lungo, fiancheggiato dalle montagne. Il sole non era ancora sorto. Una nebbia sottile velava l'estremità più lontana del lago. Era una visione piacevole. Naturalmente, Jean-Pierre lo ricordava, quella era la parte più fertile e popolosa del Nuristan: quasi tutto il resto era desolato.

I russi avevano scavato una latrina, e Jean-Pierre lo notò con approvazione. Gli afgani soffrivano tutti di parassiti intestinali perché avevano l'abitudine di usare come latrine i fiumi e i torrenti dai quali attingevano l'acqua da bere. I russi modernizzeranno veramente questo paese quando lo domineranno, pensò.

Scese nel prato, andò alla latrina, si lavò nel fiume e si fece dare una tazza di caffè da un gruppo di soldati che stavano intorno a un fuoco.

La squadra era pronta per ripartire. La sera prima Anatoly aveva deciso di dirigere la caccia da lì, tenendosi continuamente in contatto radio. Gli elicotteri sarebbero stati pronti a trasportare lui e Jean-Pierre per raggiungere la squadra non appena questa avesse avvistato la preda.

Mentre beveva il caffè, Anatoly arrivò dal villaggio. «Hai visto quella maledetta guida?» chiese bruscamente.

«No.»

«Sembra che sia sparita.»

Jean-Pierre inarcò le sopracciglia. «Proprio come l'altra.»

«Questa è gente impossibile. Dovrò chiederlo agli abitanti del villaggio. Vieni a farmi da interprete.»

«Non capisco la loro lingua.»

«Forse capiranno un po' il dari.»

Jean-Pierre riattraversò il prato con Anatoly. Mentre salivano lo stretto sentiero di terra battuta tra le case malferme, qualcuno chiamò Anatoly in russo. Si fermarono a guardare. Dieci o dodici uomini, alcuni nuristani biancovestiti e alcuni russi in uniforme, erano affollati insieme su una veranda e guardavano qualcosa che stava a terra. Si scostarono per lasciar passare Anatoly e Jean-Pierre. Sul pavimento c'era un uomo, ed era morto.

Gli abitanti del villaggio parlottavano in toni indignati e indicavano il cadavere. Aveva la gola tagliata: la ferita era uno squarcio orribile e la testa pendeva. Il sangue si era coagulato... con ogni probabilità doveva essere stato ucciso il giorno precedente.

«È Mohammed, la guida?» chiese Jean-Pierre.

«No» rispose Anatoly. Interrogò uno dei soldati, poi disse: «È la guida che c'era prima, quella che era scomparsa».

Jean-Pierre si rivolse in dari agli abitanti del villaggio. «Che cos'è successo?»

Dopo un breve silenzio, un vecchio grinzoso con l'occhio destro velato da una cataratta rispose nella stessa lingua. «È stato assassinato!» esclamò in tono d'accusa.

Jean-Pierre incominciò a interrogarlo. Poco a poco emerse quanto era accaduto. Il morto era della Valle del Linar, ed era stato assoldato per far da guida ai russi. Il suo cadavere, nascosto frettolosamente tra i cespugli, era stato ritrovato dal cane di un capraio. I parenti pensavano che fossero stati i russi a ucciderlo, e quella mattina avevano portato fin lì il corpo in un drammatico tentativo di scoprire il motivo.

Jean-Pierre lo spiegò a Anatoly. «Sono indignati perché pensano che siano stati i tuoi uomini» concluse.

«Indignati?» rispose Anatoly. «Non sanno che c'è una guerra? La gente muore ogni giorno.»

«È evidente che qui non vedono mai combattimenti. Siete stati voi a ucciderlo?»

«Lo scoprirò.» Anatoly si rivolse ai soldati. Molti di loro risposero simultaneamente in toni concitati. «Non siamo stati noi» tradusse Anatoly.

«E allora chi è stato? È possibile che quelli del posto uccidano le nostre guide perché collaborano con il nemico?»

«No» disse Anatoly. «Se odiassero i collaborazionisti non farebbero una questione perché ne è stato ucciso uno. Digli che siamo innocenti... calmali.»

Jean-Pierre parlò al vecchio che gli si era rivolto per primo.

«Non sono stati gli stranieri a uccidere quest'uomo. Voglio sapere chi ha assassinato la loro guida.»

L'uomo tradusse, e gli abitanti del villaggio reagirono con gesti di costernazione.

Anatoly sembrava riflettere. «Forse è stato quel Mohammed a ucciderlo per sostituirlo come guida.»

«Pagate molto bene?» chiese Jean-Pierre.

«Ne dubito.» Anatoly girò la domanda a un sergente e tradusse la risposta. «Cinquecento *afghani* al giorno.»

«È una buona paga, per questa gente, ma non tanto da indurre a uccidere... Per quanto, dicono che un nuristano è pronto a assassinarti per portarti via una paio di sandali nuovi.»

«Domanda se sanno dov'è Mohammed.»

Jean-Pierre lo chiese. Vi fu qualche discussione. Quasi tutti scuotevano la testa; ma un uomo alzò la voce e indicò con insistenza il nord. Finalmente il vecchio disse a Jean-Pierre: «Ha lasciato il villaggio stamattina presto. Abdul l'ha visto andare verso nord».

«Se n'è andato prima o dopo che hanno riportato il morto?»

«Prima.»

Jean-Pierre lo riferì a Anatoly e soggiunse: «E allora, perché se n'è andato?».

«Si comporta come un uomo che ha la coscienza sporca.»

«Dev'essersi allontanato subito dopo aver parlato con te questa mattina. Come se se ne fosse andato perché sono arrivato io.»

Anatoly annuì, assorto. «Qualunque sia la spiegazione, credo sappia qualcosa che noi non sappiamo. Sarà meglio seguirlo. Se anche perdiamo un po' di tempo, pazienza... possiamo permettercelo.»

«È da molto che gli hai parlato?»

Anatoly diede un'occhiata all'orologio. «Un po' più di un'ora.»

«Quindi non può essere andato molto lontano.»

«Appunto.» Anatoly si voltò e impartì una successione di ordini. I soldati entrarono subito in azione. Due afferrarono il vecchio e lo spinsero verso il campo. Un altro corse agli elicotteri. Anatoly prese il braccio di Jean-Pierre. Si avviarono a passo svelto dietro ai soldati. «Porteremo con noi il vecchio, caso mai ci servisse un interprete» disse Anatoly.

Quando raggiunsero il prato, gli elicotteri si stavano preparando al decollo. Anatoly e Jean-Pierre salirono su uno di essi. Il vecchio nuristano era già a bordo e aveva un'aria atterrita e al tempo stesso affascinata. Racconterà la storia di questo giorno fino alla fine della sua vita, pensò Jean-Pierre.

Pochi minuti dopo erano in volo. Anatoly e Jean-Pierre, in piedi accanto al portello aperto, guardavano giù. C'era un sentiero chiaramente visibile che conduceva dal villaggio alla sommità della collina, e poi scompariva fra gli alberi. Anatoly parlò alla radio del pilota, poi spiegò a Jean-Pierre: «Ho mandato un gruppo di soldati a battere quei boschi, caso mai avesse pensato di nascondersi».

Senza dubbio, pensò Jean-Pierre, la guida si era spinta già molto più lontano. Ma Anatoly era prudente... come al solito.

Volarono paralleli al fiume per un chilometro e mezzo e raggiunsero la foce del Linar. Mohammed aveva continuato a risalire la valle verso il freddo cuore del Nuristan, oppure aveva deviato verso est e si era addentrato nella Valle del Linar per raggiungere quella dei Cinque Leoni?

Jean-Pierre chiese al nuristano: «Da dove veniva Mohammed?».

«Non so» rispose il vecchio. «Però era un tagico.»

Quindi era della Valle del Linar, probabilmente, non di quella del Nuristan. Jean-Pierre lo spiegò a Anatoly, e questi ordinò al pilota di virare a destra e di seguire il corso del Linar.

Questo dimostrava, pensò Jean-Pierre, perché era impossibile servirsi degli elicotteri per cercare Ellis e Jane. Mohammed aveva appena un'ora di vantaggio ma forse avevano già perduto le sue tracce. Quando i fuggiaschi avevano un margine d'un giorno intero, come Ellis e Jane, c'erano troppi percorsi alternativi e troppi nascondigli.

Se c'era una pista che risaliva la Valle del Linar, dall'alto non era visibile. Il pilota dell'elicottero si limitava a seguire il fiume. Le pendici delle colline erano prive di vegetazione ma non ancora coperte di neve; quindi se Mohammed era là, non avrebbe potuto nascondersi in nessun posto.

L'avvistarono dopo qualche minuto.

La veste bianca e il turbante spiccavano contro il terreno scuro. Camminava lungo la sommità dello strapiombo con il passo regolare e instancabile dei viaggiatori afgani, e portava una borsa appesa alla spalla. Quando sentì il rombo degli elicotteri si fermò, si voltò a guardarli e continuò a camminare.

«È lui?» chiese Jean-Pierre.

«Credo di sì» disse Anatoly. «Lo sapremo presto.» Prese la cuffia del pilota e comunicò con l'altro elicottero che avanzò, sorvolò l'uomo e atterrò un centinaio di metri più avanti. L'uomo continuò a camminare con noncuranza.

«Perché non atterriamo anche noi?» chiese Jean-Pierre a Anatoly.

«Una semplice precauzione.»

Il portello dell'altro elicottero si aprì e scesero sei soldati. L'uomo vestito di bianco proseguì verso di loro e si fece scivolare la borsa dalla spalla. Era una borsa allungata, come quelle militari. Appena Jean-Pierre la vide, un campanello d'allarme squillò nella sua memoria; ma prima che riuscisse a capire che cosa gli rammentava, Mohammed alzò la borsa e la puntò verso i soldati. Jean-Pierre capì ciò che stava per fare e aprì la bocca per gridare un avvertimento inutile.

Era come cercare di gridare in un sogno o di correre sott'acqua: gli eventi si svolgevano lentamente ma lui era ancora più lento. Prima che le parole gli uscissero dalla bocca vide la canna di un fucile mitragliatore spuntare dalla borsa.

Il suono degli spari fu soffocato dal fragore degli elicotteri, e sembrò che tutto si svolgesse, assurdamente, in un silenzio di morte. Uno dei soldati russi si strinse il ventre e stramazzò bocconi; un altro alzò le braccia e cadde riverso; la faccia d'un terzo esplose in un fiotto di sangue. Gli altri tre spianarono le armi. Uno morì prima di poter premere il grilletto ma gli altri due spararono all'impazzata e, mentre Anatoly urlava «*Niet! Niet! Niet! Niet!*» alla radio, il corpo di Mohammed fu sollevato da terra dalla violenza dei colpi e scagliato all'indietro in un ammasso insanguinato.

Anatoly stava ancora gridando furiosamente alla radio. L'elicottero scese subito. Jean-Pierre tremava per l'eccitazione. La vista del combattimento l'aveva inebriato come una droga: gli sembrava di aver voglia di ridere o di far l'amore, di correre o di ballare. Nella mente gli balenò un pensiero: e io che volevo risanare la gente...

L'elicottero si posò. Anatoly si tolse la cuffia e disse in tono disgustato: «Ora non sapremo mai perché la prima guida è morta con la gola tagliata». Balzò al suolo e Jean-Pierre lo seguì.

Raggiunsero l'afgano morto. Era dilaniato dai proiettili e

metà della faccia era devastata, ma Anatoly disse: «È l'altra guida, ne sono sicuro. Ha la stessa corporatura e lo stesso colorito e riconosco la borsa». Si chinò e raccolse il Kalashnikov. «Ma perché era armato d'un fucile mitragliatore?»

Dalla borsa era caduto a terra un pezzo di carta. Jean-Pierre lo prese e lo guardò. Era una fotografia di Mousa, scattata con la Polaroid. «Oh, mio Dio» disse. «Credo di aver capito tutto.»

«Che cosa?» domandò Anatoly. «Che cosa hai capito?»

«Veniva dalla Valle dei Cinque Leoni» disse Jean-Pierre. «Era uno dei luogotenenti di Masud. Questa è una foto di suo figlio Mousa. L'aveva fatta Jane. Riconosco anche la borsa dove teneva nascosto il fucile: era di Ellis.»

«E allora?» chiese spazientito Anatoly. «Che cosa ne deduci?»

Jean-Pierre rifletteva convulsamente, più in fretta di quanto riuscisse a spiegarsi. «Mohammed ha ucciso la vostra guida per prenderne il posto» disse. «Tu non potevi immaginare che non era ciò che diceva di essere. I nuristani sapevano ovviamente che non era dei loro, ma se ne infischiavano, innanzi tutto perché non sospettavano che si spacciava per uno del posto... e se l'avessero saputo non avrebbero potuto avvertirti perché lui era anche il tuo interprete. C'era una sola persona che poteva smascherarlo...»

«Tu» disse Anatoly. «Perché lo conoscevi.»

«Si rendeva conto di questo pericolo e stava in guardia. Ecco perché stamattina ti ha chiesto chi era arrivato ieri sera. Tu gli hai detto il mio nome, e allora lui se n'è andato immediatamente.» Jean-Pierre aggrottò la fronte. C'era qualcosa che non quadrava. «Ma perché è rimasto allo scoperto? Avrebbe potuto nascondersi in un bosco o in una grotta. Avremmo impiegato molto più tempo per scovarlo. Sembra che non si aspettasse di essere inseguito.»

«E perché avrebbe dovuto?» ribatté Anatoly. «Quando è sparita la prima guida non abbiamo mandato nessuno a cercarla... ne abbiamo ingaggiata un'altra e abbiamo tirato diritto, senza inseguimenti. Questa volta le cose sono andate diversamente, purtroppo per Mohammed, perché gli abitanti del posto hanno trovato il cadavere e ci hanno accusati di assassinio. È stato questo che ci ha spinti a sospettare di Mohammed. Ma anche così avevamo quasi deciso di lasciarlo perdere e di proseguire. È stato sfortunato.»

«Non sapeva di avere a che fare con un uomo molto prudente» disse Jean-Pierre. «Un altro interrogativo: quale era il suo movente? Perché si era dato tanto da fare per sostituirsi all'altra guida?»

«Per portarci fuori strada, immagino. E in tal caso tutto ciò che ci ha detto era falso. Non ha visto Ellis Thaler e Jane ieri pomeriggio all'imboccatura della Valle del Linar. Non hanno svoltato a sud per addentrarsi in quella del Nuristan. Gli abitanti di Mundol non hanno confermato che due stranieri con un bambino sono passati ieri diretti a sud... Mohammed non aveva mai fatto questo domanda. Lui sapeva dov'erano i fuggiaschi...»

«E naturalmente ci ha condotti nella direzione opposta!» Jean-Pierre sentì ritornare l'euforia. «La vecchia guida è scomparsa subito dopo che la squadra aveva lasciato il villaggio di Linar, vero?»

«Sì, quindi possiamo ritenere che le segnalazioni fino a quel punto siano vere... quindi, Ellis Thaler e Jane sono veramente passati dal villaggio. Poi è intervenuto Mohammed e ci ha condotti verso sud...»

«Perché Ellis e Jane sono andati a nord!» esclamò trionfante Jean-Pierre.

Anatoly annuì cupamente. «Mohammed gli ha fatto guadagnare al massimo un giorno» disse in tono pensieroso. «Ha dato la vita per questo. Ne valeva la pena?»

Jean-Pierre guardò di nuovo la foto di Mousa che il vento freddo gli agitava nella mano. «Credo che Mohammed risponderebbe: Sì, ne valeva la pena.»

19

Lasciarono Gadwal nell'oscurità fonda che precede l'alba, nella speranza di avvantaggiarsi sui russi con la partenza anticipata. Ellis sapeva quanto era difficile, anche per l'ufficiale più efficiente, indurre una squadra di soldati a muoversi prima di giorno: il cuciniere doveva preparare la colazione, il furiere doveva far togliere il campo, l'operatore radio doveva contattare il comando e gli uomini dovevano mangiare. E tutte queste cose richiedevano tempo. L'unico vantaggio che Ellis aveva sul comandante russo stava nel fatto che doveva semplicemente caricare la cavalla mentre Jane allattava Chantal, e poi svegliare Halam.

Li attendeva una salita lunga e lenta, lungo la Valle del Nuristan per quattordici o quindici chilometri, e poi per una valle laterale. La prima parte non avrebbe dovuto presentare difficoltà neppure al buio, pensava Ellis, perché c'era una specie di strada. Se Jane ce l'avesse fatta a continuare a camminare, nel pomeriggio sarebbero entrati nella valle secondaria e prima di notte vi avrebbero percorso qualche chilometro. Quando fossero usciti dalla Valle del Nuristan sarebbe stato molto più difficile rintracciarli perché i russi non avrebbero potuto sapere in quale altra valle avevano proseguito.

Halam marciava in testa; indossava gli indumenti di Mohammed, compreso il suo berretto chitrali. Poi veniva Jane, che portava Chantal, e per ultimo Ellis che conduceva Maggie per le briglie. La cavalla, adesso, trasportava un bagaglio di meno: Mohammed aveva preso la borsa e Ellis non aveva trovato nulla di adatto a sostituirla. Era stato costretto a lasciare a Gadwal gran parte del materiale esplosivo; tuttavia aveva tenuto un po' di tritolo, un pezzo di Primacord, qualche capsula e il congegno detonatore, e li aveva nascosti nelle ampie tasche del giubbotto di piumino.

Jane era ottimista e piena di energia. Il riposo del pomeriggio precedente le aveva ridato le forze. Era straordinariamente resistente ed Ellis era fiero di lei anche se, quando ci pensava, non capiva perché proprio lui avesse il diritto di essere orgoglioso della forza di Jane.

Halam portava una lanterna che gettava ombre grottesche sulle rupi. Sembrava insoddisfatto. Il giorno prima era stato tutto sorrisi, come fosse felice di partecipare alla bizzarra spedizione; ma quella mattina era cupo e taciturno. La colpa doveva essere della partenza anticipata, pensava Ellis.

Il sentiero serpeggiava lungo lo strapiombo, aggirava i promontori che sporgevano nel fiume; a volte scendeva fino a sfiorare l'acqua, a volte saliva fino alla sommità. Dopo meno d'un chilometro e mezzo giunsero in un punto dove la pista spariva: c'era una muraglia di rocce a sinistra e il fiume a destra. Halam disse che il sentiero era stato spazzato via da un acquazzone e che avrebbero dovuto attendere fino a quando fosse spuntata la luce per poter procedere.

Ellis non voleva perdere tempo. Si tolse gli stivali e i calzoni e avanzò a guado nell'acqua gelata. Nel punto più profondo gli arrivava appena alla cintura; e non gli fu difficile salire sull'altra riva. Tornò indietro e fece attraversare Maggie tenendola per le briglie, poi andò a prendere Jane e Chantal. Halam passò per ultimo; ma il pudore gli vietava di spogliarsi anche se era buio, e perciò fu costretto a riprendere la marcia con i calzoni bagnati fradici. E questo peggiorò il suo umore.

Attraversarono un villaggio mentre era ancora buio e furono seguiti per un breve tratto da un paio di cani randagi che abbaiavano tenendosi a distanza di sicurezza. Poco dopo, l'alba si affacciò nel cielo e Halam spense la lanterna.

Dovettero guadare il fiume diverse altre volte, nei punti dove il sentiero era stato spazzato via o era bloccato da una frana. Halam si arrese e si arrotolò gli ampi calzoni sopra le ginocchia. A un guado incontrarono un viandante che veniva dalla direzione opposta: un ometto scheletrito che portava in braccio una pecora per farle attraversare il fiume. Halam ebbe con lui una lunga conversazione in nuristano; e dal modo in cui agitavano entrambi le braccia Ellis sospettò che stessero parlando dei percorsi attraverso le montagne.

Quando si furono accomiatati dal viaggiatore, Ellis disse a Halam, in dari: «Non raccontare alla gente dove andiamo».

Halam finse di non capire.

Jane gli ripeté ciò che aveva detto Ellis. Parlava il dari più correntemente e usava gesti enfatici come facevano gli afgani. «I russi interrogheranno tutti i viaggiatori» spiegò.

Halam parve capire; tuttavia si comportò nello stesso modo con il primo viandante che incontrarono, un giovane dall'aria pericolosa, armato d'un fucile Lee-Enfield che era un pezzo d'antiquariato. Durante il dialogo, Ellis credette di sentire Halam che diceva "Kantiwar", il nome del passo verso il quale erano diretti. E un attimo dopo il viaggiatore ripeté la parola. Ellis si infuriò: Halam stava scherzando con le loro vite. Ma ormai il male era fatto. Perciò decise di non intervenire e attese con pazienza fino a quando si rimisero in marcia.

Non appena il giovane dal fucile fu fuori di vista, disse a Halam: «Ti avevo avvertito di non dire alla gente dove stiamo andando».

Questa volta Halam non finse di non aver capito. «Non gli ho detto niente!» protestò indignato.

«Gliel'hai detto» insistette Ellis. «D'ora in poi, non parlerai più con altri viaggiatori.»

Halam non disse nulla.

Jane intervenne: «Non devi parlare con altri viaggiatori, capisci?».

«Sì» ammise controvoglia Halam.

Ellis capiva che era importante farlo tacere. Sapeva perché Halam voleva discutere i percorsi con quelli che incontrava: i viaggiatori potevano essere al corrente di fattori come le frane, le nevicate o le alluvioni tra i monti che potevano bloccare una valle e rendere preferibile un'altra via d'accesso. Non aveva ben capito che Ellis e Jane stavano fuggendo dai russi. L'esistenza di percorsi alternativi era l'unico elemento favorevole perché i russi erano costretti a controllarli tutti. Avrebbero dovuto faticare parecchio per escluderne alcuni interrogando la gente, soprattutto i viaggiatori. E meno informazioni avessero potuto ottenere in quel modo, più sarebbe stata lunga e difficile la ricerca, e maggiori sarebbero state per Jane e Ellis le probabilità di cavarsela.

Un po' più tardi incontrarono un mullah dalla veste bianca e dalla barba tinta di rosso; e con enorme delusione di Ellis, Halam incominciò a discorrere esattamente come aveva fatto con gli altri due viaggiatori.

Ellis esitò soltanto per un attimo. Poi si avvicinò a Halam, lo afferrò saldamente per le braccia e lo trascinò via.

Halam si dibatté, ma smise quasi subito perché la presa era dolorosa. Gridò qualche parola ma il mullah restò a guardare a bocca spalancata e non fece nulla. Ellis si voltò e vide che Jane aveva preso le redini di Maggie e lo stava seguendo.

Dopo un centinaio di metri, Ellis lasciò Halam e disse: «Se i russi mi trovano, mi uccidono. Perciò non devi parlare con nessuno».

Halam non disse nulla. Diventò ancora più cupo.

Avevano camminato ancora per un tratto quando Jane disse: «Temo che ce la farà pagare».

«Lo credo anch'io, ma dovevo farlo tacere, in un modo o nell'altro» replicò Ellis.

«Secondo me poteva esserci un sistema migliore.»

Ellis represse uno scatto d'irritazione. Avrebbe voluto ribattere: *E allora perché non hai provato tu?* Ma quello non era il momento per litigare. Quando incontrarono un altro viandante Halam si limitò a un brevissimo scambio di convenevoli, e Ellis pensò: Il mio sistema, se non altro, è servito a qualcosa.

All'inizio procedettero molto più lentamente del previsto. Il sentiero tortuoso, il terreno accidentato, le salite e le deviazioni continue fecero sì che a metà mattina avessero percorso appena sette o otto chilometri in linea d'aria. Ma poi il cammino divenne più agevole, quando la pista si snodò tra i boschi, in alto sopra il fiume.

C'era ancora un villaggio circa ogni due chilometri; ma adesso, anziché le fragili case di legno ammonticchiate sui pendii come sedie pieghevoli buttate a casaccio in un mucchio, c'erano abitazioni a forma di scatola, fatte della stessa pietra dei dirupi cui stavano aggrappate precariamente come nidi di gabbiani.

A mezzogiorno si fermarono in un villaggio e Halam li fece entrare in una casa dove fu offerto loro il tè. Era una costruzione a due piani: quello terreno sembrava un magazzino, un po' come nelle case medievali inglesi che Ellis ricordava dalle lezioni di storia. Jane diede alla padrona di casa un flacone di medicina per combattere i vermi intestinali dei bambini, e in cambio ricevette pane fritto e un delizioso formaggio di capra. Sedettero sui tappeti stesi sul pavimento d'argilla intorno al fuoco. Sopra di loro erano visibili le travi di pioppo e le stecche di salice del tetto. Il focolare non aveva il comignolo, e il fumo saliva fino alle travi e filtrava all'esterno: era per quella ragione, pensò Ellis, che le case non avevano il soffitto.

Avrebbe voluto lasciare che Jane riposasse dopo aver mangiato; ma non poteva rischiare perché non sapeva a quale distanza fossero i russi. Lei sembrava stanca ma in discrete condizioni. E partendo immediatamente non avrebbero dato ad Halam il tempo di chiacchierare con gli abitanti del luogo.

Tuttavia, Ellis tenne d'occhio Jane mentre continuavano a salire la valle. Le disse di condurre la cavalla mentre lui portava Chantal: portare la bambina era certamente più stancante.

Ogni volta che giungevano a una valle secondaria rivolta verso est, Halam si fermava, la studiava attentamente, poi scuoteva la testa e proseguiva. Senza dubbio non era sicuro del percorso da seguire, anche se lo negò recisamente quando Jane glielo chiese. Era esasperante, soprattutto perché Ellis non vedeva l'ora di uscire dalla Valle del Nuristan: ma si consolava pensando che se Halam non sapeva quale valle prendere, i russi non avrebbero scoperto dov'erano andati i fuggiaschi.

Stava incominciando a chiedersi se Halam aveva già superato il punto dove avrebbe dovuto deviare, quando il giovane si fermò dove un torrente gorgogliante si gettava nel Nuristan, e annunciò che dovevano salire in quella valle. Sembrava intenzionato a fermarsi per riposare, come se non gli piacesse l'idea di abbandonare un territorio conosciuto; ma Ellis insistette per proseguire.

Poco dopo si addentrarono in una foresta di betulle argentee, e la valle principale sparì alla loro vista. Più avanti si scorgeva la catena montuosa che dovevano attraversare: un'immensa muraglia coperta di neve che occupava un quarto del cielo; ed Ellis continuava a chiedersi: Anche se sfuggiremo ai russi, come faremo a scalarla? Jane inciampò un paio di volte e imprecò. Ellis lo interpretò come un segno che doveva essere molto stanca, anche se non si lamentava.

All'imbrunire uscirono dalla foresta in una zona brulla, squallida e disabitata. Ellis pensava che non avrebbero trovato rifugio in quel territorio, perciò propose di passare la notte in una casupola di pietra abbandonata che avevano superato mezz'ora prima. Jane e Halam si dissero d'accordo. Tornarono indietro.

Ellis insistette perché Halam accendesse il fuoco all'interno della casupola e non all'esterno, in modo che le fiamme non fossero visibili dall'alto e non ci fosse la rivelatrice colonna di fumo. La sua prudenza trovò una giustificazione più tardi, quando sentirono il rombo di un elicottero che passava sopra di loro. Questo, pensò, doveva significare che i russi non erano molto lontani: ma in quella regione un tragitto breve per un elicottero poteva corrispondere a un impossibile viaggio a piedi. I russi potevano essere sull'altro versante di una montagna invalicabile... o appena un chilometro e mezzo dietro di loro sul sentiero. Per fortuna il territorio era troppo selvaggio e la pista era troppo difficile da scorgere dall'alto, perché una ricerca compiuta a mezzo degli elicotteri ottenesse buoni risultati.

Ellis diede un po' di cereali alla cavalla. Jane allattò Chantal e la cambiò, poi s'addormentò immediatamente. Ellis la svegliò per farla infilare nel sacco a pelo, quindi portò il pannolino di Chantal al fiume, lo lavò e lo mise a asciugare accanto al fuoco. Per un po' rimase sdraiato accanto a Jane e guardò il suo viso nella luce guizzante del fuoco mentre Halam russava all'angolo opposto della casupola. Sembrava completamente esausta: aveva il viso scarno e teso, i capelli sporchi, le guance macchiate di terra. Dormiva un sonno inquieto e rabbrividiva, faceva smorfie e muoveva la bocca in silenzio. Ellis si chiese per quanto tempo ancora avrebbe potuto resistere. Era quel ritmo serrato a distruggerla. Se avessero potuto muoversi più lentamente, ce l'avrebbe fatta. Se i russi avessero rinunciato all'inseguimento, o se fossero stati richiamati per partecipare a una battaglia importante in un'altra parte di quello sciagurato paese...

Pensò all'elicottero che avevano sentito. Forse era impegnato in una missione che non aveva nulla a che vedere con lui. Ma gli sembrava improbabile. E se l'apparecchio partecipava alla ricerca, allora il tentativo di fuorviare i russi compiuto da Mohammed doveva aver avuto un successo molto limitato.

Pensò a ciò che sarebbe accaduto se fossero stati catturati. Per lui ci sarebbe stato un processo sensazionale, nel corso del quale i russi avrebbero provato ai paesi non allineati ancora scettici che i ribelli afgani non erano altro che fantocci della CIA. L'accordo tra Masud, Kamil e Azizi sarebbe saltato. I ribelli non avrebbero ricevuto le armi americane. La Resistenza avrebbe perduto vigore e spirito, e forse non sarebbe durata un'altra estate.

Dopo il processo, Ellis sarebbe stato interrogato dal KGB. All'inizio avrebbe mostrato di voler resistere alle torture, e poi avrebbe finto di crollare e avrebbe parlato: ma tutto ciò che avrebbe detto sarebbe stato un cumulo di menzogne. I russi se lo sarebbero aspettato, naturalmente, e l'avrebbero torturato ancora; e questa volta sarebbe crollato in modo più convincente e avrebbe raccontato un miscuglio di verità e di menzogne che molto difficilmente avrebbero potuto districare. In quel modo poteva sperare di sopravvivere. E allora l'avrebbero mandato in Siberia. Dopo qualche anno poteva darsi che lo scambiassero con una spia sovietica catturata negli Stati Uniti. Altrimenti sarebbe morto in un campo di lavori forzati.

Ciò che soprattutto lo avrebbe addolorato sarebbe stato venire separato da Jane. L'aveva trovata e l'aveva perduta, e poi l'aveva ritrovata di nuovo... un colpo di fortuna che ancora lo sconvolgeva al solo pensiero. Perderla per la seconda volta sarebbe stato insopportabile, insopportabile. Rimase a guardarla a lungo, sforzandosi di non addormentarsi per il timore di non trovarla più al risveglio.

Jane sognava di essere nell'Hôtel George V a Peshawar, nel Pakistan. Il George V era a Parigi, ovviamente: ma nel sogno non notava neppure quella stranezza. Chiamava il cameriere e ordinava un filetto abbastanza cotto con contorno di purè, e una bottiglia di Château Ausone 1971. Aveva una fame tremenda, ma non ricordava perché avesse aspettato tanto prima di ordinare. Decise di fare il bagno mentre le preparavano la cena. La stanza da bagno era calda e c'erano tappeti per terra. Fece scorrere l'acqua e vi aggiunse i sali, e il bagno si riempì di vapore profumato. Non capiva perché si fosse ridotta in quello stato di sporcizia: era un miracolo che l'avessero accettata nell'albergo! Stava per immergersi nell'acqua calda quando si sentì chiamare per nome. Doveva essere il cameriere, pensò: era una seccatura, perché adesso avrebbe dovuto mangiare mentre era ancora sporca, oppure doveva lasciar raffreddare la cena. Provò la tentazione d'immergersi nell'acqua e di ignorare la voce. Era una scortesia che la chiamassero «Jane», comunque, anziché «Madame». Ma la voce era insistente, e le sembrava di conoscerla. Per la verità non era il cameriere, ma Ellis, e le scuoteva la spalla. E con un tragico senso di disappunto si rese conto che il George V era un sogno e che in realtà lei era in una gelida casupola di pietra nel Nuristan, lontana un milione di chilometri da un bagno caldo.

Aprì gli occhi e vide la faccia di Ellis.

«Su, devi svegliarti» disse lui.

Si sentiva quasi paralizzata dal torpore. «È già mattina?»

«No. È notte alta.»

«Che ora è?»

«L'una e mezzo.»

«Maledizione.» Era irritata con lui perché l'aveva disturbata. «Perché mi hai chiamato?» disse bruscamente.

«Halam se n'è andato.»

«È andato?» Jane era ancora insonnolita e confusa. «Dove? Perche? È tornato indietro?»

«Non me l'ha detto. Mi sono svegliato e ho scoperto che era scomparso.»

«Credi che ci abbia abbandonati?»

«Sì.»

«Oh, Dio. Come troveremo la strada senza una guida?» Jane aveva il terrore di perdersi nella neve con Chantal tra le braccia.

«Temo che potrebbe capitare di peggio» disse Ellis.

«Cosa vuoi dire?»

«Tu avevi detto che ce l'avrebbe fatta pagare perché l'avevo umiliato di fronte a quel mullah. Forse abbandonarci è una vendetta sufficiente. Me lo auguro. Ma penso che sia tornato indietro. Può darsi che incontri i russi. Non credo che impiegheranno molto tempo per convincerlo a dire con esattezza dove ci ha lasciati.»

«È troppo» disse Jane, sopraffatta da un senso d'angoscia. Sembrava che una divinità malevola cospirasse contro di loro. «Sono troppo stanca» disse. «Resterò qui a dormire finché verranno i russi a farmi prigioniera.»

Chantal si era mossa in silenzio, muovendo la testolina e cercando di succhiare. Ora incominciò a piangere. Jane si sollevò a sedere e la prese in braccio.

«Se ce ne andiamo subito possiamo ancora farcela» disse Ellis. «Io mi occupo di caricare la roba sulla cavalla mentre tu allatti Chantal.»

«Va bene» disse Jane. Si attaccò la bambina al seno. Ellis rimase a guardare per un secondo con un lieve sorriso, poi uscì nella notte. Jane pensò che avrebbero potuto mettersi facilmente in salvo se non avessero avuto Chantal. Si chiese che cosa ne pensava Ellis. Dopotutto, era la figlia di un altro. Ma sembrava che non gli importasse: considerava Chantal come se facesse parte di lei. O forse mascherava il risentimento?

Gli piacerebbe fare da padre a Chantal? si chiese. Scrutò il piccolo viso e i grandi occhi azzurri ricambiarono il suo sguardo. Chi non avrebbe voluto bene a quella piccola innocente e indifesa?

All'improvviso non si sentiva più sicura di nulla. Non sapeva neppure se amava Ellis; non sapeva cosa provava per Jean-Pierre, il marito che le stava dando la caccia; e non riusciva a immaginare quali fossero i suoi doveri verso la figlia. Aveva paura della neve e delle montagne e dei russi, e da troppo tempo era tormentata dalla stanchezza e dalla tensione e dal freddo.

Cambiò Chantal automaticamente, le mise il pannolino asciutto che trovò accanto al fuoco. Non ricordava di averla cambiata quella notte. Le sembrava di essersi addormentata dopo averla allattata. Aggrottò la fronte dubitando della propria memoria: e poi rammentò che Ellis l'aveva svegliata per farla infilare nel sacco a pelo. Doveva aver portato il pannolino sporco al fiume, e l'aveva lavato e strizzato e appeso a uno stecco accanto al fuoco per farlo asciugare. Jane si mise a piangere.

Si sentiva molto sciocca ma non riusciva a smettere; e perciò finì di vestire Chantal mentre le lacrime le rigavano il viso. Ellis tornò quando lei stava sistemando la piccola nell'amaca per trasportarla.

«Neppure quella cavalla voleva saperne di svegliarsi» disse lui. Poi la guardò in faccia e chiese: «Cosa c'è?».

«Non so spiegarmi perché ti avevo lasciato» disse Jane. «Sei l'uomo migliore che abbia mai conosciuto, e non ho mai smesso di amarti. Perdonami, ti prego.»

Ellis le abbracciò tutte e due. «Purché tu non lo faccia mai più» disse.

Rimasero così per qualche attimo.

Finalmente Jane disse: «Sono pronta».

«Bene. Andiamo.»

Uscirono e incominciarono a salire nella foresta che si diradava. Halam aveva portato via la lanterna ma c'era la luna e potevano vedere chiaramente. L'aria era così gelida che faceva male respirarla. Jane era preoccupata per Chantal: la teneva all'interno dell'impermeabile foderato di pelliccia e si augurava che il suo corpo bastasse a scaldare l'aria che inspirava la piccola. Un bambino poteva ammalarsi se respirava in quel freddo? Jane non ne aveva idea.

Davanti a loro stava il Passo di Kantiwar. Era alto quattromilacinquecento metri, molto più dell'ultimo valico, l'Aryu. Jane sapeva che avrebbe sofferto il freddo e la stanchezza più di quanto le fosse mai accaduto in vita sua, e forse avrebbe avuto ancora più paura: ma il suo morale era alto. Sentiva di aver preso una decisione importante. Se sopravvivrò, si disse, voglio vivere con Ellis. Uno di questi giorni gli dirò che è così perché ha lavato un pannolino sporco.

Ben presto si lasciarono gli alberi alle spalle e si trovarono in un altopiano lunare cosparso di macigni e crateri e tratti di neve. Seguirono una linea di enormi pietre piatte che sembrava un sentiero tracciato da un gigante. Stava ancora salendo, sebbene per il momento la salita fosse meno erta e la temperatura si abbassava costantemente. Le chiazze bianche diventarono più numerose fino a quando il terreno divenne simile a un'enorme scacchiera.

La tensione nervosa sostenne Jane per la prima ora o poco più. Ma quando si adattò alla marcia interminabile la stanchezza la sopraffece di nuovo. Avrebbe voluto chiedere: *È ancora molto lontano?* e *Arriveremo presto?* come quando era una bambina ed era in macchina con il padre, nei lunghi viaggi attraverso la boscaglia rodesiana.

A un certo punto di quel pianoro attraversarono la linea dei ghiacci. Jane si rese conto del nuovo pericolo quando la cavalla scivolò, sbuffò di paura, rischiò di cadere e recuperò l'equilibrio. Poi notò che il chiaro di luna si rifletteva sui macigni come se fossero di vetro: le rocce erano come diamanti, fredde e dure e lucenti. I suoi stivali facevano presa meglio degli zoccoli di Maggie; tuttavia un po' più avanti anche lei scivolò e per poco non cadde. Da quel momento ebbe il terrore di cadere e di schiacciare Chantal, e si mosse con estrema prudenza, con i nervi tesi al massimo.

Dopo più di due ore arrivarono all'estremità opposta dell'altopiano e si trovarono di fronte a un ripido sentiero che saliva il pendio coperto di neve. Ellis procedeva in testa e si tirava dietro Maggie. Jane li seguiva tenendosi a distanza di sicurezza per timore che la cavalla scivolasse all'indietro. Salirono la montagna a zig-zag.

Il sentiero non era marcato chiaramente: si snodava dove il terreno era più basso. Jane avrebbe voluto trovare una conferma che quello era il percorso giusto: i resti d'un fuoco, una carcassa di pollo spolpata, persino una scatola di fiammiferi vuota... qualunque cosa che indicasse il passaggio di altri esseri umani. Incominciò a immaginare ossessivamente che erano sperduti, lontani dal sentiero, e che si aggiravano senza meta tra le nevi eterne; e avrebbero continuato a vagare per giorni e giorni fino a quando non avessero avuto più viveri e energia e forza di volontà, e si sarebbero sdraiati sulla neve e sarebbero morti assiderati tutti e tre.

I dolori alla schiena erano insopportabili. Controvoglia, passò Chantal a Ellis e prese le redini della cavalla, per trasferire lo sforzo ad altri muscoli. La povera bestia inciampava continuamente. A un certo momento scivolò su un macigno ghiacciato e cadde. Jane dovette tirarla impietosamente per le briglie per farla rialzare. Quando Maggie si raddrizzò, Jane vide una macchia scura sulla neve dov'era caduta: sangue. Guardò meglio e vide un taglio sul ginocchio sinistro. Non sembrava grave. La cavalla poteva camminare.

Adesso che era Jane a procedere in testa, doveva decidere dove si trovava il sentiero, e l'incubo di smarrirsi irreparabilmente la ossessionava a ogni esitazione. A volte sembrava che il percorso si biforcasse, e lei doveva scegliere: sinistra o destra. Spesso il terreno era più o meno uniforme, e allora doveva tirare a indovinare fino a quando ricompariva una specie di pista. A un certo momento sprofondò in un mucchio di neve e Ellis e la cavalla dovettero tirarla fuori.

Alla fine il sentiero la condusse su una cengia che si snodava lontano, su per il fianco del monte. Erano molto in alto: quando si voltava a guardare il pianoro sottostante l'assalivano le vertigini. Senza dubbio non potevano essere lontani dal passo.

Il cornicione era ripido, ghiacciato, e non più largo di un metro. Oltre il ciglio c'era uno strapiombo. Jane camminava con estrema cautela, ma nonostante questo inciampò diverse volte e a un certo punto cadde sulle ginocchia e se le scalfì. Era così indolenzita che si accorse appena di quei nuovi dolori. Maggie scivolava di continuo, e alla fine Jane smise di voltarsi quando sentiva slittare gli zoccoli; si limitava a tirare più forte le redini. Avrebbe voluto riassestare il carico in modo che il peso delle borse fosse spostato più avanti, per favorire la stabilità dell'animale durante la salita; ma sul cornicione non c'era spazio e comunque temeva che se si fosse fermata non sarebbe più stata in grado di muoversi.

La cengia si restrinse, si snodò intorno a uno spuntone. Jane avanzò cautamente attraverso il tratto più stretto; ma nonostante la sua prudenza, forse perché era tanto nervosa, scivolò. Per un momento allucinante credette che sarebbe precipitata nel vuoto; invece piombò in ginocchio e si puntellò con le mani. Con la coda dell'occhio vide i pendii nevosi decine di metri più in basso. Incominciò a tremare e si dominò con uno sforzo.

Si rialzò, adagio, e si voltò. Aveva lasciato le redini che adesso pendevano nel vuoto. La cavalla la fissava; teneva le zampe rigide e tremava terrorizzata. Quando Jane fece per riprendere le briglie, Maggie arretrò di un passo. «Ferma!» ordinò lei, poi con voce calma continuò: «Non fare così. Vieni da me. Andrà tutto bene».

Ellis la chiamò dall'altra parte della sporgenza di roccia: «Cosa succede?».

«Zitto» disse lei sottovoce. «Maggie ha paura. Stai indietro.»

Non poteva dimenticare neppure per un attimo che Ellis portava Chantal. Continò a mormorare con voce rassicurante e ad avvicinarsi piano piano alla cavalla che la fissava a occhi sbarrati mentre l'alito le usciva a nuvolette dalle narici dilatate. Arrivò a un braccio di distanza e tese la mano per prendere le briglie.

La cavalla scostò la testa di scatto, indietreggiò, scivolò e perse l'equilibrio.

Nel momento in cui girò di nuovo la testa, Jane afferrò le redini; ma gli zoccoli slittarono. Maggie cadde sulla destra e le redini volarono dalla mano di Jane. Con orrore, vide la cavalla scivolare lentamente sul dorso verso il ciglio del cornicione e cadere con un nitrito di paura.

Ellis comparve in quel momento. «Basta!» gridò Jane, ma si accorse che stava urlando e richiuse di scatto la bocca. Ellis s'inginocchiò e si sporse, continuando a stringersi al petto Chantal, sotto il giubbotto di piumino. Jane si dominò e gli si inginocchiò accanto.

Si aspettava di vedere la cavalla affondata nella neve decine di metri più sotto. Invece era finita su un cornicione, circa un metro e mezzo più in basso, e giaceva sul fianco con le zampe che sporgevano nel vuoto. «È ancora viva» esclamò Jane. «Grazie a Dio!»

«E la nostra roba è intatta» disse lui, sbrigativamente.

«Ma come possiamo riportarla quassù?»

Ellis la guardò in silenzio.

Jane comprese che non sarebbero riusciti a far risalire la bestia sul sentiero. «Ma non possiamo lasciarla lì a morire di freddo!» esclamò.

«Non c'è niente da fare» disse Ellis.

«Oh, Dio, è terribile.»

Ellis aprì il giubbotto e sciolse Chantal. Jane la prese è la mise all'interno dell'impermeabile. «Per prima cosa prenderò i viveri» disse Ellis.

Si stese bocconi lungo il ciglio della cengia e allungò i piedi. La neve smossa cadde sulla cavalla. Ellis si calò adagio adagio, cercando con i piedi il ripiano. Toccò qualcosa di solido, staccò i gomiti dall'orlo e si girò cautamente.

Jane lo guardava impietrita. Fra il corpo della cavalla e la roccia non c'era spazio perché Ellis potesse tenere affiancati i piedi. Doveva tenerli uno dietro l'altro, come una figura d'un antico affresco egizio. Piegò le ginocchia e si acquattò lentamente, poi tese le mani verso la complessa rete di cinghie che trattenevano la sacca di tela con le razioni d'emergenza.

In quel momento la cavalla decise di rialzarsi.

Piegò le zampe anteriori e riuscì a puntellarle; e poi, con il movimento serpentino dei cavalli che si alzano, sollevò la parte anteriore del corpo e tentò di riportare sul cornicione le zampe posteriori.

Poi le zampe posteriori slittarono. Perse l'equilibrio e cadde di lato. Ellis afferrò la borsa dei viveri. Centimetro per centimetro la cavalla continuò a scivolare, scalciando e dibattendosi. Jane aveva il terrore che facesse male a Ellis. Inesorabilmente la bestia slittò oltre il ciglio. Ellis strattonò la sacca: non tentava più di salvare la cavalla ma sperava di spezzare le cinghie e di recuperare i viveri. Era così irriducibilmente deciso che Jane temette si lasciasse attirare nel vuoto. La cavalla slittava più rapidamente e trascinava Ellis verso l'orlo. All'ultimo istante lui lasciò la sacca con un grido di delusione e la cavalla urlò e precipitò nell'abisso portando con sé tutti i loro viveri, i medicinali, i sacchi a pelo, e il pannolino di ricambio di Chantal.

Jane scoppiò in pianto.

Dopo qualche attimo Ellis s'inerpicò sulla cengia accanto a lei. La cinse con le braccia e le restò inginocchiato accanto mentre lei piangeva per la cavalla e i viveri, per il dolore alle gambe e i piedi gelati. Poi lui si alzò, l'aiutò ad alzarsi e disse: «Non dobbiamo fermarci».

«Ma come possiamo andare avanti?» gridò lei. «Non abbiamo più niente da mangiare, non possiamo fare bollire l'acqua, non abbiamo sacchi a pelo né medicinali...»

«Ma siamo insieme» disse lui.

Jane l'abbracciò forte forte e ricordò il momento in cui l'aveva visto scivolare verso l'orlo del precipizio. Se sopravviveremo, pensò, e se sfuggiremo ai russi e torneremo insieme in Europa, non lo lascerò più, mai più, lo giuro.

«Vai prima tu» disse Ellis, sciogliendosi dall'abbraccio. «Voglio poterti vedere.» La sospinse gentilmente, e lei cominciò a salire come un automa. A poco a poco la disperazione la assalì nuovamente. Decise che avrebbe continuato a tirare avanti fino a che fosse crollata morta. Poi Chantal incominciò a piangere. Jane non le badò, e dopo un po' la bimba smise.

Più tardi (forse dopo qualche minuto o forse dopo qualche ora, perché aveva smarrito la nozione del tempo) mentre Jane superava una svolta, Ellis la raggiunse e la trattenne posandole una mano sul braccio. «Guarda» disse indicando.

La pista conduceva giù in una vasta conca di colline orlata da montagne bianche. In un primo momento Jane non capì cosa doveva guardare, ma poi si rese conto che il sentiero scendeva.

«Siamo nel punto più alto?» chiese, stordita.

«Sì» disse Ellis. «Questo è il Passo di Kantiwar. Abbiamo superato la parte più tremenda della marcia. Per un paio di giorni, adesso, il percorso sarà in discesa, e il clima migliorerà.»

Jane sedette su un macigno gelato. Ce l'ho fatta, pensò. Ce l'ho fatta.

Mentre guardavano le colline scure al di là delle vette, il cielo passò da un grigio perla a un rosa polveroso. Stava spuntando il giorno. Via via che la luce dilagava nel cielo, la speranza riaffluiva nel cuore di Jane. *In discesa* pensò. *E più caldo.* Forse ce la faremo.

Chantal pianse di nuovo. Bene, la sua riserva di cibo non era finita nell'abisso insieme a Maggie. Jane l'allattò, seduta sul

macigno gelato sopra il tetto del mondo, mentre Ellis faceva
sciogliere la neve nelle mani per far bere Jane.

La discesa nella Valle di Kantiwar era un pendio relativamente dolce, ma all'inizio il freddo era tremendo. Comunque
era meno angoscioso, ora che non dovevano più preoccuparsi
della cavalla. Ellis, che non era mai scivolato durante la salita,
portava Chantal.

Davanti a loro il cielo mattutino divenne rosso fiamma, come
se al di là delle montagne il mondo stesse bruciando. Jane
aveva ancora i piedi intirizziti dal freddo, ma il naso era meno
gelato. All'improvviso si accorse di avere una fame tremenda.
Avrebbero dovuto continuare a camminare fino a che non
avessero incontrato qualche essere umano. Non avevano nulla
da barattare, ormai, tranne il tritolo che Ellis aveva in tasca. E
quando l'avessero finito avrebbero dovuto affidarsi alla tradi-
zionale ospitalità afgana.

E non avevano nulla per dormire. Avrebbero dovuto riposare vestiti e senza togliersi gli stivali. Ma Jane aveva la sensazione che sarebbero riusciti a risolvere tutti i loro problemi. Ormai
era facile trovare il percorso, perché i fianchi della valle erano
una guida e impedivano di deviare. Ben presto trovarono un
torrentello gorgogliante. Erano di nuovo al di sotto della linea
dei ghiacci. Il terreno era abbastanza pianeggiante. Se avessero
avuto ancora la cavalla, avrebbero potuto montarla.

Dopo altre due ore si fermarono a riposare all'inizio di una
gola, e Jane si fece consegnare Chantal. Davanti a loro la
discesa diventava ripida e accidentata: ma ormai le rocce non
erano più ricoperte di ghiaccio. La gola era stretta e poteva
ostruirsi facilmente. «Spero che non ci siano frane, laggiù»
disse Jane.

Ellis stava guardando nella direzione opposta, verso l'altra
valle. All'improvviso trasalì. «Gesù Cristo!»

«Cosa succede?» Jane si voltò e seguì il suo sguardo. Il cuore
le si strinse. Dietro di loro, a circa un chilometro e mezzo,
c'erano cinque o sei uomini in uniforme e un cavallo: la squadra
di ricerca.

Dopo tutto quello che abbiamo passato, pensò Jane, ci hanno raggiunti comunque. Era così abbattuta che non aveva
neppure la forza di piangere.

Ellis le strinse un braccio. «Presto, muoviamoci» disse. Si
avviò a passo svelto nella gola trascinandola con sé.

«A che serve?» chiese stancamente Jane. «Ci prenderanno.»

«Ci resta una possibilità.» Mentre camminavano, Ellis scrutava le pareti rocciose e ripide della gola.

«Quale?»

«Una frana.»

«Troveranno il modo di superarla o di aggirarla.»

«No, se la frana li seppellirà tutti.»

Si fermò in un punto dove il fondo della gola era ampio pochi metri e una parete era altissima, perpendicolare. «È l'ideale» disse. Estrasse dalle tasche del giubbotto una stecca di tritolo, un rotolo di Primacord, un oggetto metallico non più grande del cappuccio di una stilografica e qualcosa che sembrava una siringa ma aveva un anello a strappo al posto dello stantuffo. Posò tutto a terra.

Jane lo guardava stordita. Non osava sperare.

Ellis fissò il piccolo oggetto metallico a un capo del Primacord stringendolo con i denti, e poi lo attaccò all'estremità acuminata della siringa. Porse tutto a Jane.

«Ecco quello che devi fare» disse. «Procedi nella gola e fai scorrere il cavo. Cerca di nasconderlo. Non ha importanza se lo posi nel torrente... brucia anche nell'acqua. Quando arrivi all'estremità del cavo, estrai le sicure, in questo modo.» Le mostrò due sicure che trapassavano la siringa, le estrasse e le rimise a posto. «Poi non perdermi d'occhio. Aspetta fino a quando agiterò le braccia sopra la testa, così.» Glielo mostrò. «Allora tira l'anello. Se agiremo al momento giusto potremo ucciderli tutti. Vai!»

Jane eseguì gli ordini come un automa, senza riflettere. Si avviò nella gola srotolando il cavo. All'inizio lo nascose dietro una fila di arbusti bassi, poi lo posò nel letto del torrente. Chantal dormiva nell'amaca e oscillava piano mentre lei camminava, lasciandole le braccia libere.

Dopo un minuto Jane si voltò a guardare. Ellis stava incastrando il tritolo in una fenditura nella roccia. Lei aveva sempre creduto che gli esplosivi scoppiassero spontaneamente se venivano maneggiati in modo brusco: ma doveva essere un'idea sbagliata.

Continuò a camminare fino a quando il cavo si tese, e si voltò di nuovo. Ellis stava scalando la parete della gola. Con ogni probabilità stava cercando la posizione migliore per osservare i russi mentre entravano nella trappola.

Jane sedette in riva al torrentello e si mise Chantal sulle ginocchia. L'amaca si allentò, togliendole il peso dalla schiena. Le echeggiavano nella mente le parole di Ellis: *Se agiremo al momento giusto potremo ucciderli tutti.* Era possibile? si chiese. Sarebbero morti tutti quanti?

Cosa avrebbero fatto gli altri russi, allora? La mente di Jane incominciò a schiarirsi. Considerò la possibile sequenza degli eventi. Tra un'ora o due qualcuno si sarebbe accorto che la squadra non aveva chiamato da un po', e avrebbero cercato di mettersi in contatto radio. Non ci sarebbero riusciti e avrebbero pensato che la squadra si trovava in una gola stretta e profonda, o che la radio si era rotta. Dopo altre due ore senza contatti avrebbero mandato un elicottero a cercare la squadra, pensando che l'ufficiale comandante avesse avuto l'idea di accendere un fuoco o di fare comunque qualcosa per rendere ben visibile dall'alto la sua posizione. Quando non avessero trovato nulla, al comando avrebbero incominciato a preoccuparsi. Avrebbero mandato un'altra squadra di ricerca per rintracciare la squadra scomparsa. E quella nuova avrebbe dovuto percorrere la stessa strada. Senza dubbio non ce l'avrebbe fatta a completare il tragitto entro la giornata, e di notte le ricerche sarebbero state impossibili. Quando avessero trovato i morti, loro due avrebbero avuto almeno un giorno e mezzo di vantaggio, forse anche di più. E poteva bastare, pensò Jane: nel frattempo loro avrebbero superato tanti guadi e tante valli secondarie e sentieri alternativi, che rintracciarli sarebbe diventato un'impresa impossibile. Chissà, pensò stancamente. Chissà se sarebbe finita. Vorrei che i soldati si affrettassero. Non sopporto questa attesa. Ho tanta paura.

Vedeva chiaramente Ellis che strisciava carponi lungo il ciglio della rupe. E vedeva anche i soldati che scendevano la valle. Anche a quella distanza apparivano sporchi, e le spalle curve e il passo strascicato rivelavano che erano stanchi e demoralizzati. Non l'avevano ancora vista: era mimetizzata nel paesaggio.

Ellis si acquattò dietro una roccia e sbirciò i soldati che si avvicinavano. Era visibile per Jane ma non per i russi, e vedeva bene il punto dove era sistemato l'esplosivo.

I russi giunsero all'inizio della gola e incominciarono a scendere. Uno era a cavallo e aveva i baffi. Doveva essere un ufficiale. Un altro portava un berretto chitrali. È Halam, pensò

Jane: il traditore. Dopo ciò che aveva fatto Jean-Pierre, il tradimento le sembrava una colpa imperdonabile. C'erano altri cinque, e tutti avevano i capelli corti, i berretti d'ordinanza e facce giovani e glabre. Due uomini e cinque ragazzi, pensò Jane.

Guardò Ellis. Le avrebbe dato il segnale da un momento all'altro. Incominciava a dolerle il collo per lo sforzo di tenerlo proteso. I soldati non l'avevano ancora vista; erano troppo intenti a procedere sul terreno roccioso. Finalmente Ellis si girò verso di lei e agitò adagio le braccia sopra la testa.

Jane guardò di nuovo i soldati. Uno prese le redini del cavallo per aiutarlo a procedere. Jane aveva nella mano sinistra il congegno a siringa e teneva l'indice destro appoggiato all'anello a strappo. Uno strattone avrebbe acceso la miccia, avrebbe fatto esplodere il tritolo e avrebbe fatto crollare la rupe sugli inseguitori. Cinque ragazzi, pensò. Si erano arruolati nell'esercito perché sono poveri o stupidi, o forse erano di leva. Li avevano mandati in un paese freddo e inospitale dove la popolazione li odiava. Avevano attraversato a piedi una catena di montagne gelide e desolate e sarebbero finiti sepolti sotto una frana, con le teste sfracellate e i polmoni pieni di terriccio e le schiene spezzate e i toraci schiacciati, e avrebbero urlato, soffocati, sarebbero morti dissanguati fra le sofferenze e il terrore. Cinque lettere da scrivere a cinque padri fieri e a cinque madri in ansia: ci dispiace comunicare, morto in azione, lotta storica contro le forze della reazione, atto d'eroismo, medaglia alla memoria, sentite condoglianze. Sentite condoglianze. Il disprezzo della madre per quelle parole altisonanti, mentre ricordava come aveva partorito tra le sofferenze e la paura, aveva nutrito il figlio nei tempi facili e nei tempi duri, gli aveva insegnato a camminare e a lavarsi le mani e a dire il suo nome, e l'aveva mandato a scuola; l'aveva visto crescere fino a quando era diventato alto come lei, e poi più alto, ed era stato pronto a guadagnarsi da vivere e a sposare una ragazza sana e a mettere su famiglia e a darle tanti nipotini. L'angoscia della madre quando avrebbe saputo che tutto, tutto ciò che aveva fatto, la sofferenza e le fatiche e la preoccupazione, era stato inutile: quel miracolo, quel figlio maschio, era stato ucciso in una stupida guerra senza scopo. Il senso di perdita. Il senso di perdita.

Jane sentì Ellis gridare. Lo guardò. Era ancora in piedi, senza preoccuparsi che lo vedessero, e agitava le braccia e urlava: «Adesso! Adesso!».

Cautamente, Jane posò il congegno a strappo per terra, accanto al torrente.

I soldati li avevano visti. Due di loro incominciarono a salire sul lato della gola, verso Ellis. Gli altri circondarono Jane, puntarono i fucili su di lei e sulla bambina. Sembravano imbarazzati e sorpresi. Lei li ignorò e guardò Ellis. Stava scendendo. Gli uomini che si erano inerpicati per raggiungerlo si fermarono e attesero per vedere cosa intendeva fare.

Ellis arrivò a terra e si avvicinò a lei a passo lento. Si fermò. «Perché?» chiese. «Perché non l'hai fatto?»

Perché sono così giovani, pensò, perché sono giovani e innocenti e non vogliono uccidere me. Perché sarebbe stato un assassinio. Ma soprattutto...

«Perché hanno una madre» disse.

Jean-Pierre aprì gli occhi. Anatoly era acquattato accanto al letto da campo. Dietro di lui, il sole entrava nella tenda aperta. Per un momento Jean-Pierre fu sopraffatto dal panico: non sapeva perché aveva dormito fino a così tardi, non sapeva che cosa gli fosse sfuggito. Poi ricordò in un lampo gli avvenimenti di quella notte.

Lui e Anatoly si erano accampati nelle vicinanze del Passo di Kantiwar. Li aveva svegliati verso le due e mèzzo del mattino il capitano che comandava la squadra di ricerca e che a sua volta era stato svegliato dal soldato di guardia. Un giovane afgano che si chiamava Halam era arrivato all'accampamento, aveva riferito il capitano. In un miscuglio di francese e di russo aveva detto d'aver fatto da guida agli americani in fuga; ma l'avevano offeso ripetutamente e lui li aveva abbandonati. Quando gli avevano chiesto dov'erano adesso gli americani, si era offerto di condurli alla casupola di pietra dove stavano dormendo ignari della sua scomparsa.

Jean-Pierre avrebbe voluto balzare sull'elicottero per partire subito.

Anatoly era stato più diffidente. «In Mongolia abbiamo un detto: Non avere un'erezione finché la puttana non allarga le gambe» disse. «Può darsi che Halam menta. E se dice la verità, può darsi che non sia in grado di ritrovare la casupola, soprattutto di notte e soprattutto dall'alto. E anche se la trova, può darsi che loro se ne siano andati.»

«Allora cosa pensi che dovremmo fare?»

«Mandare avanti una squadra... un capitano, cinque uomini e un cavallo... e Halam, naturalmente. Possono partire subito. Noi riposeremo finché troveranno i fuggiaschi.»

La prudenza di Anatoly era giustificata. La squadra aveva comunicato per radio alle tre e mezzo, e aveva riferito che la casupola era vuota. Ma il fuoco era ancora acceso, quindi era probabile che Halam avesse detto la verità.

Anatoly e Jean-Pierre avevano concluso che Ellis e Jane s'erano svegliati nel cuore della notte, avevano scoperto la sparizione della guida e avevano deciso di ripartire. Anatoly, allora, aveva ordinato alla squadra d'inseguirli, affidandosi a Halam perché indicasse il percorso più probabile.

A quel punto Jean-Pierre era tornato a letto piombando in un sonno così pesante che non si era svegliato all'alba. Guardò Anatoly con lo sguardo annebbiato e chiese: «Che ora è?».

«Le otto. E li abbiamo presi.»

Il cuore gli diede un balzo. Poi ricordò che già altre volte aveva provato quella sensazione e poi era rimasto deluso. «È certo?» chiese.

«Possiamo andare a controllare non appena ti sarai infilato i calzoni.»

Infatti partirono quasi subito. Un elicottero da rifornimento arrivò mentre stavano per salire a bordo, e Anatoly ritenne opportuno attendere qualche minuto mentre venivano riempiti i serbatoi, e Jean-Pierre dovette frenare ancora per un po' l'impazienza che lo divorava.

Decollarono dopo qualche minuto. Jean-Pierre osservava il paesaggio attraverso il portello aperto. Mentre si addentravano fra le montagne si accorse che era il territorio più squallido e aspro che avesse visto in Afghanistan. Jane aveva davvero attraversato quel paesaggio lunare spoglio e incrostato di ghiaccio con una bambina tra le braccia? Deve odiarmi profondamente, pensò Jean-Pierre, se ha affrontato una simile fuga per allontanarsi da me. Adesso saprà che è stato tutto vano. È mia per sempre.

Ma l'avevano presa davvero? Jean-Pierre temeva un'altra delusione. Quando fosse atterrato, avrebbe scoperto che avevano catturato un'altra coppia di *hippies* o due alpinisti fanatici, o magari due nomadi che avevano un aspetto vagamente europeo?

Anatoly indicò il Passo di Kantiwar mentre lo sorvolavano. «Sembra che abbiano perso il cavallo» soggiunse, gridando all'orecchio di Jean-Pierre nel fragore dei motori e del vento. Jean-Pierre scorse la carcassa d'un cavallo nella neve sotto il passo. Si chiese se era Maggie. Se lo augurava.

Scesero in volo la Valle di Kantiwar, scrutando il terreno per cercare la squadra avanzata. Finalmente videro il fumo: qualcuno aveva acceso un fuoco per guidarli. Scesero verso un tratto pianeggiante presso l'inizio d'una gola. Jean-Pierre scrutò l'area mentre si abbassavano. Vide tre o quattro uomini in uniforme russa, ma non individuò Jane.

L'elicottero si posò. Jean-Pierre aveva il cuore il gola. Balzò a terra, sopraffatto dalla nausea della tensione. Anatoly lo seguì. Il capitano li condusse nella gola.

Erano là.

Jean-Pierre si sentiva come qualcuno che è stato torturato e ora ha in suo potere il suo carnefice. Jane era seduta a terra in riva a un torrente e teneva Chantal sulle ginocchia. Ellis era in piedi dietro di lei. Sembravano tutti e due esausti, sconfitti e demoralizzati.

Jean-Pierre si fermò. «Vieni qui» disse a Jane.

Lei si alzò e gli andò incontro. Jean-Pierre vide che portava Chantal in una specie di amaca appesa intorno al collo che le lasciava libere le mani. Ellis fece per seguirla. «Tu no» disse Jean-Pierre. Ellis si fermò.

Jane guardò Jean-Pierre. Lui alzò la mano destra e le colpì la faccia con tutte le sue forze. Era lo schiaffo più soddisfacente che avesse mai dato a qualcuno. Jane arretrò barcollando come se stesse per cadere; ma ritrovò l'equilibrio e restò a guardarlo con aria di sfida mentre lacrime di dolore le scorrevano sulle guance. Più indietro, Jean-Pierre vide Ellis avanzare d'un passo e poi arrestarsi. Si sentì un po' deluso: se Ellis avesse cercato di reagire, i soldati gli sarebbero balzati addosso e l'avrebbero picchiato. Comunque non aveva importanza: l'avrebbero fatto presto in ogni caso.

Alzò la mano per schiaffeggiare di nuovo Jane. Lei trasalì e coprì Chantal con le braccia per proteggerla. Cambiò idea. «Ci sarà tutto il tempo» disse, riabbassando la mano. «Ci sarà tutto il tempo.»

Jean-Pierre si voltò e ritornò verso l'elicottero. Jane abbassò lo sguardo su Chantal. La bimba la guardava: era sveglia ma non aveva fame. Jane la strinse, come se fosse la bimba ad aver bisogno di conforto. In un certo senso era contenta che Jean-Pierre l'avesse schiaffeggiata, anche se il viso le bruciava ancora per il dolore e l'umiliazione. Quello schiaffo era come una sentenza definitiva di divorzio: significava che il suo matrimonio era definitivamente, ufficialmente finito, e lei non aveva altre responsabilità. Se Jean-Pierre avesse pianto o le avesse chiesto perdono o l'avesse implorata di non odiarlo per ciò che aveva fatto, si sarebbe sentita in colpa. Ma lo schiaffo aveva troncato tutto. Non provava più nulla per lui: né amore, né rispetto, neppure compassione. Era un'ironia, pensò, che si sentisse completamente libera proprio nel momento in cui l'avevano catturata.

Fino a quel momento il comando era spettato a un capitano, quello che era arrivato a cavallo. Ma adesso a dare gli ordini era Anatoly, il russo con la faccia da orientale che era stato il contatto di Jean-Pierre. Mentre lui parlava, Jane si accorse che capiva quanto stava dicendo. Era più di un anno che non sentiva parlare russo, e all'inizio le era sembrato incomprensibile; ma adesso che si era abituata capiva perfettamente ogni parola. Anatoly stava dicendo a un soldato di legare le mani di Ellis. Il soldato, che evidentemente si attendeva l'ordine, tirò fuori un paio di manette. Ellis tese le mani, rassegnato.

Sembrava così demoralizzato e intimorito. Nel vederlo in catene, sconfitto, Jane provò uno slancio di pietà e di disperazione. I suoi occhi si riempirono di lacrime.

Il soldato chiese se doveva ammanettare anche lei.

«No» disse Anatoly. «Ha la bambina.»

Li condussero all'elicottero. Ellis disse: «Mi dispiace. Per ciò che ha fatto Jean-Pierre. Non ho potuto impedirglielo...».

Jane scosse la testa per fargli capire che non doveva scusarsi. Ma non riuscì a parlare. La sottomissione di Ellis la rendeva furiosa, non solo con lui, ma con tutti gli altri che l'avevano ridotto così: Jean-Pierre e Anatoly e Halam e i russi. Adesso era quasi pentita di non aver provocato l'esplosione.

Ellis salì a bordo con un balzo e poi si chinò per aiutarla. Jane sostenne Chantal con il braccio sinistro per tener salda l'amaca, e gli porse la mano destra. Ellis la issò. Nell'attimo in cui gli fu più vicino, le mormorò: «Appena decolleremo, schiaffeggia Jean-Pierre».

Jane era troppo sconvolta per reagire, e probabilmente fu una fortuna. Sembrava che nessun altro avesse sentito: e comunque nessuno di loro conosceva bene l'inglese. Jane si sforzò di assumere un'espressione normale.

La cabina passeggeri era piccola e spoglia, e così bassa che gli uomini dovevano chinarsi. Non c'era niente, tranne una panca per sedersi fissata alla fusoliera di fronte al portello. Jane sedette con un senso di sollievo. Riusciva a vedere l'abitacolo. Il sedile del pilota era innalzato di quasi un metro e accanto c'era uno scalino per accedervi. Il pilota era ancora lì, perché l'equipaggio non era sceso a terra, e i rotori giravano ancora. Il fragore era assordante.

Ellis si accosciò sul pavimento accanto a Jane, tra la panca e il sedile del pilota.

Anatoly salì con un soldato. Gli parlò e indicò Ellis. Jane non riuscì a sentire, ma dalla reazione del soldato non fu difficile capire che aveva ricevuto l'ordine di sorvegliare Ellis: si tolse il fucile dalla spalla e lo tenne fra le mani.

Jean-Pierre salì per ultimo. Rimase accanto al portello aperto mentre l'apparecchio si sollevava. Jane era in preda al panico. Ellis le aveva detto di schiaffeggiare Jean-Pierre al momento del decollo, ma come poteva farlo? In quel momento lui le voltava le spalle e stava accanto al portello aperto... se avesse cercato di colpirlo avrebbe perduto probabilmente l'equilibrio e sarebbe caduta fuori. Guardò Ellis sperando che le desse qualche indicazione. Lui aveva un'espressione tesa, ma evitava di guardarla negli occhi.

L'elicottero s'innalzò di quasi tre metri, indugiò un momento, poi si abbassò, accelerò e riprese a salire.

Jean-Pierre si scostò dal portello, attraversò la cabina e vide che non c'era posto per sedersi. Esitò. Jane sapeva che avrebbe dovuto alzarsi e schiaffeggiarlo, anche se non sapeva perché... ma era inchiodata sul sedile, paralizzata dal panico. Poi Jean-Pierre le fece un cenno con il pollice, per indicarle di alzarsi.

Jane scattò.

Era stanca e disperata e dolorante e affamata e distrutta, e lui voleva che si alzasse con la bambina in braccio, per farlo sedere. Quel secco gesto del pollice sembrava riassumere tutta la sua crudeltà, la cattiveria e il tradimento, e la esasperò. Si alzò con Chantal appesa al collo, accostò il proprio viso al suo e urlò: «Bastardo! Bastardo!». Le parole si persero nel rombo dei motori e nel vento, ma bastò l'espressione del suo viso a sconvolgerlo, perché indietreggiò d'un passo. «Ti odio!» urlò Jane. Poi si avventò verso di lui con le mani protese e lo sospinse con violenza all'indietro, oltre il portello aperto.

I russi avevano commesso un errore. Era un errore da poco, ma Ellis non poteva contare su altro e e era pronto a approfittarne. L'errore era stato ammanettargli le mani davanti anziché dietro la schiena.

Aveva sperato che non lo ammanettassero affatto... e perciò si era dominato con uno sforzo sovrumano quando Jean-Pierre aveva incominciato a schiaffeggiare Jane. C'era stata la possibilità che non lo legassero: dopotutto era solo e disarmato. Ma sembrava che Anatoly fosse un tipo prudente.

Per fortuna, non era stato Anatoly a ammanettarlo, ma il soldato. I soldati sapevano che era più facile occuparsi di un prigioniero se aveva le mani legate davanti: era meno probabile che cadesse e poteva salire e scendere senza aiuto da camion e elicotteri. Perciò quando Ellis aveva teso docilmente le mani il soldato non ci aveva pensato due volte.

Senza un aiuto, Ellis non poteva sopraffare tre uomini, soprattutto quando almeno uno di loro era armato. Le sue probabilità in una lotta normale erano zero: l'unica speranza era far precipitare l'elicottero.

Vi fu un istante in cui il tempo parve fermarsi quando Jane si fermò accanto al portello aperto, con la bimba che oscillava appesa al collo, e fissava inorridita Jean-Pierre che cadeva nel vuoto; e in quell'istante Ellis pensò: *Siamo appena a quattro o cinque metri e probabilmente quel bastardo sopravvivrà, purtroppo.* Poi Anatoly balzò in piedi e afferrò da dietro le braccia di Jane. Adesso, Anatoly e Jane stavano tra Ellis e il soldato, all'estremità opposta della cabina.

Ellis si girò di scatto, balzò accanto al sedile rialzato del pilota, gli passò sopra la testa le braccia ammanettate, tirò all'indietro la catena delle manette piantandola nella gola dell'uomo, e diede uno strattone.

Il pilota non si abbandonò al panico.

Continuò a tenere i piedi sui pedali, la mano sinistra sulla leva, e alzò la destra per artigliare i polsi di Ellis.

Ellis ebbe un attimo di paura. Era la sua ultima occasione e non aveva più di un paio di secondi. In un primo momento, il soldato nella cabina non avrebbe osato sparare per non colpire il pilota; e Anatoly, se era armato, avrebbe avuto lo stesso timore. Ma poi uno dei due si sarebbe reso conto che non avevano nulla da perdere, perché se non gli avessero sparato, l'elicottero sarebbe precipitato comunque. E allora avrebbero rischiato.

Si sentì afferrare per le spalle. Intravide una manica grigio-scura e capì che era Anatoly. Giù, nel muso dell'apparecchio, il mitragliere si voltò, vide quello che stava succedendo e fece per alzarsi.

Ellis tirò furiosamente la catena. Il dolore fu troppo forte per il pilota, che sollevò entrambe le mani e lasciò il sedile.

Non appena abbandonò i comandi, l'elicottero incominciò a impennarsi e a oscillare nel vento. Ellis era pronto e si tenne saldo puntellandosi contro il sedile; ma Anatoly, dietro di lui, perse l'equilibrio e allentò la stretta.

Ellis trascinò via il pilota dal sedile e lo scagliò sul pavimento, poi prese i comandi e spinse in basso la leva.

L'elicottero precipitò come un sasso.

Ellis si girò e si preparò all'urto.

Il pilota era sul pavimento ai suoi piedi e si teneva le mani sulla gola. Anatoly era caduto lungo disteso. Jane era rannicchiata in un angolo e cingeva Chantal con le braccia per proteggerla. Anche il soldato era caduto; ma aveva ritrovato l'equilibrio e adesso stava su un ginocchio e sollevava il Kalashnikov verso Ellis.

Nell'attimo in cui premette il grilletto, il carrello dell'elicottero toccò il suolo.

L'impatto lo gettò in ginocchio: ma se l'aspettava e non perse l'equilibrio. Il soldato vacillò e la raffica sforacchiò la fusoliera a un metro dalla testa di Ellis; quindi cadde in avanti, lasciò l'arma e protese le mani per attutire l'urto.

Ellis si chinò, afferrò il fucile mitragliatore e lo strinse goffamente tra le mani ammanettate.

Fu un momento di gioia pura.

Adesso stava combattendo. Era fuggito, era stato catturato e umiliato, aveva sofferto il freddo e la fame e la paura, aveva dovuto assistere impotente mentre Jean-Pierre schiaffeggiava Jane: ma adesso, finalmente, aveva una possibilità di combattere.

Accostò l'indice al grilletto. Le mani erano troppo vicine perché potesse tenere il Kalashnikov nella posizione normale, ma riusciva a sostenere la canna usando la mano sinistra per stringere il caricatore curvo che sporgeva immediatamente al di sotto della guardia del grilletto.

Il motore dell'elicottero andò in stallo, i rotori incominciarono a rallentare. Ellis vide il mitragliere che balzava dal portello laterale. Doveva assumere in fretta il controllo della situazione, prima che i russi là fuori si riprendessero dalla sorpresa.

Si mosse, piazzandosi in modo che Anatoly, ancora steso sul pavimento, fosse tra lui e il portello. Poi gli appoggiò la canna del Kalashnikov sulla guancia.

Il soldato lo guardava atterrito. «Scendi» ordinò Ellis con un cenno del capo. Il soldato capì e saltò a terra.

Il pilota era ancora disteso: sembrava che respirasse a fatica. Ellis gli sferrò un calcio e ordinò anche a lui di scendere. L'uomo si alzò a stento, stringendosi le mani alla gola, e obbedì.

Ellis disse a Jane: «Di' a questo bastardo di scendere dall'elicottero e di restarmi vicino, voltandomi la schiena. Presto!».

Jane gridò a Anatoly un torrente di parole in russo. L'uomo si alzò, lanciò a Ellis un'occhiata di odio intenso, e scese lentamente.

Ellis gli appoggiò la canna dell'arma contro la nuca e disse: «Ordinagli di dire agli altri che restino immobili.»

Jane parlò di nuovo e Anatoly gridò un ordine. Ellis si guardò intorno. Il pilota, il mitragliere e il soldato che erano stati a bordo non erano andati lontano. Poco più oltre c'era Jean-Pierre; stava seduto a terra e si stringeva una caviglia. Doveva essere caduto bene, pensò Ellis; non si era fatto quasi nulla. Più in là c'erano altri tre soldati, il capitano, il cavallo e Halam.

Ellis parlò a Jane. «Di' a Anatoly che si sbottoni il cappotto, tiri fuori la pistola lentamente e te la passi.»

Jane tradusse. Ellis premette più forte la canna del Kalashnikov contro la nuca di Anatoly mentre questi estraeva la pistola dalla fondina e la porgeva tendendo la mano all'indietro.

Jane prese l'arma.

Ellis disse: «È una Makarov? Sì. C'è una sicura a sinistra. Muovila fino a coprire il punto rosso. Per sparare, prima tira indietro il cursore sopra l'impugnatura, poi premi il grilletto. Chiaro?».

«Chiaro» disse Jane. Era pallida e tremava ma aveva la bocca atteggiata in una smorfia decisa.

Ellis continuò: «Digli che ordini ai soldati di portare qui le armi, uno a uno, e di buttarle a bordo».

Jane tradusse e Anatoly diede l'ordine.

«Puntagli contro la pistola quando si avvicinano» soggiunse Ellis.

Uno dopo l'altro, i soldati si accostarono e consegnarono le armi.

«Cinque uomini» disse Jane.

«Cosa stai dicendo?»

«C'erano il capitano, Halam, e cinque uomini. Ne vedo soltanto quattro.»

«Di' a Anatoly che faccia saltare fuori anche l'altro, se ci tiene a vivere.»

Jane tradusse, gridando, e Ellis fu sorpreso dalla veemenza del suo tono. Anatoly sembrava spaventato mentre dava l'ordine. Dopo un momento il quinto soldato girò intorno alla coda dell'elicottero e venne a consegnare l'arma come gli altri.

«Brava» le disse Ellis. «Quello poteva rovinare tutto. Ora dagli l'ordine di sdraiarsi.»

Un minuto più tardi erano tutti stesi bocconi a terra.

«Dovrai sparare per farmi saltare le manette» disse Ellis. Posò il fucile e tese le braccia verso il vano del portello. Jane tirò indietro il cursore della pistola e appoggiò la canna alla catena. Si piazzarono in modo che il proiettile finisse all'esterno.

«Spero di non rimetterci i polsi.»

Jane chiuse gli occhi e premette il grilletto.

Ellis imprecò. In un primo momento i polsi gli fecero un male d'inferno, ma poi si accorse che non erano fratturati. S'era spezzata soltanto la catena.

Riprese il Kalashnikov. «Adesso voglio la loro radio» disse.

All'ordine di Anatoly, il capitano incominciò a sciogliere le cinghie che legavano una grossa cassetta alla groppa del cavallo.

Ellis si chiese se l'elicottero era ancora in grado di volare. Il carrello doveva essere distrutto, naturalmente, e sotto potevano esserci chissà quali danni; ma il motore e i cavi dei comandi principali erano in alto. Ricordava che durante la battaglia di Darg aveva visto un Hind precipitare per una decina di metri e poi risollevarsi. Se ce l'ha fatta quello, anche questo dovrebbe riuscire a volare. Se no...

Non sapeva che cosa avrebbe fatto, altrimenti.

Il capitano portò la radio e la posò nell'elicottero, poi si allontanò.

Ellis si concesse un momento di respiro. Finché la radio l'aveva lui, i russi non potevano mettersi in contatto con la base. Quindi non potevano chiedere rinforzi, non potevano riferire a nessuno cos'era accaduto. Se fosse riuscito a far decollare l'elicottero, non avrebbe corso il rischio di essere inseguito.

«Tieni la pistola puntata contro Anatoly» disse a Jane. «Io vado a vedere se questo trabiccolo ce la fa a volare.»

A Jane sembrava che la pistola fosse stranamente pesante. Per un po' restò con il braccio teso, tenendo sotto mira Anatoly; ma poco dopo dovette abbassare la mano per riposare. Con la sinistra accarezzò dolcemente la schiena di Chantal. La piccola aveva pianto a intervalli negli ultimi minuti, ma ora aveva smesso.

Il motore dell'elicottero si accese, tossì, esitò. Oh, ti prego, accenditi, pregò Jane. Ti prego.

Il motore si accese rombando e Jane vide girare le pale.

Jean-Pierre alzò la testa.

Non osare, pensò Jane. Non muoverti!

Jean-Pierre si sollevò a sedere, la guardò e si alzò faticosamente in piedi.

Jane gli puntò contro la pistola.

Jean-Pierre incominciò a avviarsi verso di lei.

«Non costringermi a spararti!» urlò Jane, ma la sua voce fu sommersa dal rombo sempre più forte dell'elicottero.

Anatoly doveva aver visto Jean-Pierre che si muoveva perché rotolò su se stesso e si sollevò a sedere. Jane girò la canna dell'arma verso di lui e il russo alzò le mani in segno di resa. Jane tornò a puntare la pistola contro Jean-Pierre. Ma Jean-Pierre non si era fermato.

Jane sentì l'elicottero che vibrava e si sforzava di alzarsi.

Ormai Jean-Pierre era vicinissimo. Poteva vedergli chiaramente il viso. Teneva le mani aperte in un gesto d'invocazione ma nei suoi occhi c'era una luce folle. È impazzito, pensò; o forse era già impazzito molto tempo fa.

«Attento!» urlò sebbene sapesse che lui non poteva sentirla. «Ti sparo!»

L'elicottero si staccò da terra.

Nello stesso attimo, Jean-Pierre spiccò un salto e piombò a bordo. Jane si augurò che cadesse di nuovo, ma lui ritrovò l'equilibrio. La guardò con occhi pieni d'odio e si raccolse per scattare.

Jane chiuse gli occhi e premette il grilletto.

La pistola le sobbalzò nella mano con un fragore tremendo.

Riaprì gli occhi. Jean-Pierre era ancora in piedi, con un'espressione di sbalordimento sul viso. Una macchia scura gli si stava allargando sul petto. Vinta dal panico, Jane premette il grilletto ancora una volta, e poi ancora, e una terza volta. Mancò la mira con i primi due colpi, ma il terzo dovette centrarlo alla spalla. Jean-Pierre girò su se stesso, e piombò fuori dal portello a capofitto.

Scomparve.

L'ho ucciso, pensò Jane.

In un primo momento provò una sorta di folle euforia. Lui aveva cercato di catturarla e di imprigionarla e di renderla schiava. Le aveva dato la caccia come a un animale. L'aveva tradita e l'aveva picchiata. Ora lei lo aveva ucciso.

Poi fu sopraffatta dall'angoscia. Sedette sul pavimento e scoppiò in singhiozzi. Anche Chantal incominciò a piangere, e Jane la cullò fra le braccia e pianse con lei.

Non sapeva per quanto tempo fosse rimasta così. Alla fine si alzò, andò accanto al sedile del pilota.

«Tutto bene?» le gridò Ellis.

Lei annuì e si sforzò di sorridere.

Ellis ricambiò il sorriso, indicò un manometro e gridò: «Guarda... i serbatoi sono pieni!».

Jane gli baciò la guancia. Un giorno gli avrebbe detto che aveva sparato a Jean-Pierre, ma non adesso. «Il confine è molto lontano?» chiese.

«Meno di un'ora. E non possono mandare nessuno a inseguirci perché la loro radio l'abbiamo noi.»

Jane guardò fuori dal vetro. Direttamente davanti a lei vide i monti ammantati di bianco che avrebbe dovuto scalare. Non credo che ce l'avrei fatta, si disse. Mi sarei sdraiata sulla neve e avrei atteso la morte.

Ellis aveva un'espressione assorta.

«A cosa pensi?» gli chiese.

«Pensavo che mi piacerebbe un sandwich di roast beef con lattuga e pomodoro e maionese e pane integrale» disse Ellis, e Jane sorrise.

Chantal si agitò e pianse. Ellis staccò una mano dai comandi e le sfiorò la guancia rosata. «Ha fame» disse.

«Andrò dietro a allattarla» disse Jane. Tornò nella cabina passeggeri e sedette sulla panca. Si sbottonò l'impermeabile e allattò la figlioletta mentre l'elicottero volava incontro al nuovo sole.

Parte terza

1983

20

Jane era soddisfatta mentre percorreva il vialetto della casa e sedeva nella macchina di Ellis. Il pomeriggio era andato bene. Le pizze erano buone e a Petal era piaciuto *Flashdance*. Ellis si era preoccupato molto all'idea di presentarle sua figlia, ma Petal era rimasta incantata dalla piccola Chantal che adesso aveva otto mesi, e tutto era stato facile. Ellis era stato così contento che, quando avevano riaccompagnato Petal, aveva proposto a Jane di arrivare fino alla porta con lui per salutare Gill. Gill li aveva invitati a entrare e aveva fatto un'accoglienza molto festosa a Chantal, e così Jane aveva finito per conoscere l'ex moglie di Ellis, oltre alla figlia, e tutto in quell'unico pomeriggio.

Ellis (Jane non si sarebbe mai abituata al fatto che il vero nome era John e aveva deciso di continuare a chiamarlo Ellis) posò Chantal sul sedile posteriore e salì in macchina a fianco di Jane. «Dunque, cosa ne pensi?» chiese mentre partivano.

«Non mi avevi detto che era tanto carina» osservò Jane.

«Petal è carina?»

«Mi riferivo a Gill» disse Jane ridendo.

«Sì, è carina.»

«Sono persone per bene e non meritano di avere a che fare con un tipo come te.»

Scherzava, ma Ellis annuì cupamente.

Jane si avvicinò e gli toccò la coscia. «Non dicevo sul serio» mormorò.

«Ma è vero.»

Per un po' viaggiarono in silenzio. Erano passati esattamente sei mesi dal giorno in cui erano fuggiti dall'Afghanistan. Ogni tanto Jane scoppiava a piangere senza una ragione apparente; ma non aveva più gli incubi nei quali continuava a sparare contro Jean-Pierre. Nessuno, tranne lei e Ellis, sapevano cos'era accaduto: Ellis aveva mentito ai suoi superiori a proposito delle circostanze della morte di Jean-Pierre, e Jane aveva deciso che un giorno avrebbe detto a Chantal che suo padre era morto in Afghanistan durante la guerra, e niente di più.

Anziché dirigersi verso la città, Ellis percorse una serie di vie secondarie e andò a fermare la macchina accanto a un terreno deserto affacciato sull'acqua.

«Che cosa siamo venuti a fare?» chiese Jane. «A far l'amore?»

«Se ti va. Ma vorrei parlare.»

«Bene.»

«È stata una bella giornata.»

«Sì.»

«Petal non era mai stata così rilassata, con me.»

«Come mai?»

«Ho una teoria» disse Ellis. «È così perché ci siete tu e Chantal. Ora che faccio parte di una famiglia non rappresento più una minaccia per la sua stabilità. Almeno, credo che sia così.»

«Mi sembra logico. È di questo che volevi parlarmi?»

«No.» Ellis esitò. «Lascio l'Agenzia.»

Jane annuì. «Sono contenta» disse di slancio. Si aspettava qualcosa di simile. Ellis stava chiudendo i conti con il passato.

«La missione afgana è sostanzialmente conclusa» continuò lui. «Il programma di addestramento di Masud è in atto e hanno ricevuto la prima spedizione di armi. Masud è diventato tanto forte che ha potuto negoziare una tregua invernale con i russi.»

«Bene!» disse Jane. «Sono favorevole a tutto ciò che può portare a un cessate-il-fuoco.»

«Mentre io ero a Washington e tu a Londra mi hanno offerto un altro lavoro. Ci terrei a farlo, e inoltre rende bene.»

«Di che si tratta?» chiese Jane incuriosita.

«Lavorare in una nuova *task force* presidenziale per la lotta alla criminalità organizzata.»

Una fitta di paura assalì Jane. «È pericoloso.»

«Per me no. Ormai sono troppo vecchio per le attività clandestine. Avrò il compito di dirigere quelle degli altri.»

Jane capì che non era del tutto sincero. «Dimmi la verità, mascalzone» insistette.

«Ecco, è molto meno pericoloso di quello che ho fatto finora. Ma non è di tutto riposo come insegnare in un asilo infantile.»

Jane sorrise. Sapeva dove voleva arrivare Ellis, e ne era felice.

Lui disse: «E poi, avrò la sede qui a New York».

Questo la colse alla sprovvista. «Davvero?»

«Perché ti sorprende tanto?»

«Perché ho presentato domanda di assunzione alle Nazioni Unite. Qui a New York.»

«Non me l'avevi detto!» esclamò Ellis, offeso.

«E tu non mi avevi parlato dei tuoi progetti» ribatté lei.

«Te ne sto parlando ora.»

«Anch'io te ne sto parlando ora.»

«Ma... mi avresti lasciato?»

«Perché dovremmo vivere dove lavori tu? Perché non potremmo vivere dove lavoro io?»

«Nel mese in cui siamo rimasti separati avevo dimenticato che sei maledettamente suscettibile» disse Ellis.

«Giusto.»

Vi fu un silenzio.

Poi Ellis disse: «Be', comunque, dato che vivremo a New York tutti e due...».

«Potremmo dividere le spese di casa?»

«Sì» rispose Ellis esitando.

Adesso Jane era pentita dello scatto. Non si era comportato così per noncuranza, ma perché non ci aveva pensato. Aveva rischiato di perderlo in Afghanistan e adesso non riusciva mai a restare in collera a lungo con lui; ricordava sempre come l'aveva spaventata la possibilità che venissero separati per sempre, e come era stata indicibilmente felice perché erano rimasti insieme e erano sopravvissuti.

«Per la precisione... pensavo di farne una cosa ufficiale. Se sei d'accordo.»

Era quello che lei stava aspettando. «Ufficiale?» ripeté come se non avesse capito.

«Sì» disse lui, impacciato. «Voglio dire che potremmo sposarci. Se vuoi.»

Jane rise, felice. «Allora fai come si deve, Ellis! Una vera proposta di matrimonio!»

Ellis le prese la mano. «Jane, mia cara, ti amo. Vuoi sposarmi?»

«Sì! Sì!» esclamò lei. «Al più presto possibile! Domani! Oggi stesso!»

«Grazie» disse Ellis.

Jane si sporse e lo baciò. «Anch'io ti amo.»

Poi rimasero seduti in silenzio, tenendosi per mano, e guardarono il tramonto. Era strano, pensò Jane, ma l'Afghanistan sembrava irreale, ormai, come un brutto sogno, vivido ma non più spaventoso. Ricordava abbastanza bene le persone, Abdullah il mullah e Rabia la levatrice, il bel Mohammed e la sensuale Zahara e la fedele Fara... ma le bombe e gli elicotteri, la paura e i disagi si stavano dileguando dalla sua memoria. Questa era la vera avventura, pensò: sposarsi e allevare Chantal e fare in modo che il mondo diventasse migliore perché lei potesse viverci.

«Vogliamo andare?» chiese Ellis.

«Sì.» Jane gli strinse forte la mano un'ultima volta e la lasciò. «Abbiamo tanto da fare.»

Ellis accese il motore e tornarono in città.

BIBLIOGRAFIA

Quelli che seguono sono libri sull'Afghanistan scritti da autori che lo hanno visitato dopo l'invasione sovietica del 1979:

Chaliand, Gerard: *Report from Afghanistan* (New York, Penguin, 1982).

Fullerton, John: *The Soviet Occupation of Afghanistan* (London, Methuen, 1984).

Gall, Sandy: *Behind Russian Lines* (London, Sidgwick & Jackson, 1983).

Martin, Mike: *Afghanistan: Inside a Rebel Stronghold* (Poole, Blandford Press, 1984).

Ryan, Nigel: *A Hitch or Two in Afghanistan* (London, Weidenfeld & Nicolson, 1983).

Van Dyk, Jere: *In Afghanistan* (New York, Coward-McCann, 1983).

Il classico testo di consultazione sull'Afghanistan è:

Dupree, Louis: *Afghanistan* (Princeton, Princeton University Press, 1980).

Sull'argomento donne e bambini consiglio in particolare:

Bailleau Lajoinie, Simone: *Conditions des Femmes en Afghanistan* (Paris, Éditions Sociales, 1980).

Hunte, Pamela Anne: *The Sociocultural Context of Perinatality in Afghanistan* (Ann Arbor, University Microfilms International, 1984).

van Oudenhoven, Nico J.A.: *Common Afghan Street Games* (Lisse, Swets & Zeitlinger, 1979).

Il classico libro di viaggi nella Valle di Panisher e nel Nuristan è:

Newby, Eric: *A Short Walk in the Hindu Kush* (London, Secker & Warburg, 1958).

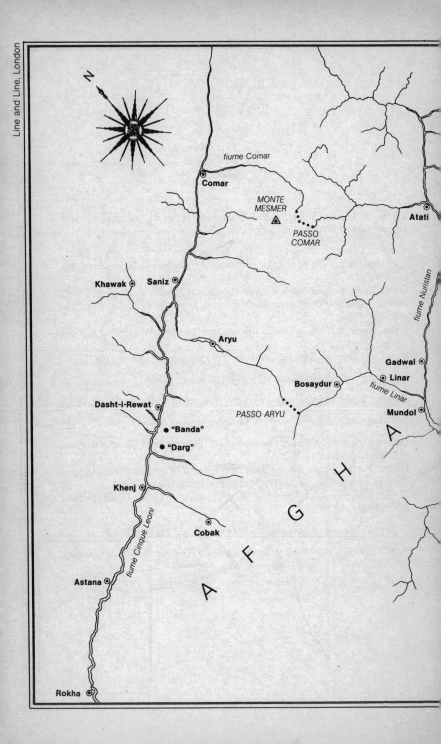

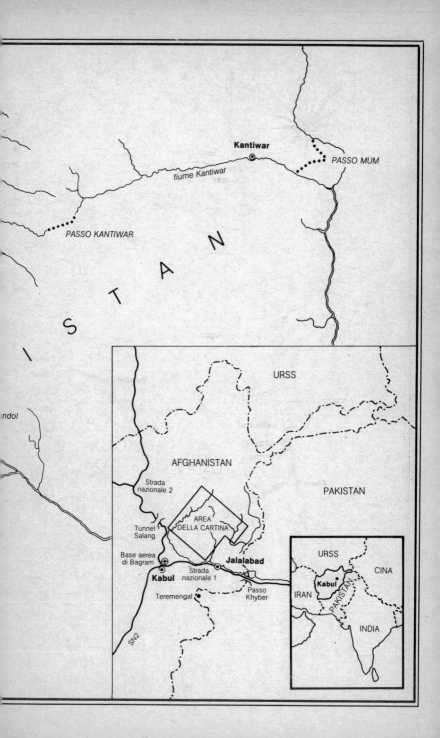

OSCAR BESTSELLERS